· 21 世纪高职高专精品教材 ·

法律基础

张雁飞　徐　洁　编著

经济管理出版社

图书在版编目（CIP）数据

法律基础/张雁飞，徐洁编著 . —北京：经济管理出版社，2008

ISBN 978－7－80207－482－8

Ⅰ. 法 . . .   Ⅱ. ①张 . . . ②徐 . . .   Ⅲ. 法律—基本知识—中国   Ⅳ. D92

中国版本图书馆 CIP 数据核字（2005）第 159126 号

出版发行：**经济管理出版社**

北京市海淀区北蜂窝 8 号中雅大厦 11 层

电话：（010）51915602   邮编：100038

印刷：北京国马印刷厂   经销：新华书店

策划编辑：王光艳   责任编辑：王光艳

技术编辑：杨 玲   责任校对：郭红生

850mm×1168mm/32   12 印张   290 千字

2006 年 2 月第 1 版   2008 年 1 月第 3 次印刷

印数：9001—13000 册   定价：22.00 元

书号：ISBN 978－7－80207－482－8/D · 4

前　言

本教材是由大连职业技术学院任课教师经过多年教学实践，专门针对高等职业教育的特点而编写的，全书注重于对学生实践技能的培养和训练。在内容的取舍上坚持以"实用、有用、够用"为原则，尽量通过实际案例通俗易懂地阐释法律概念和理论；每节都配有图表、补充资料、小知识和小思考等栏目，使内容更加生动，富有吸引力；每章都列出了明确的知识目标和技能目标，并针对这些目标编选了大量形式多样的知识性练习题，设计了相应的实践性训练活动项目，以提高学生对所学知识的实际应用能力。

本教材共包括六章，可分为三大部分：第一部分是法与宪法（第一章），主要介绍法的基本知识和宪法的主要内容；第二部分是实体法（第二章至第五章），主要介绍行政法、民法、经济法、刑法的主要内容；第三部分是程序法（第六章），主要介绍诉讼法（民事诉讼法、行政诉讼法和刑事诉讼法）及非诉讼途径。

全书由张雁飞和徐洁共同编写完成，其中第三章、

第五章、第六章由张雁飞编写；第一章、第二章、第四章由徐洁编写，最后由两位编者共同讨论定稿。

　　在本书的编写过程中，得到了大连职业技术学院李国艳副院长，人事处李家宏处长，教务处林桂花处长、于军科长，法律系唐初阳主任及各位老师的关心、支持和帮助，在此表示衷心的感谢。限于编者学识水平，加之时间仓促，对于书中的错误和不当之处，敬请读者批评指正。

编　者

2005 年 12 月

目 录

第一部分　法与宪法

第二部分　实体法

第三部分　程序法

第一部分　法与宪法

第一章 法与宪法

学习目标

通过本章学习，你应该达到以下目标：

■ 知识目标：了解法的一般知识；掌握宪法的基本内容，正确理解和掌握公民的基本权利和义务。

■ 技能目标：树立宪法观念，在实际生活中努力维护宪法尊严，从自身做起保障宪法实施。正确行使宪法赋予公民的基本权利，履行公民义务。

第一节 法的基本知识

法的概念
与特征

1. 法的概念

什么是法？如何界定法的概念？在理论上有很多不同看法。我们所要学习的"法"是指"国法"（国家的法律），在此意义上法的概念可以表述如下：法是由一定的物质生活条件所决定的，由国家制定或认可并由国家强制力保证实施的具有普遍效力的行为规范体系，其目的在于维护、巩固和发展一定的社会关系和社会秩序。

2. 法的特征

要理解法的上述概念，就必须了解法的特征。与其他相近的社会现象如道德、宗教、政策相比，法的外在特征表现在如下四个方面：

（1）法是调整人们行为（或社会关系）的规范。法首先是一种规范，但与其他规范如思维规范、语言规范、技术规范不同。当人们使用语言表达某种意思时，它应当遵循语言规范（语法）。当人们从事生产活动，生产某种产品时，应该遵循一定的技术规范，它调整的是人与自然（自然客体）的关系。而法则是一种社会规范，它所调整的是人们之间的相互关系（社会关系）或交互行为。法的规范性是指法所具有的规定人们行为模式、指导人们行为的性质。

（2）法是由国家制定或认可的社会规范。法是由国家制定或认可的，这与同是社会规范的道德、宗教不同。法是由国家制定的，是指国家立法机关按照法定程序创制规范性文件的活动。通过这种方式产生的法，称为制定法或成文法。法是由国家认可的，是指国家通过一定方式承认其他社会规范（道德、宗教、风俗、习惯等）具有法律效力的活动。

（3）法是由国家强制力保证实施的社会规范。一切社会规范（道德、教规、纪律、习惯等）都具有强制性，即借助一定的社会力量强迫人们遵守的性质。但法的强制性具有特殊性，即国家强制性。也就是依靠国家的强制力保证实施、强迫人们遵守的性质。不管人们的主观愿望如何，人们都必须遵守法律，否则将招致国家强制力的干涉，受到相应的法律制裁。

（4）法是具有普遍约束力的社会规范。任何社会规范都是有约束力的，也就是规范的效力。但是法的约束力有自己的特点：一是法的约束力与法的强制性相关联，以国家的强制力为后盾，以相应的法律制裁措施来保证（外在的强制力）。而其他的社会规范的约束可能以内在的强制为主，如道德主要依靠社会舆论和传统的力量以及人们的自觉维护，是内在的精神上的强制。二是法的约束力具有普遍性。其约束的范围是国家权力管辖范围内的一切成员，在形式上不分阶级、阶层、个人社会地位、民族、性别等方面的差别而要求一律平等适用。其他规范只对一国内部分人有效。如道德往往是不统一的，不同阶级、民族的道德只是在一定范围内对社会成员有约束力。当然，法的效力的普遍性也是相对的，即使是在国家权力的管辖范围内，法也只调整人们之间的一定的社会关系或社会关系的某个方面，并不是也不可能是规范人们的一切行为。除了法的调整之外，道德、习惯、宗教等多种社会规范，也在调整着人们的行为。因此，法只有在其所调整的社会关系的范围内才具有普遍的效力。

【小思考】

（1）公共汽车站贴有"请自觉排队上车"的提示，这是不是行为规范，它与法有什么不同？

（2）政党党章、宗教教义对其成员是否有约束力，它与法的约束力有何不同？

法的制定与法律体系

1. 法的制定

法的制定包括立法权限的划分和法的制定程序两个方面。

资本主义国家实行代议民主制度，按照三权分立的原则使立法权、司法权、行政权相互独立和制衡，有专门的立法机关、明确的立法权和严格的立法程序。我国是单一制的国家，根据宪法的规定，我国是一元性的立法体制，全国只有一个立法体系，同时又是多层次的。

（1）全国人民代表大会及其常务委员会行使国家立法权，制定宪法、法律。

（2）国务院根据宪法和法律制定行政法规。

（3）国务院下属的部、委根据法律和行政法规制定规章。

（4）省、直辖市的人民代表大会及其常务委员会在不同宪法、法律、行政法规相抵触的前提下，可以制定地方性法规；民族自治地方的人民代表大会有权制定自治条例和单行条例；省、自治区的人民政府所在地的市和经国务院批准的较大的市的人民代表大会及其常务委员会，在不同宪法、法律、行政法规相抵触的前提下，可以制定地方性法规。

（5）省、自治区、直辖市人民政府及省、自治区的人民政府所在地的市和经国务院批准的较大的市的人民政府，可以根据法律和国务院的行政法规，制定规章。

此外，按照"一国两制"的原则，特别行政区实行的制度（包括立法制度）由全国人民代表大会以法律规定。

立法程序是指有关国家机关制定、修改和废除法律和其他规范性法律文件的法定步骤和方式。我国法的制定程序主要有以下四个步骤：

（1）法律议案的提出。根据宪法和法律的规定，有提案权的个人和组织包括：全国人大代表和全国人大常委会组成人员（全国人大代表30人以上或一个代表团可以提出法律议案，全国人大常委会委员10人以上可以向全国人大常委会提出议案）；全国人大主席团、全国人大常委会可以向全国人大提出法律议案；全国人大各专门委员会可以向全国人大或全国人大常委会提出法律议案；国务院、最高人民法院、最高人民检察院可以向全国人大或全国人大常委会提出法律议案。

（2）法律草案的审议。全国人民代表大会对法律草案的审议一般经过两个阶段：一是由全国人大有关专门委员会审议，二是由立法机关全体会议审议。审议的结果有以下几种：提付表决、修改后提付表决、搁置、否定。

（3）法律草案的表决和通过。我国宪法规定，宪法的修改由全国人民代表大会以全体代表 2/3 以上的多数通过，法律草案要经过全国人大或全国人大常委会以全体代表的过半数通过。

（4）法律的公布。我国宪法规定，中华人民共和国主席根据全国人民代表大会的决定和全国人民代表大会常务委员会的决定，公布法律。公布后的法律生效问题，依照法律规定。我国公布法律的公报是《全国人大常委会公报》和《国务院公报》。

我国法律的制定及其效力见表 1—1。

【查一查】

通过互联网或有关法律方面的报刊，查一查我国《反国家分裂法》的制定过程（制定的主体、表决通过的过程及公布实施）。

2. 法律体系

法律体系是指一国的全部现行法律规范，按照一定的标准和原则，划分为不同的法律部门而形成的内部和谐一致、有机联系的整体。法律体系对于科学地进行立法预测、立法规划，正确地适用法律解决纠纷，全面地进行法律汇编、法典编纂，合理地划分法律学科、设置法学课程等都具有重要意义。

法律体系可以划分为不同的相对独立的部分，这就是法律部门。法律部门，也叫部门法，是根据一定标准和原则所划定的调整同一类社会关系的法律规范的总称。一般认为划分法律部门的主要标准首先是法律所调整的不同社会关系，即调整对象；其次是法律的调整方法。

我国的法律部门通常包括：宪法、行政法、民法、经济法、刑法、诉讼法、劳动法与社会保障法、环境法、国际法等。

表 1—1　　　　　　我国法律的制定及其效力

法律形式		制定机关	效　力
宪法		全国人民代表大会	最高
法律		全国人民代表大会及其常务委员会	次于宪法
行政法规		国务院	次于法律
地方性法规		省、自治区、直辖市的人民代表大会及其常务委员会，省、自治区人民政府所在市的人民代表大会及其常务委员会，国务院批准的较大市的人民代表大会及其常务委员会	次于行政法规
规章	部门规章	国务院各部、委	本部门有效
	政府规章	省、自治区、直辖市的人民政府，省、自治区的人民政府所在地的市和经国务院批准的较大的市的人民政府	本辖区内有效
自治条例和单行条例		民族区域自治地方的人民代表大会	在自治地方有效
特别行政区法		特别行政区立法会	在特别行政区内有效

法律责任与法律制裁

1. 法律责任

法律责任是指由于违法行为引起的依法应承担的带有强制性的责任。如"欠债还钱"是人们对法律责任的通俗理解，"还钱"对责任人来说就是一种强制性的责任。

　　某行为是否属于违法，只能根据法律规定的各种违法行为的构成要件来确定。违法的构成要件包括：①违法的客体，即违法行为所损害的而为法律所保护的一定的社会关系。②违法的客观要件，即构成违法所必须具备的外部条件。如行为、结果、行为与结果之间的因果关系、违法的时间和违法的对象等。③违法的主体，即实施违法行为并要对其承担责任的人，但任何主体都必须具备相应的责任能力，才能承担责任。④违法的主观要件，即实施违法行为的人在实施违法行为时的心理状态（在刑法中称为罪过，在其他部门法中称为过错）。违法行为按其对社会所造成的危害程度大小，可以区分为一般的违法行为和严重的违法行为（犯罪）。违法行为按其所违反的法律性质，可分为刑事违法行为、民事违法行为和行政违法行为。

【小思考】

　　2004 年 7 月 30 日，上海市消保委发出当年第 8 号消费警示，指出部分经营者在介绍商品时混淆商标名称、品牌，试图用"傍名牌"的手法销售其产品，比如"大金阪本"牌空调混淆日本著名品牌"大金"空调等现象。为此，"大金阪本"状告市消保委名誉侵权。

　　上海二中院审理后认为，该消费警示主观上不存在侵权的故意，客观上揭示了同类产品商标上的区别，其内容客观真实，并无诋毁、诽谤原告的内容，故不构成对原告名誉权的侵害。

　　从违法行为的构成角度分析一下，法院为什么会认定上海市消费者权益保护委员会的行为不属于违法行为？

　　行为违法是承担法律责任的前提，没有违法行为就不发生承担法律责任的问题。承担法律责任的原因可能各种各样，但其最终的依据是法律。因为一旦法律责任不能顺利承担或履行，司法机关就要裁断，司法机关只能依据法律作出最终的裁决。同时法律责任又具有国家强制性，即法律责任的履行由国家强制力保证。

法律责任有各种表现形式，根据不同的标准，可以作不同的划分。比如，以责任的内容为标准，有财产责任和非财产责任；以责任的程度为标准，有有限责任与无限责任；以责任的人数不同，有个人责任与集体责任；以行为人有无过错为标准，有过错责任与无过错责任；以引起责任的性质为标准，可划分为民事责任、刑事责任、行政责任和违宪责任等。

2. 法律制裁

法律制裁，是指由特定的国家机关对违法者依其法律责任而实施的强制性惩罚措施。法律制裁与法律责任有着紧密的联系。法律制裁是承担法律责任的重要方式。法律责任是前提，法律制裁是结果。法律制裁的目的是强制责任主体承担否定的法律后果，惩罚违法者，恢复被侵害的权利和法律秩序。同时，法律制裁与法律责任又有明显的区别。有法律责任不等于有法律制裁，如在民事法律中民法规定了承担民事责任的方式包括两种：一种是对一般的侵权行为的民事制裁；另一种是违约行为和特殊侵权责任的法律后果。前者司法机关通过诉讼程序追究侵权人的民事责任，给予民事制裁；在后一种情况下，如果违约方根据对方的要求履行了合同义务，或采取了补救措施，或向对方赔偿可支付违约金，违约方以自己的行为主动实现了自己的法律责任，就不会再有民事制裁。

法律制裁的种类包括民事制裁、刑事制裁、行政制裁、违宪制裁。

第二节　宪法概述

宪法的含义及特征

1. 宪法

宪法是规定一个国家的根本制度和根本任务、具有最高法律效力的国家根本法。它所解决的根本问题是如何正确处理个人权利和国家权力的关系，即如何有效限制国家权力、保障公民个人权利的切实实现。

2. 宪法的特征

宪法与普通法律一样，都是统治阶级意志的体现，是统治阶级治理国家、实现阶级统治的重要工具。但是，宪法作为国家的根本大法，被称为"法律的法律"，其与普通法律相比较，具有以下特殊性：

第一，在内容上，宪法规定国家生活中带有根本性的问题，如国家的性质、国家的政权组织形式、国家结构形式、国家的经济制度、公民的基本权利和义务等；而普通法律只是就国家生活或社会生活中某一方面的问题作出规定。如刑法只规定什么是犯罪以及对犯罪行为如何适用刑罚，行政法主要规定有关国家行政管理活动方面的问题；民法主要是规定平等民事主体间的人身关系和财产关系；诉讼法则规定有关诉讼活动的原则和程序问题。显然，宪法的内容比较宏观、抽象，其他法律的内容比较具体、细致。

第二，在效力上，宪法具有最高的法律效力。由于宪法是规定国家的根本制度和根本问题，这些问题对于国家来说是至关重要的，所以必须由具有最高法律效力的宪法加以规定。在一个国家的法律体系中，宪法是制定其他普通法律的依据，其他各种普通法律都必须根据宪法的规定或宪法所确定的原则来制定，并且不得违背宪法，否则就必须修改或废除。

　　第三，宪法在制定和修改的程序上，要比其他普通法律更为严格。作为国家的根本法，为保证其严肃性、权威性和稳定性，世界各国都对宪法的制定和修改规定了比普通法律更为严格的程序，而且通常设立专门的机构来负责宪法的起草和修改工作。如美国、法国、意大利等国的宪法都是由专门召开的制宪会议制定的。我国宪法由全国人民代表大会制定。制宪机关或立法机关在通过宪法草案或宪法修正案时，通常要得到全体成员 2/3 以上的多数通过才能生效，有的国家还要举行全民投票表决。而普通法律只要立法机关过半数的成员通过即可生效。我国宪法第 64 条规定："宪法的修改须由全国人民代表大会常务委员会或者 1/5 以上的全国人民代表大会代表提议，并由全国人民代表大会以全体代表的 2/3 以上的多数通过。"

【补充资料】

　　当代宪政国家中，绝大多数宪法是成文宪法，只有少数国家的宪法为不成文宪法。如英国虽然是宪法的发源地，却没有一部统一的、完整的、法典形式的宪法文件，有关英国国家制度和社会制度的许多问题，分别由一系列宪法法案、宪法性的习惯和宪法性的判例加以规定。

我国的现行宪法　　中华人民共和国成立以来，已经颁布过一个宪法性文件和四部宪法。即《中国人民政治协商会议共同纲领》和 1954 年宪法、1975 年宪法、1978 年宪法和现行的 1982 年宪法。

　　1982 年宪法是一部比较完备的宪法。该宪法继承和发展了

1954 年宪法的内容，集中反映了全国各族人民的共同意志和根本利益，明确把经济建设作为国家的中心任务，坚持四项基本原则，体现了改革开放，强化了对公民权利与自由的保障，进一步完善了国家机构体系。

1982 年宪法公布实施以前，我国对宪法的修改采取以新宪法取代旧宪法的形式。随着我国改革开放的深化和扩大，为使宪法适应社会主义建设事业的需要和改革开放进一步发展的需要，并且把已经取得的改革成果用根本法的形式固定下来，国家曾以宪法修正案的方式对现行的 1982 年宪法进行过四次修改和补充。

一是 1988 年 4 月第七届全国人大通过的宪法修正案中，确立了土地使用权可以有偿转让的制度，确认了私营企业的法律地位。

二是 1993 年 3 月第八届全国人大第一次会议通过的宪法修正案总结了中国十几年来改革开放的全部重大成果。如把"建设有中国特色的社会主义"理论写进了根本法；增加了"中国共产党领导的多党合作和政治协商制度将长期存在和发展"；把"实行计划经济"修改为"国家实行社会主义市场经济"；把"国营企业"改为"国有企业"等。

三是 1999 年 3 月第九届全国人大第二次会议通过的宪法修正案提出了"社会主义初级阶段"的论断；将邓小平理论确立为指导我国社会主义建设的基本理论；第一次将"依法治国，建设社会主义法治国家"写入宪法；肯定了个体经济、私营经济等非公有制经济的合法权利和利益，将"镇压反革命的活动"修改为"镇压危害国家安全的犯罪活动"。

四是 2004 年 3 月第十届全国人大第二次会议通过的宪法修正案，确定了"三个代表"重要思想在国家政治和社会生活中的指导地位，增加了推动物质文明、政治文明和精神文明协调发展的内容；在统一战线的表述中增加了"社会主义事业的建设者"；完

善了土地征收与征用制度；进一步明确了国家对发展非公有制经
济既鼓励、支持和指导又依法监督和管理的方针；完善了对私有
财产保护的规定，确立了"公民的合法的私有财产不受侵犯"的
宪法原则，增加了对私有财产的征收、征用和补偿制度的规定；
完善了全国人民代表大会组成的规定，在关于全国人民代表大会
组成的规定中增加了"特别行政区"；将"戒严"修改为"紧急状
态"；关于国家主席职权的规定中增加了"进行国事活动"；把乡、
镇人大的任期由 3 年改为 5 年；增加了对国歌的规定。

　　我国现行宪法由序言及总纲，公民的基本权利和义务，国家
机构，国旗、国歌、国徽、首都等四章组成，共 138 条。

第三节　我国的基本制度

我国的国家
性质

　　　　　　　　国家性质简称国体，是指社会各阶级在国
家中的地位，即在一个国家中哪个阶级是统治
阶级，哪个阶级是被统治阶级。它所反映的是
一个国家的阶级本质。

　　我国宪法第 1 条规定："中华人民共和国是工人阶级领导的、
以工农联盟为基础的人民民主专政的社会主义国家。"

1. 我国是人民民主专政的社会主义国家

　　宪法第 1 条清楚地表明，我国的国家性质是工人阶级领导
的、以工农联盟为基础的人民民主专政。我国人民民主专政的国
家性质包括以下内容：

　　(1) 工人阶级的领导是人民民主专政的根本标志，而工人阶
级的领导是通过自己的政党——中国共产党来实现的。

（2）工农联盟是人民民主专政的基础。工人阶级要完成自己的历史使命必须依靠广大的农民阶级，没有巩固的工农联盟，工人阶级的领导权便要落空，人民民主专政就不能巩固。

（3）人民民主专政是民主和专政的结合，即人民内部的民主和对敌人专政的结合。只有在人民内部实行广泛的民主，才能调动广大人民的积极性，形成强大的阶级力量，对敌人实行有效的专政，也只有这样，才能反过来保障人民的民主地位。

（4）人民民主专政实质上即无产阶级专政。我国的人民民主专政同无产阶级专政无论是从领导力量上还是从政权的阶级基础上，无论从政权的职能还是从所肩负的历史使命上看，二者都具有一致性。但是考虑到我国的阶级状况和政权基础，在我国一直沿用人民民主专政的提法，这样也可以表明我国政权的民主性质。

【补充资料】

"无产阶级专政"本是马克思主义的概念。我国在 1949 年的《共同纲领》、1954 年宪法以及 1956 年党的第八次全国代表大会的文件中，一直称我国的国家性质为人民民主专政。1975 年宪法和 1978 年宪法关于我国的国家性质提的是无产阶级专政。而现行宪法又恢复了人民民主专政的提法。采用人民民主专政的提法，也可以防止对无产阶级专政的歪曲和滥用，在当时有助于肃清极"左"思想的影响。

2. 我国的爱国统一战线和共产党领导的多党合作和政治协商制度

我国的统一战线，是中国革命和建设取得成功的重要法宝。现阶段的爱国统一战线，是由中国共产党领导的，有各民主党派和各人民团体参加的，包括全体社会主义劳动者和社会主义事业的建设者、拥护社会主义的爱国者和拥护祖国统一的爱国者的广泛的爱国统一战线。

中国共产党领导的多党合作和政治协商制度，是我国的一项基本政治制度。中国共产党是我国社会主义事业的领导核心，是执政党。各民主党派是接受中国共产党领导、同中国共产党通力合作、共同致力于社会主义事业的亲密友党，是参政党。"长期共存，互相监督，肝胆相照，荣辱与共"是中国共产党同各民主党派合作的基本方针。政治协商，就是中国共产党和各民主党派、无党派民主人士以及各个方面的代表人物，对有关国家事务的重大问题展开充分的讨论，把正确的意见集中起来，达成比较圆满的协议。实践证明，政治协商制度是一种具有中国特色的实行社会主义民主的重要制度。

中国人民政治协商会议是我国的爱国统一战线组织，也是共产党领导的多党合作和政治协商的重要组织形式。目前参加人民政协的除中国共产党的代表外，还有八个民主党派和其他无党派民主人士、人民团体、各少数民族和社会各界的代表、台湾同胞、港澳同胞和归国侨胞的代表以及特别邀请的人士。他们对国家的大政方针、地方的重要事务、群众生活和统一战线内部关系等重要问题，进行政治协商，并通过建议和批评，发挥民主监督作用。但人民政协不是国家权力机关，它的监督在性质上不同于人民代表大会的监督，而是集中地反映统一战线各方面意见的群众监督，是一种民主监督。

我国的政权组织　政权组织形式又称根本政治制度，简称政体，是指统治阶级所采取的用以实现其国家权力的形式，即统治阶级为了反对敌人、保护自己而组织起来的国家政权机关。政体反映着政权组织内部的结构状况以及各个组成部分之间的关系，是一个国家民主制度最基本的表现。

任何一个国家都是国体与政体的统一，二者之间有不可分割的联系。国家性质与政权组织形式之间是内容与形式的关系。首先，内容决定形式：有什么性质的国家，就必然会有与之相适应的政权组织形式，否则，掌握国家政权的阶级就无法行使其国家权力，实现其阶级统治。其次，政权组织形式对国家性质具有反作用：当其适合于国家性质时，对统治阶级实现其国家权力起推动作用；当其不适合于国家性质时，则表现为阻碍作用，必须对政权组织形式进行改善，以适应统治需要。

我国宪法第 2 条规定："中华人民共和国一切权力属于人民。""人民行使国家权力的机关是全国人民代表大会和地方各级人民代表大会。"

1. 人民代表大会制度是我国的根本政治制度

所谓人民代表大会制度，是指我国的一切权力属于人民，根据民主集中制的原则，通过普选，组成全国人民代表大会和地方各级人民代表大会，作为行使国家权力的机关，并在此基础上建立全部国家机构，实现人民当家做主的一种政权组织形式。

我国的人民代表大会制度直接反映了我国人民民主专政的国家性质，是我国其他制度赖以建立的基础。而且，与其他制度如立法制度、行政制度等相比，只有人民代表大会制度体现了我国政治生活、社会生活的全貌。所以，人民代表大会制度是我国的根本政治制度，也是实现社会主义民主的最基本的形式。

2. 我国的选举制度

选举制度是关于选举国家代表机关应遵循的各项制度的总

称，包括选举的基本原则、选举资格的确定、组织选举的程序和方法、选民与代表的关系等内容。选举制度是国家政治制度的重要组成部分。

根据我国宪法和选举法的规定，我国选举制度包括以下原则：

（1）选举的普遍性原则。在我国，凡年满 18 周岁的公民，不分民族、种族、性别、职业、家庭出身、宗教信仰、教育程度、财产状况、居住期限，都有选举权和被选举权（但依照法律被剥夺政治权利的人除外），从而保证了绝大多数公民都能享有选举权和被选举权。

（2）选举权的平等性原则。我国选举法第 4 条规定，每一选民在一次选举中只有一个投票权。这表明每个选民在选举时和其他选民有同等的投票权，同时，也保证所有的选民都在同等的基础上参加选举。

（3）直接选举和间接选举并用的原则。直接选举是指人民代表大会的代表由选民直接选举产生。间接选举是指上一级人民代表大会的代表由下一级人民代表大会选举产生。目前，我国只在乡、镇、县、市辖区、不设区的市中采取人民代表大会的代表由直接选举产生，其他人民代表大会的代表以间接选举的办法产生。这是由于我国人口众多、地域广大，各地区经济文化发展极不平衡，又缺乏民主传统，选民素质有待提高，因此还不适于普遍地采用直接选举的方式。直接选举和间接选举并用，更能着眼于实际民主。

（4）无记名投票原则。无记名投票也叫秘密投票，是指选票上不记载投票人的名字，由选民按照自己的意愿填写选票，并亲自投入票箱的投票方式。目前，全国和地方各级人民代表大会代表的选举，一律采用无记名投票的方法。

（5）代表向选民或原选举单位负责并受其监督的原则。各级人民代表大会的代表受选民和原选举单位的监督，选民和原选举单位有权罢免自己选出的代表，从而更加确保公民选举权的实现。

（6）选举的物质保障和法律保障的原则。我国选举法规定，选举经费由国库开支，国家提供选举所需要的一切物质设施。对以暴力、威胁、欺骗、贿赂等非法手段破坏选举或妨碍选民自由行使选举权和被选举权的人，将依法承担行政责任或刑事责任。这些规定为公民真正行使民主选举的权利提供了保证。

【阅读资料】

我国选举法对各级人民代表大会的代表名额和代表的产生，均规定以一定的人口比例作为基础，但同时又在城市和乡村之间、汉族和少数民族之间作了不同比例的规定。选举法第 14 条规定，省、自治区应选全国人民代表大会代表的名额，按照农村每一代表所代表人口数四倍于城市每一代表所代表的人口数的原则分配。在少数民族聚居的地方，每一聚居的民族都应有代表参加当地的人民代表大会，聚居境内同一少数民族的总人口不及境内总人口数的百分之十五的，每一代表所代表的人口数可以适当少于当地人民代表大会每一代表所代表的人口数，但不得少于二分之一。这种城乡之间、汉族与少数民族之间按照不同的人口比例产生代表名额的规定，虽然不是完全平等的，但只有这样，才能使全国各民族、各地区、各方面在各级人民代表大会中，都能有适当数量的代表，从而有利于加强工人阶级对国家的领导，有利于加强各民族的团结，因而是完全合理的。

1. 我国是统一的多民族国家

我国的国家 结构

国家结构形式是调整国家整体与其组成部分之间的关系的形式，即调整国家与其所属区域之间的关系的形式。

我国宪法序言指出："中华人民共和国是全国各族人民共同缔造的统一的多民族国家。"这表明，我国采取的是单一制的国家结构形式。这是我国民族关系历史发展的必然趋势，有利于国家的统一、人民的团结以及国内各民族的团结。

行政区域是国家领土内划分的各级行政单位所管辖的区域。在我国，考虑到便于人民群众参加国家管理、有利于发展经济建设事业和促进各民族的共同繁荣以及我国的历史传统等因素，将行政区域作以下的划分：

（1）全国分为省、自治区、直辖市。

（2）省、自治区分为自治州、县、自治县、市。

（3）县、自治县分为乡、民族乡、镇。

（4）直辖市和较大的市分为区、县。

（5）自治州分为县、自治县、市。

2. 我国的民族区域自治制度

民族区域自治，就是在我国的领土内，在中央的统一领导下，按照宪法和法律的规定，以少数民族聚居的地区为基础，建立民族自治地方、自治机关，由少数民族自主地管理本民族、本地区的事务。民族区域自治制度是结合我国各民族的历史特点和现实状况而实行的解决我国民族问题的基本政策，也是国家的一项重要的政治制度。

民族区域自治地方包括自治区、自治州和自治县。在民族自治地方按照民主集中制原则建立自治机关。自治机关是自治区、自治州、自治县的人民代表大会和人民政府。

自治区、自治州、自治县的人民代表大会常务委员会中应当有实行区域自治的民族的公民担任主任或副主任。自治区主席、自治州州长、自治县县长由实行区域自治的民族的公民担任。

民族自治地方的自治机关除行使宪法规定的地方国家机关的职权外，还享有自治权。主要有：制定自治条例和单行条例；对上级国家机关的决议、决定、命令和指示，可以变通执行和停止执行；自主地管理地方财政；自主地安排和管理地方经济建设事业；自主地管理本地方的教育、科学、文化、卫生、体育事业；组织本地方的公安部队；使用和发展当地通用的一种或几种语言文字；培养干部、专业人才和技术工人等。

3. 特别行政区制度

特别行政区是指在我国版图内，根据我国宪法和法律规定特别设立的，具有特殊法律地位，实行特别的政治、法律和经济制度的行政区域。

特别行政区享有高度的自治权，除享有行政管理权外，还享有立法权及独立的司法权和终审权，还可依据中央人民政府的授权自行处理有关对外事务。特别行政区直辖于中央人民政府。中央人民政府负责管理特别行政区有关的外交事务及特别行政区的防务，任命特别行政区长官和行政机关的主要官员。全国人大常委会有权决定特别行政区进入紧急状态，享有对特别行政区基本法的解释权及修改权。

特别行政区制度是在"一国两制"基本方针指导下解决我国历史遗留问题、和平实现祖国统一的重要举措。我国政府已与1997年12月31日和1999年12月20日分别对香港、澳门恢复行使主权，并设立香港特别行政区和澳门特别行政区。我国台湾地区在回归祖国后，也可以作为特别行政区，享有高度的自治权。

【补充资料】

世界各国的国家结构形式主要有单一制和复合制两种。在复合制中，又可分为联邦制和邦联制。目前，具有普遍意义的国家结构形式是单一制和联邦制。单一制是指由若干行政单位或自治单位组成的单一主权国家，如我国、日本、韩国等；联邦制是指由两个以上的成员国结合组成的国家，如美国、印度等，其成员国分为州、邦或共和国等。二者的主要区别是：①单一制国家只有一部宪法，立法机关依照宪法制定各种法律；而联邦制国家除了有联邦宪法之外，每一个成员国都有自己的宪法。②单一制国家只有一个最高立法机关、一个中央政府、一套司法体系；而联邦制国家除了设联邦立法机关、中央政府和司法系统外，各成员国还有自己的立法机关、政府、司法系统。③从中央与地方的权力划分看，单一制国家的地方政府要接受中央政府的统一领导，地方政府的权力是中央政府授予的，地方行政单位和自治单位没有脱离中央而独立的权力；而联邦制国家虽然其成员国也要服从国家的统一领导，但各成员国都有较大的自治权。从理论上说，联邦的权力是各成员国让与的，有的国家还规定成员国有退出联邦的权力。④在国际上，单一制国家是国际法上的唯一主体；而联邦制国家不仅联邦是国际法上的主体，有的国家某些成员国也是国际法上的主体。⑤单一制国家的公民只有一个国籍；而联邦制国家的公民除了具有联邦的国籍外，还有所在成员国的国籍。从以上比较可以看出，单一制和联邦制各有所长，一个国家采取何种结构形式，是由其具体国情决定的。

经济制度是指一国的经济基础和在此基础

上建立的经济管理体制的总和。

我国宪法关于经济制度的规定主要包括以

下内容：

一是我国社会主义经济制度的基础是生产资料的社会主义公

有制，即全民所有制和劳动群众集体所有制。

二是国家实行社会主义市场经济，坚持以按劳分配为主体，

各种分配方式并存的分配制度。

三是坚持以公有制为主体，多种所有制经济共同发展的基本

经济制度，国家对不同所有制经济平等予以保护。宪法规定，国

有经济是国民经济中的主导力量，国家保障国有经济的巩固发

展；国家保护城乡集体经济组织合法的权利和利益，鼓励、指导

和帮助集体经济的发展。在我国，还存在个体经济和私营经济等

非公有制经济，它们是社会主义市场经济的重要组成部分。国家

保护个体经济、私营经济的合法的权利和利益，并对其实行引

导、监督和管理。同时宪法还允许外国的企业和其他经济组织或

个人在中国投资，同中国的企业和其他经济组织进行各种形式的

经济合作，从而确定了外商投资企业在中国的法律地位。

四是社会主义公共财产神圣不可侵犯。国家保护社会主义的

公共财产，禁止任何组织或个人用任何手段侵占或者破坏国家和

集体的财产。

五是国家保护公民合法的私有财产的所有权。

第四节　公民的基本权利和义务

公民，是指具有一个国家国籍的自然人。我国宪法规定：

"凡具有中华人民共和国国籍的人都是中华人民共和国公民。"一个人作为某国公民，就要受到该国宪法和法律的保护和约束，即在法律上享有权利和承担义务。

宪法作为国家根本法，规定了公民的基本权利和义务。公民的基本权利，也称宪法权利或基本人权，是指由宪法规定的公民享有的主要的、必不可少的权利。这是公民在社会生活领域中应有的最基本的和最低限度的权利。公民的基本义务也称宪法义务，是指由宪法规定的公民必须遵守和应尽的根本责任。

【补充资料】

与"公民"有关的几个概念：

（1）国籍，是指一个人隶属于某个国家的法律上的身份，一个人一旦具有某国国籍，就享有该国宪法和法律规定的义务。同时，该国对侨居他国的本国公民也有义务给予外交保护，并在必要时接纳其回国。

（2）人民，在我国，公民与人民是两个不同的概念。首先表现在性质上，公民是与外国人（包括无国籍人）相对应的法律概念，人民则是与敌人相对应的政治概念；其次表现在范围上，公民的范围比人民的范围更加广泛，公民中除包括人民外，还包括人民的敌人；最后表现在后果上，公民中的人民，享有宪法和法律规定的一切公民权利并履行全部义务，公民中的敌人，则不能享有全部的公民权利也不能履行属于公民的某些义务。此外，公民所表达的一般是个体概念，而人民所表达的往往是群体概念。

（3）选民，是指依法享有选举权和被选举权的公民。

1. 平等权

公民的基本权利

平等权的基本含义是公民在法律面前一律平等。具体来说就是任何人都平等地享有宪法和法律规定的权利，平等地履行义务；任何人的合法权益都平等地受到保护；任何公民都不得有超越宪法和法律的特权，公民的违法行为平等地依法予以追究和制裁。

2. 政治权利和自由

这是宪法规定的公民参与国家政治生活的民主权利以及在政治上享有表达个人见解和意愿的自由。具体包括以下两方面：一是选举权和被选举权；二是政治自由权；即公民有言论、出版、集会、结社、游行、示威的自由。

政治自由权是公民表达个人见解和意愿、进行正当社会活动、参加国家管理的一项基本权利。但是公民必须在法律规定的范围内依法行使这些权利和自由，不得损害国家、社会、集体的利益和其他公民的合法权利和自由。

【案例分析】

王某是某地农民，高中文化，好吃懒做，不愿在农村务农。1998年到县城当上了小报"编辑"。他凭着一把剪刀和一瓶胶水，将其他报刊上的文章剪贴后，找个体印刷厂私自印成小报。由于小报充斥色情暴力内容，能迎合一些低级趣味的人的喜好，很快遍布大街小巷。2000年10月，经缜密调查，当地文化部门和公安部门依法取缔了这些小报，并对王某进行法律制裁。王某辩解道："宪法规定公民有言论、出版的权利和自由。办报是我应享有的政治自由，我没有被剥夺政治权利，你们对我的处罚是违反宪法的。"

请运用宪法知识分析，王某的说法是否正确？

（资料来源：陈桂明主编：《法律基础知识》，北京师范大学出版社，2001 年版）

3. 宗教信仰自由

公民有信仰宗教与不信仰宗教的自由；有信仰这种宗教的自由，也有信仰那种宗教的自由；在同一宗教中，有信仰这个教派的自由，也有信仰那个教派的自由；有过去信仰宗教而现在不信仰宗教的自由，也有过去不信仰宗教而现在信仰宗教的自由。国家保障正常的宗教活动，任何人不得利用宗教进行破坏社会秩序，损害公民身体健康，妨碍国家教育制度的活动。国家反对和依法打击邪教。

4. 人身自由权

（1）公民的人身自由不受侵犯。任何公民，非经人民检察院批准或者人民法院决定，并由公安机关执行，不受逮捕。禁止非法拘禁和以其他方法剥夺或者限制公民的人身自由。

（2）公民的人格尊严不受侵犯。人格是指公民作为权利和义务的主体的独立资格。公民的人格权包括生命权、健康权、姓名权、名誉权、荣誉权、肖像权等。宪法禁止用任何方法对公民进行侮辱、诽谤和诬告陷害。

（3）公民的住宅不受侵犯。公民的住宅是人身的延伸。我国宪法规定，禁止非法搜查或非法侵入公民的住宅。任何机关或个人，非经法律许可并依法定程序，不得随意进入或搜查公民的住宅，更不允许以任何形式加以强占。

（4）公民的通信自由和通信秘密受法律保护。除因国家安全或者追查刑事犯罪的需要，公安机关或者检察机关有权依照法律规定的程序对通信进行检查外，其他任何组织或个人不得以任何理由侵犯公民的通信自由和通信秘密。

【案例分析】

案例：2003 年 5 月中旬，全国各新闻媒体竞相报道了一则震惊全国的新闻事件：武汉青年孙志刚在广州被错误收容并被故意伤害致死。

27 岁的孙志刚 2001 年在武汉科技学院艺术设计专业结业，2003 年 2 月 24 日受聘于广州达奇服装有限公司。3 月 17 日晚 10 时许，孙志刚因未携带任何证件上街，被执行统一清查任务的天河区公安分局黄村街派出所民警带回询问，随后被错误地作为"三无"人员送至天河区公安局收容待遣所，后转送广州市收容遣送中转站。3 月 18 日晚，孙志刚称有病，被送往市卫生部门负责的收容人员救治站。3 月 20 日凌晨 1 时 13 分至 30 分期间，孙志刚遭同病房的 8 名被救治人员两度轮番殴打，于当日上午 10 时 20 分因大面积软组织损伤性休克死亡。

分析：该案发生后，涉案人员都依法受到了制裁，但是怎样才能避免类似的悲剧不再发生呢？人身自由是宪法赋予公民的基本权利，只有全国人民代表大会或其常务委员会制定的法律才有权作出限制人身自由的规范。我国的收容遣送制度依据的是 1982 年施行的《城市流浪乞讨人员收容遣送办法》，作为行政法规而可能会涉及限制公民人身自由，显然是违宪的。孙志刚事件发生后，国务院出台了《城市生活无着的流浪乞讨人员救助管理办法》，已于 2003 年 8 月 1 日起实施，《城市流浪乞讨人员收容遣送办法》被废止。

（资料来源：彭爽主编：《法律基础实用教程》，北京工业大学出版社，2004 年版）

5. 社会经济权利

这是指公民享有的经济物质利益方面的权利。其内容如下：

（1）公民个人的合法的私有财产不受侵犯。国家依照法律规定保护公民的私有财产权和继承权。

（2）公民的劳动权利和义务。国家通过各种途径，创造劳动就业条件，加强劳动保护，改善劳动条件，并在发展生产的基础上提高劳动报酬和福利待遇。

（3）劳动者的休息权。国家规定了职工的工作时间和休假制度，并发展劳动者休息和修养的设施。

（4）物质帮助权。公民在年老、疾病或者丧失劳动能力的情况下，有从国家和社会获得物质帮助的权利。国家发展为公民享受这些权利所需要的社会保险、社会救济和医疗卫生事业。

（5）文化教育权利和自由。首先，公民有受教育的权利，是指公民（无论成年还是未成年）有权接受文化、科学、品德、体质等方面的教育训练。其次，受教育作为公民的一项义务，是指公民达到一定年龄后，必须接受规定年限的学校教育。另外，公民还有进行科学研究、文学艺术创作和其他文化活动的自由。

6. 特定公民享有的权利

国家保障妇女的权益，保护婚姻、家庭、母亲、儿童和老人。国家和社会保障残废军人的生活，抚恤烈士家属，优待军人家属。国家和社会保护残疾人的合法权益，保护华侨、归侨和侨眷的权利和利益。

7. 监督权和获得赔偿权

监督权，是指宪法规定的，公民对于任何国家机关和国家工作人员的违法失职行为，有向有关国家机关提出申诉、控告或者检举的权利。但公民在行使监督权的时候，不得捏造或者歪曲事实进行诬告陷害。对于公民的申诉、控告或者检举，有关国家机关必须查清事实，负责处理，任何人不得压制和打击报复。

获得赔偿权，是指由于国家机关和国家工作人员侵犯公民权利而受到损失的人，有依照法律规定取得赔偿的权利。

宪法规定，我国公民的基本义务主要有：

公民的基本义务

（1）维护国家统一和民族团结。

（2）遵守宪法和法律。

（3）维护国家安全、荣誉和利益，保守国家机密。

（4）遵守公共秩序，尊重社会公德。

（5）保卫祖国，依法服兵役和参加民兵组织。

（6）依法纳税。

【补充资料】

公民基本权利和义务的关系

我国公民享有的基本权利是广泛的和现实的，但任何权利都是相对的，不是绝对的和随心所欲的。宪法在赋予公民自由和权利的同时，也规定了公民的基本义务，这是公民对国家和社会应尽的责任。

首先，公民的基本权利和义务具有统一性。没有无义务的权利，也没有无权利的义务。我国宪法规定，任何公民享有宪法和法律规定的权利，同时必须履行宪法和法律规定的义务。

其次，公民行使自由和权利的时候要受到法律的限制，而不能滥用自由和权利。宪法规定，公民在行使自由和权利的时候，不得损害国家的、社会的、集体的利益和其他公民的合法的自由和权利。可见，任何权利和自由都是有限度的，必须以不损害公共利益和其他公民合法权益为前提，不受限制的自由和权利是不存在的。

最后，公民的有些权利和义务是一致的。如宪法规定，公民有劳动的权利和义务，公民有受教育的权利和义务。这表明，公民参加劳动和受教育既是享受权利，又是履行义务，权利和义务高度地结合在一起。

【小思考】

公民如何正确地行使权利？

第五节　我国的国家机构

我国的国家机构及其组织和活动的原则

国家机构是统治阶级为实现国家权力而建立起来的一整套国家机关体系的总称，是实现国家职能的重要工具。

我国的国家机构由权力机关、国家主席、行政机关、审判机关、检察机关、中央军事机关等组成。

我国国家机关组织和活动的基本原则如下：

1. 民主集中制原则

民主集中制原则，是指在民主基础上的集中与在集中指导下的民主二者的高度统一。这一原则作为国家机关组织和活动的基本原则，在国家机关与人民群众的关系方面，表现为国家权力机关由人民通过民主选举产生，对人民负责，受人民监督；在国家权力机关与其他国家机关的关系方面，表现为其他国家机关都由国家权力机关产生，对它负责，受它监督；在中央国家机关与地方国家机关、上级国家机关与下级国家机关关系方面，表现为地方服从中央、下级服从上级，同时中央和上级国家机关也应尊重地方和下级国家机关的意见，充分发挥它们的主动性、积极性。

2. 执政为民原则

人民是国家的主人，一切国家机关处理一切事务，都应从人民的根本利益出发，体现"三个代表"的要求，为人民办事，经常保持同人民的密切联系，倾听人民的意见和建议，接受人民的监督。

3. 社会主义法制原则

国家机关组织和活动中的法制原则，要求所有的国家机关都必须严格按照宪法和法律的规定进行活动，所有的国家工作人员都必须遵守宪法和法律，严格依法办事。

1. 全国人民代表大会及其常务委员会

我国的国家机构体系　全国人民代表大会是我国的最高国家权力机关。它代表全国人民统一行使国家最高权力，其他最高国家机关均由它产生，并受它监督，因而具有全权性。全国人大由省、自治区、直辖市、特别行政区和军队的代表组成，各少数民族都应当有适当名额的代表。全国人大的任期为每届5年，每年举行一次会议。

全国人大的职权主要有：立法权；选举、决定和罢免国家领导人；决定国家生活中的重大问题；最高监督权等。

2. 国家主席

国家主席是国家的元首、国家的代表，同全国人大结合行使国家元首的职权。国家主席是国家机构中的重要组成部分。中华人民共和国主席、副主席由全国人大产生，对其负责，受其监督。每届任期同全国人大相同，连续任职不得超过两届。

国家主席根据全国人大的决定和全国人大常委会的决定，公布法律，任免国务院组成人员；授予国家的勋章和荣誉称号；代表国家进行国事活动，接见外国使节；副主席协助主席工作，受主席委托，可以代行主席的部分职权。主席缺位时，由副主席继任主席的职位。

3. 国务院

国务院即中央人民政府，是最高国家权力机关的执行机关，是最高国家行政机关。它对全国人大负责并报告工作；在全国人大闭会期间，对全国人大常委会负责并报告工作。国务院由总理、副总理若干人，国务委员若干人、各部部长、各委员会主任、审计长、秘书长组成，每届任期同全国人大相同。总理、副总理、国务委员连续任职不得超过两届。

总理领导国务院工作。副总理、国务委员协助总理工作。总理、副总理、国务委员、秘书长组成国务院常务会议。总理召集和主持国务院常务会议和国务院全体会议。国务院工作中的重大问题，必须经国务院常务会议或国务院全体会议讨论决定。

国务院担负着组织执行最高国家权力机关的法律和决议的繁重任务，因而，它的职权非常广泛。其职权包括：根据宪法和法律，规定行政措施，制定行政法规，发布决定和命令；组织和领导全国性行政工作；领导和管理各行业、各部门的行政工作；保护公民正当合法的权益；监督各部委和下级人民政府的工作；全国人民代表大会及其常务委员会授予的其他职权。

国务院实行总理负责制。各部、各委员会都是在国务院统一领导下负责某一方面国家行政工作的中央国家行政机关，实行部长、主任负责制。根据法律和国务院的行政法规，各部、各委员会可以在本部门的权限内发布命令、指示和规章。

4. 中央军事委员会

中央军事委员会是全国武装力量的最高领导机关。中央军委由主席、副主席若干人、委员若干人组成，每届任期同全国人大相同。中央军委实行主席负责制。中央军委主席有权对中央军委职权范围内的事务作出最后决策。

5. 地方各级人民代表大会和地方各级人民政府

（1）地方各级人民代表大会及其常务委员会。地方各级人民代表大会是地方国家权力机关。它包括省、自治区、直辖市、自治州、县、自治县、市、市辖区、乡、民族乡、镇的人民代表大会。各级人民代表大会每届任期同全国人大相同。县级以上地方各级人民代表大会设置常务委员会，其成员包括主任、副主任若干人和委员若干人，均由同级人大选举产生。常委会成员不得担任国家行政机关、审判机关和检察机关的职务。

地方各级人大的职权主要有：保证宪法、法律、行政法规的遵守和执行，保护机关、组织和个人的合法权利；选举和罢免地方国家机关负责人；决定重大的地方性事务；监督其他地方国家机关的工作；制定地方性法规。

（2）地方各级人民政府。地方各级人民政府是地方国家权力机关的执行机关，是地方各级国家行政机关。地方各级人民政府对本级人大负责并报告工作。全国地方各级人民政府都是国务院统一领导下的国家行政机关，都服从国务院。其每届任期同本级人大的任期相同。

地方各级人民政府的职权主要有：依照法律规定的权限，管理本行政区域内的经济、教育、科学、文化、卫生、体育事业，管理城乡建设事业和财政、民政、公安、民族事务、司法行政、监察、计划生育等行政工作，发布决定和命令，任免、培训、考核和奖惩行政工作人员。

中央国家机构体系见图1—1。

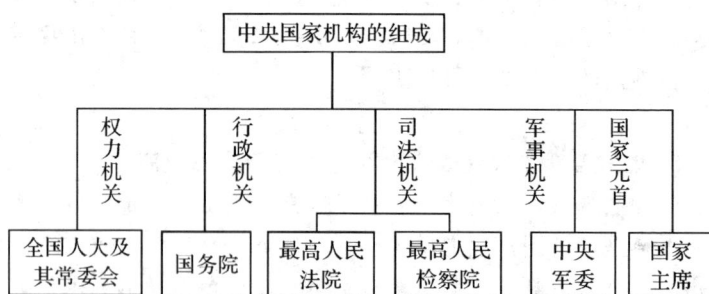

图1—1　中央国家机构体系示意图

6. 人民法院

人民法院是国家审判机关，它依法行使审判权，依照法律审理和判决刑事案件、民事案件和行政案件。最高人民法院院长每届任期同全国人大代表每届任期相同，连续任职不得超过两届。

我国审判机关由下列人民法院组成：

（1）最高人民法院。是国家最高审判机关，对全国人大及其常委会负责，并监督地方各级人民法院和专门人民法院的审判工作。

（2）地方各级人民法院。是地方各级国家审判机关。包括基层人民法院（县、自治县、市、市辖区人民法院）；中级人民法院（在省、自治区内按地区设立的中级人民法院和在直辖市、自治州设立的中级人民法院）；高级人民法院（省、自治区、直辖市高级人民法院）。地方各级人民法院对产生它的国家权力机关負责，上级人民法院监督下级人民法院的审判工作。

（3）专门人民法院。包括军事法院、海事法院、铁路法院等专门人民法院。

7. 人民检察院

人民检察院是国家的法律监督机关，它依法行使检察权，对宪法、法律的实施进行监督。最高人民检察院院长每届任期同全国人大代表每届任期相同，连续任职不得超过两届。人民检察院依照法律规定独立行使检察权。

我国检察机关由下列人民检察院组成：

（1）最高人民检察院。是最高国家检察机关，对全国人大及其常委会负责，并领导地方各级人民检察院的工作。

（2）地方各级人民检察院。是地方各级国家检察机关。包括：省、自治区、直辖市人民检察院；省、自治区、直辖市人民检察院分院，自治州和省辖市人民检察院；县、市、自治县和市辖区人民检察院。地方各级人民检察院对产生它的国家权力机关和上级人民检察院负责。

（3）专门人民检察院。包括军事检察院等专门人民检察院。

人民法院组织体系见图1－2，人民检察院组织体系见图1－3。

本章小结

· 宪法：是规定一个国家的根本制度和根本任务、具有最高法律效力的国家根本法。

· 我国的国体：是工人阶级领导的、以工农联盟为基础的人民民主专政的社会主义国家。

· 我国的政体：中华人民共和国一切权力属于人民。人民行

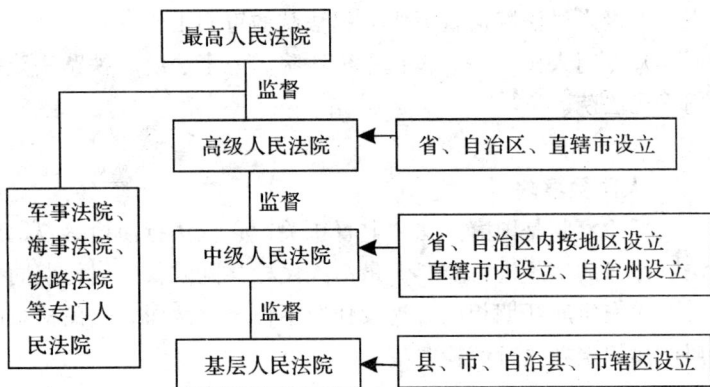

图 1－2　人民法院组织体系图

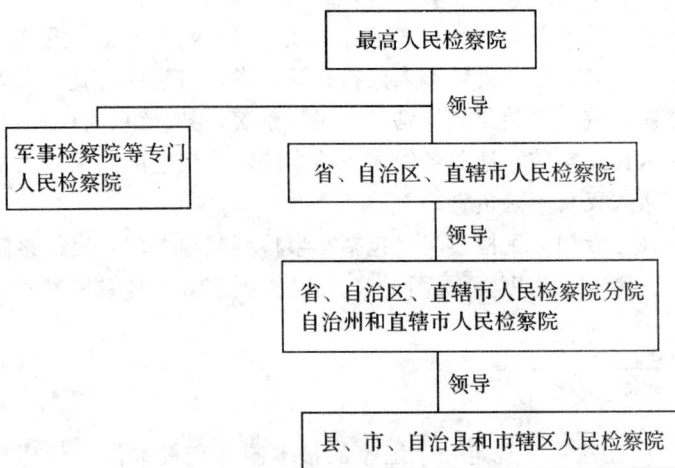

图 1－3　人民检察院组织体系图

使国家权力的机关是全国人民代表大会和地方各级人民代表大会。

• 我国的国家结构形式：我国是统一的多民族国家，采取单一制的国家结构形式。在民族聚居地区实行民族区域自治制度，在香港、澳门实行特别行政区制度。

• 我国的经济制度：我国实行社会主义公有制为主体，多种所有制经济共同发展的基本经济制度，国家对不同所有制经济平等予以保护。实行按劳分配为主体，各种分配方式并存的分配制度。国家保护公民合法的私有财产的所有权。

• 我国的国家机构：我国的国家机构由权力机关、国家主席、行政机关、审判机关、检察机关、中央军事机关等组成。

• 公民的基本权利和义务：我国公民依照宪法享有私有财产的所有权、政治权利和自由、宗教信仰自由、人身自由权、社会经济权利、监督权和获得赔偿权等基本权利，国家保护特定公民的合法权益。同时还要依法履行宪法规定的公民义务。公民在享有宪法和法律规定的权利和自由时，不得损害国家的、集体的利益和其他公民的合法的自由和权利。

基本训练

■ 基本知识检测

一、解释下列概念

法、法律部门、法律责任、宪法、国体、政体、公民的基本权利和义务、国家结构形式

二、简要回答以下问题

1. 什么是法？法的特征有哪些？

2. 为什么说宪法是国家的根本大法？

3. 我国公民享有哪些基本权利？

三、辨析题

1. 法就是约束人们行为的规范，与其他规范相比，并无特殊之处。

2. 既然宪法规定公民享有人身自由和结社自由，那就可以想成立什么组织就成立什么组织，想干什么就干什么。

3. 宪法赋予公民以物质帮助权，那么公民就可以不工作，完全靠社会救济生活了。

四、选择题

1. 我国的最高权力机关是（　　　）。

A. 国务院　　　　　　B. 全国人民代表大会

C. 最高人民法院　　　D. 国家主席

2. 宪法是国家的根本法，与普通法律相比，其特点为（　　　）。

A. 宪法规定的内容与普通法律不同

B. 宪法的效力与普通法律不同

C. 宪法的阶级本质与普通法律不同

D. 宪法的制定和修改程序与普通法律不同

3. 我国现阶段的爱国统一战线为中国共产党领导的、有各民主党派和各人民团体参加的，包括全体（　　　）的广泛的爱国统一战线。

A. 拥护社会主义的爱国者

B. 拥护祖国统一的爱国者

C. 社会主义事业的建设者

D. 社会主义劳动者

4. 我国采取（　　　）的国家结构形式。

A. 单一制　　B. 复合制　　C. 联邦制　　D. 邦联制

5. 以下既是公民基本权利又是公民基本义务的为（　　　）。

A. 劳动权　　B. 人身权　　C. 受教育权　　D. 选举权

■ **基本技能训练**

一、案例分析

张某原就职于某大酒店，后辞职应聘于另外一家公司，恰巧这家公司的办公地点就在张某原就职的大酒店内。当他欲前往公司上班而进入该酒店时，却被酒店阻挡在外。其理由为，该酒店在员工手册第 9 条中规定："辞职、辞退员工，6 个月内不得以任何理由进入本酒店。"而张某新就职的公司要求他在规定的期限内上班，否则将不予录用。

请分析：

1. 大酒店是否有权阻止张某进入酒店？

2. 大酒店的做法侵犯了张某哪些基本权利？

二、举例说明

1. 宪法规定的公民的平等权在社会生活中的具体体现。

2. 试着找出生活中的一些道德规范，并比较道德规范与法律规范的异同。

■ **实践技能操作**

1. 请对我国若干执法部门进行一次小型社会调查，说出它们各自的职权，并能识别它们的执法徽章或标志。

2. 进行一次讨论会，讨论宪法作为国家的根本法，其在社会生活中的重要作用。

第二部分　实体法

第二章　行政法

学习目标

通过本章学习，你应该达到以下目标：

■　知识目标：掌握行政法的基本知识，理解行政法在我国社会生活中的重要作用，重点了解几个主要行政法律规范的基本内容。

■　技能目标：树立依法行政的思想，提高作为公民依法监督行政的自觉性，能够运用行政法律知识分析简单的行政争议，维护自己的合法权益。

第一节　行政法概述

1. 行政

行政法的概念和调整对象

行政法意义上的行政，不同于一般行政活动，它特指的是国家行政主体依法对国家和社会事务进行组织和管理的活动。首先，它是以国家行政机关（有时也包括经国家行政机关授权的事业单位和社会团体）为主体而实施的活动；其次，它是对公共事务进行的组织和管理活动。因而，行政法上所说的行政，是一种公共行政。

2. 行政法

行政法是规范国家行政管理活动的法律规范的总称。具体来说，它是关于行政职权的授予、行使，以及对行政权力进行监督和对其后果予以补救的法律规范的总称。

行政法是一个独立的法律部门，与其他的法律部门相比较，它在内容上、形式上都有突出的特点：

（1）在形式上，行政法没有一部统一的法典，而是分散在众多的法律文件中。这是因为国家行政活动涉及广泛的社会生活领域，内容复杂，而且行政关系总是频繁变动，很难就行政法来制定出一部系统而完整的法典。

（2）在内容上，行政法具有广泛性而且富于变动。几乎所有的社会生活领域都会有行政活动的存在，而且要求行政法必须及时地适应社会生活的变化而有所改变。当然这主要指的是那些以法规、规章形式而存在的行政法规范，而以宪法、法律形式表现的行政法规范则具有相当的稳定性。

3. 行政法的调整对象

行政法的调整对象是行政关系，即国家行政机关在行使行政职能的过程中所发生的各种社会关系。主要包括以下几种社会关系：

（1）行政机关与其他国家机关之间的关系。包括行政机关与权力机关、审判机关、检察机关之间的关系。

（2）行政机关之间的关系。包括上下级行政机关之间的关系，同级行政机关之间的关系，行政机关与其工作人员之间的关系。

（3）行政机关与其他社会组织之间的关系。包括行政机关与企事业单位及各种社会团体之间的关系。

（4）行政机关与自然人之间的关系。

行政法的基本原则 行政法的基本原则是指贯穿在行政法中，并要求所有行政主体在行政管理活动中必须遵循的基本行为准则。行政法的基本原则可概括为以下两方面：

1. 行政合法性原则

这一原则有以下要求：

（1）行政主体的行政职权必须依法设定或依法授予。即行政职权的来源必须合法。任何行政职权的存在都是基于法律的授权，没有法律的授权，行政机关就不能进行行政管理活动，否则就是违法行为。

（2）行政职权必须依法行使。行政主体在行使行政职权时，必须按照法律规定的条件、方式和程序行使，不能超越法定的限度。

2. 行政合理性原则

这一原则是行政合法性原则的补充，是指行政机关行使行政职权做出的行政行为必须客观、适度，符合公平正义的法律理性。由于行政事务的复杂多变，使得行政主体在行使职权的过程中也有一定的自由裁量权，但是自由裁量权也不能任意行使，否则也一样会侵害行政相对人的利益，因而要根据客观情况，在适度的范围内，符合大多数人的公平正义观念来实施。

可见，合法性原则解决的是合法与违法的问题，合理性原则解决的是在不违法的前提下合理与否、恰当与否的问题。行政职权的行使不仅要合法，而且要合理。这就是依法行政的全部内涵。

**行政法的地位
与作用**

1. 行政法的地位

行政法在法律体系中占有重要的地位，在众多的法律部门中，行政法与宪法的关系最密切。因为宪法所规定的国家基本政治、经济、文化、社会制度及公民基本权利和义务等内容都直接或间接地与行政职权的行使和监督有关，而行政职权的行使和监督，正是行政法的重要内容。所以行政法能够较全面地实施宪法，是宪法的重要实施法。

2. 行政法的作用

行政法在社会生活中的作用主要表现为以下两方面：

（1）保障行政管理的有效实施。行政法为行政机关设定相对独立的行政职权，并为其行使和运用赋予法律效力，使行政职权的行使具有法律的权威性、规范性，取得普遍的约束力，从而确保行政机关有效地实施行政管理活动。

（2）行政法可以保护行政相对人的合法权益。行政职权实际上是由具体的人来运用的，这就有可能受到个人意志的影响，造成权力的滥用。而行政法正是通过一系列的具体制度来避免行政职权的行使受某个人或某个机关的偶然性、任意性的支配。如听证制度、行政公开制度、行政申诉制度、国家赔偿制度等，这些以民主、公正为主要价值目标的行政制度不断发展、完善，可以有效地保护行政相对人的合法权益。

【补充资料】

一切行使权力的人都会滥用权力，这是一条万古不易的经验。

要防止权力的滥用，就要以权力制约权力。

——孟德斯鸠《论法的精神》

第二节 行政主体与行政行为

1. 行政主体的概念与特征

行政主体是指享有行政职权，能以自己的名义行使国家职权、实施行政管理活动，并能对其行为承担法律责任的组织。

（1）行政主体是享有行政职权并实施行政管理活动的组织。行政主体是一种社会组织，这种社会组织有权代表国家行使行政职权，实施行政管理活动。这是行政组织区别于其他社会组织如企事业单位、社会团体的本质特征。

（2）行政主体能够以自己的名义独立行使行政职权。所谓"以自己的名义"是指行政主体能够依照自己的意志作出处理决定、能以自己的名义采取措施。这一特征将行政主体与行政机关的内部机构和受行政机关委托执行某些行政管理任务的组织区别开来。

（3）行政主体能够独立承担其行政行为产生的法律责任。能否独立承担法律责任，是判断行政机关及其他组织是否具备行政主体资格的关键性条件。不能独立承担法律责任的组织，就不能在行政诉讼中作为被告应诉，也不能在行政复议中作为被申请人，比如国家公务员、行政机关的内部机构以及受行政机关委托的组织都不是行政主体。

（4）行政主体包括行政机关和法律、法规授权的组织。行政主体主要是指国家行政机关，但又不仅限于国家行政机关。经法律、法规授权的非行政机关组织也可以成为某一行政管理事项的行政主体。

【案例分析】

案例：某食品卫生防疫站对某餐厅进行卫生监督检查时发现，该餐厅存在严重的卫生问题：室内苍蝇达每平方米8只，餐具不消毒，大米生虫，橱柜中有鼠粪。卫生防疫站决定给予其停业整顿和罚款300元的行政处罚。

分析：本案中的卫生防疫站，在组织的性质上是事业单位，但根据食品卫生法的授权，使其成为食品卫生管理上的行政主体。因而该卫生防疫站有权对该餐厅进行食品卫生管理并有权依法作出处罚。

2. 行政相对人

在行政管理关系中，对应于行政主体，接受行政主体管理的公民、法人和其他组织，就是行政相对人。在上述案例中，卫生防疫站是行政主体，而某餐厅则是行政相对人。

行政机关　　国家行政机关是国家权力机关的执行机关，由国家权力机关产生，对权力机关负责并报告工作，接受权力机关的监督。因而，国家行政机关是指依照宪法和组织法的规定设立，依法享有国家行政职权，对国家各项行政事务进行组织、管理的国家机关。

我国的行政机关有以下特点：

第一，它是代表国家行使国家权力的国家机关。行政机关在其职权范围内的一切行为及其后果，都归属于国家。

第二，它所行使的是国家行政管理权，所担负的职能是国家行政管理的职能。因而不同于行使其他职能的国家机关，如审判机关、检察机关等。

第三，国家行政机关在组织体系上实行上下级领导体制。即上级行政机关领导下级行政机关，下级行政机关从属于上级行政机关、向上级行政机关负责，在决策体制上实行首长负责制。

1. 公务员的概念和性质

国家公务员

国家公务员是指在各级国家行政机关中工作，依法行使国家权力，执行国家公务的人员。

公务员首先必须是在中央和地方各级国家行政机关中工作的人员，在立法机关、司法机关和国有企事业单位及社会团体中任职的工作人员，严格地讲不能称其为公务员。但是，在国家行政机关中，不担任行政职务，也不执行公务的工勤人员，也不是国家公务员。

公务员实施行政管理的行为，是代表国家行政机关并以行政机关的名义进行的，并非以自己的名义，而且，其行为所产生的后果，不论是积极的还是消极的，都由行政机关承担，行政机关有权要求公务员按自己的意志活动。为保障这一点，行政机关可以在法律范围内规定公务员的纪律，并实施监督。

2. 公务员的基本权利和义务

我国国家公务员享有以下权利：

（1）非因法定事由和非经法定程序不被免职、降职、辞退或者行政处分。

（2）获得行政职责所应有的权利。

（3）获得劳动报酬和享受保险、福利待遇。

（4）参加政治理论和业务知识的培训。

（5）对行政机关及其领导人员的工作提出批评和建议。

（6）提出申诉和控告。

（7）依法辞职。

（8）宪法和法律规定的其他权利。

公务员依法承担以下义务：

（1）遵守宪法、法律和行政法规。

（2）依照国家法律、法规和政策执行公务。

（3）密切联系群众，倾听群众意见，接受群众监督，努力为人民服务。

（4）维护国家的安全、荣誉和利益。

（5）忠于职守，勤奋工作，尽职尽责，服从命令。

（6）保守国家秘密和工作秘密。

（7）公正廉洁，克己奉公。

（8）履行宪法和法律规定的其他义务。

【补充资料】

担任国家公务员的人在法律上具有双重地位。当他依法执行行政管理职能时，其身份是国家公务员，其行为属于执行公务的行为；当他以普通公民身份进行活动时，其行为是个人行为。在行政法上区分公务员的个人行为与执行公务的行为具有重要意义，它关系到行为所产生的效力以及行为责任的归属等问题。

行政行为　　　　　行政行为是指行政主体行使行政职权，实施行政管理而做出的产生法律效果的行为。行政行为在行政法中处于核心地位，它是各种行政法律制度得以建立的基础。

行政主体的行政职权来源于法律的授权，其行使行政职权的行为必须依法进行。同时，行政行为是行政主体代表国家进行行政管理而做出的，因而依法做出的行政行为具有法律强制力，行政相对人必须服从和配合。从公共利益的角度来说，行政行为是一种通过实施法律来实现的公共服务行为，因而具有无偿性。

行政行为有各种不同的形式，如抽象行政行为与具体行政行为、内部行政行为与外部行政行为、行政处罚行为、行政许可行为、行政复议行为等。

【补充资料】

抽象行政行为与具体行政行为

抽象行政行为与具体行政行为是行政行为最主要的分类，是依据行政行为适用的范围对其所作的划分。抽象行政行为是指国家行政机关制定法规、规章和有普遍约束力的决定、命令等行政规则的行为。它是行政机关针对未来发生的不特定的事项实施的行为。具体行政行为是指国家行政机关和行政机关工作人员、法律法规授权的组织、行政机关委托的组织或者个人在行政管理活动中行使行政职权，针对特定的公民、法人或其他组织，就特定的具体事项作出的有关该公民、法人或其他组织权利义务的单方行为。它包括：依据行政相对人的申请而为的行政许可、行政给付、行政奖励等行为；行政主体依其职权而为的行政处罚、行政强制等行为。

抽象行政行为与具体行政行为的区别主要在于：第一，二者在调整对象上不同。抽象行政行为的调整对象是不特定的，而具体行政行为都是针对特定的人和事进行的，如征税只能向具体的组织或个人征收。第二，二者对调整对象产生的影响不同。抽象行政行为一般间接对行政相对人的权利义务产生影响，具体行政行为则是对行政相对人的权利义务直接产生影响。第三，抽象行政行为一般可以长期具有法律效力，能反复适用，在它没有被依法撤销或废止以前始终有效，而具体行政行为只能适用一次。

抽象行政行为与具体行政行为是行政机关进行行政管理活动

的两种主要手段。我国行政诉讼法和行政复议法直接采用了这种分类，明确规定了行政复议和行政诉讼的范围仅限于具体行政行为。

第三节　主要行政法规选介

治安管理
处罚法

　　　治安管理是国家行政管理的重要组成部分。为了维护社会治安秩序，保障公共安全，保护公民、法人和其他组织的合法权益，规范和保障公安机关及其人民警察依法履行治安管理职责，2005 年 8 月 28 日第十届全国人民代表大会常务委员会第十七次会议通过了《中华人民共和国治安管理处罚法》，该法于 2006 年 3 月 1 日起施行，1986 年 9 月 5 日公布、1994 年 5 月 12 日修订公布的《中华人民共和国治安管理处罚条例》同时废止。相比于治安管理处罚条例，治安管理处罚法扩大了违反治安管理行为的范围，如违反国家规定侵入计算机信息系统造成危害、传播计算机病毒等破坏性程序影响计算机信息系统正常运行的行为，体育赛事中展示侮辱性标语、条幅等物品，围攻裁判员、运动员或者其他工作人员，向场内投掷杂物等行为，多次发送淫秽、侮辱、恐吓或者其他信息从而干扰他人正常生活的行为等都将受到相应处罚。同时还细化了处罚的方式与程度，对公安机关行使处罚的权限和程序进行了严格的限制，并且在最后一章专门规定了执法监督。该法的颁布和实施关系到社会秩序和公共安全，关系到公民合法权益，是我国公安行政管理方面一部非常重要的法律，对健全我国行政法律体系和规范行政处罚具有十分积极的意义。

1. 违反治安管理行为的种类

违反治安管理的行为是指扰乱公共秩序，妨害公共安全，侵犯人身权利、财产权利，妨害社会管理等危害后果较轻、尚未构成犯罪的违法行为，治安管理处罚法所规定的违反治安管理的行为分为以下四类：

（1）扰乱公共秩序的行为。具体包括扰乱公共场所、公共交通工具上的秩序及破坏依法进行的选举秩序的行为，扰乱文化、体育等大型群众性活动秩序的行为，利用邪教、会道门或其他迷信活动扰乱社会秩序、损害他人身体的行为，违反国家规定侵入计算机信息系统造成危害、传播计算机病毒等破坏性程序影响计算机信息系统正常运行的行为等。

（2）妨害公共安全的行为。具体包括违法制造、买卖、储存、运输、邮寄、携带、使用、提供、处置爆炸性、毒害性、放射性、腐蚀性物质或者传染病原体等危险物质的行为，非法携带枪支、弹药或者弩、匕首等国家规定的管制刀具的行为，盗窃、损毁公共设施或移动、损毁国家边境标志、边境设施或其他标志设施的行为，旅馆、饭店、影剧院、娱乐场、运动场、展览馆或其他供社会公众活动的场所的管理人员违反安全规定致使该场所有发生安全事故危险的行为等。

（3）侵犯他人人身权利的行为。具体包括以暴力、威胁或者其他手段强迫他人劳动的行为，非法限制他人人身自由、非法侵入他人住宅或者非法搜查他人身体的行为，胁迫、诱骗或者利用他人乞讨以及反复纠缠、强行讨要或者以其他滋扰他人的方式乞讨的行为，多次发送淫秽、侮辱、恐吓或者其他信息干扰他人正常生活的行为，偷窥、偷拍、窃听、散布他人隐私的行为，殴打他人或者故意伤害他人身体的行为，强买强卖商品、强迫他人提供服务或者强迫他人接受服务的行为等。

（4）**妨害社会管理的行为。**具体包括阻碍国家机关工作人员依法执行职务的行为，冒充国家机关工作人员或者以其他虚假身份招摇撞骗的行为，伪造、变造或者买卖国家机关、人民团体、企业、事业单位或者其他组织的公文、证件、证明文件、印章以及买卖或使用以上述手段取得的公文、证件、证明文件的行为，旅馆业的工作人员对住宿的旅客不按规定登记姓名、身份证件种类和号码或者明知住宿的旅客将危险物带入旅馆而不予制止的行为，违反法律规定制造噪声干扰他人正常生活的行为，饲养宠物干扰他人正常生活或者放任动物恐吓他人以及驱使动物伤害他人的行为等。

2. 处罚的种类和适用

（1）治安管理处罚的种类。分为以下几种：①警告。②罚款，根据具体情节，公安机关可对违法行为人处以 200 元以下、200 元以上 500 元以下、500 元以上 1000 元以下、1500 元以上 2000 元以下、2500 元以上 3000 元以下、3000 元以上 5000 元以下等不同数额的罚款。③行政拘留，视违法行为程度的轻重而分为五日以下、五日以上十日以下、十日以上十五日以下等三个档次，合并执行时，最长不超过二十日。④吊销公安机关发放的许可证。

对违反治安管理的外国人，可以附加适用限期出境或者驱逐出境。

（2）公安机关在适用治安管理处罚的时候，应遵循以下原则：①已满十四周岁不满十八周岁的人违反治安管理的，从轻或者减轻处罚；不满十四周岁的人违反治安管理的，不予处罚，但是应当责令其监护人严加管教。②精神病人在不能辨认或者不能控制自己行为的时候违反治安管理的，不予处罚，但是应当责令

其监护人严加看管和治疗。间歇性的精神病人在精神正常的时候
违反治安管理的，应当给予处罚。③盲人或者又聋又哑的人违反
治安管理的，可以从轻、减轻或者不予处罚。④醉酒的人违反治
安管理的，应当给予处罚。⑤违反治安管理行为人有下列情形之
一，依法应当给予行政拘留处罚的，不执行行政拘留处罚：已满
十四周岁不满十六周岁的；已满十六周岁不满十八周岁的，初次
违反治安管理的；七十周岁以上的；怀孕或者哺乳自己不满一周
岁婴儿的。⑥违反治安管理行为在六个月内没有被公安机关发现
的，不再处罚。

3. 处罚的程序与执法监督

对违反治安管理行为人，公安机关传唤后应当及时询问查
证，询问查证的时间不得超过八小时；情况复杂，依法可能适用
行政拘留处罚的，询问查证的时间不得超过 24 小时。公安机关
应当及时将传唤的原因和处所通知被传唤人家属。治安管理处罚
由县级以上人民政府公安机关决定；其中警告、500 元以下的罚
款可以由公安派出所决定。

公安机关作出治安管理处罚决定前，应当告知违反治安管理
行为人作出治安管理处罚的事实、理由及依据，并告知违反治安
管理行为人依法享有的权利。违反治安管理行为人有权陈述和申
辩。公安机关作出吊销许可证以及处 2000 元以上罚款的治安管
理处罚决定前，应当告知违反治安管理行为人有权要求举行听
证；违反治安管理行为人要求听证的，公安机关应当及时依法举
行听证。

被处罚人对治安管理处罚决定不服的，可以依法申请行政复
议或者提起行政诉讼。

人民警察办理治安案件，有下列行为之一的，依法给予行政

处分；构成犯罪的，依法追究刑事责任：①刑讯逼供、体罚、虐待、侮辱他人的。②超过询问查证的时间限制人身自由的。③不执行罚款决定与罚款收缴分离制度或者不按规定将罚没的财物上缴国库或者依法处理的。④私分、侵占、挪用、故意损毁收缴、扣押的财物的。⑤违反规定使用或者不及时返还被侵害人财物的。⑥违反规定不及时退还保证金的。⑦利用职务上的便利收受他人财物或者谋取其他利益的。⑧当场收缴罚款不出具罚款收据或者不如实填写罚款数额的。⑨接到要求制止违反治安管理行为的报警后，不及时出警的。⑩在查处违反治安管理活动时，为违法犯罪行为人通风报信的。⑪有徇私舞弊、滥用职权，不依法履行法定职责的其他情形的。公安机关及其人民警察违法行使职权，侵犯公民、法人和其他组织合法权益的，应当赔礼道歉；造成损害的，应当依法承担赔偿责任。

行政处罚法　　　行政处罚是指行政主体对违反行政管理法律法规的行政管理相对人采取的惩戒或制裁措施。行政处罚法就是规定行政处罚的原则、对象、程序等法律规范的总称。1996 年 3 月 17 日，第八届全国人民代表大会第四次会议通过了《中华人民共和国行政处罚法》，于 1996 年 10 月 1 日起施行。这是我国关于行政行为立法最重要的法律之一。这部法律对于维护社会管理秩序、规范行政权力、保障相对人合法权益具有重大意义。

1. 行政处罚的原则

（1）处罚法定原则。即实施行政处罚的主体、处罚的依据及处罚的程序均须合法。

（2）处罚与教育相结合的原则。

（3）公正公开原则。

（4）"一事不再罚"原则。是指对同一当事人的同一违法行为不得基于同样的事实和理由给予两次或两次以上的行政处罚。

（5）保障当事人权利原则。这一原则也被称为"被处罚者有权申诉的原则"，是指为保障当事人的合法权益，被处罚者对行政主体实施的行政处罚，有陈述权、申辩权、申请复议权、提起行政诉讼和获得行政赔偿的权利等。

2. 行政处罚的种类与设定

我国行政处罚法规定了七种行政处罚措施：①警告。②罚款。③没收非法财物。④责令停产停业。⑤暂扣或者吊销许可证、执照。⑥行政拘留。⑦法律、行政法规规定的其他行政处罚。

行政处罚不能由行政机关随意设定，而必须由法律或者行政法规来创设。行政处罚法对行政处罚的设定权限做出了明确的规定：

（1）法律和行政法规都可以设定行政处罚。但是限制人身自由的行政处罚，只能由法律设定。

（2）地方性法规可以设定除限制人身自由、吊销企业营业执照以外的行政处罚。

（3）国务院部门规章可以根据法律、行政法规的规定作出具体规定；尚未制定法律、行政法规的，部门规章可以设定警告或者一定数额罚款的行政处罚。

（4）省、自治区、直辖市人民政府和省、自治区人民政府所在地的市人民政府以及经国务院批准的较大的市人民政府制定的规章可以根据法律、法规的规定作出具体规定。尚未制定法律、法规的，可以设定警告或者一定数量罚款的行政处罚。

【小思考】

县政府作出的对某些违法行为的处罚规定，是否可以作为行政机关处罚的依据？

3. 行政处罚的适用

（1）行政机关实施行政处罚时，应当责令当事人改正或者限期改正违法行为。

（2）对当事人的同一个违法行为，不得给予两次以上罚款的行政处罚。

（3）不满十四周岁的人有违法行为的，不予行政处罚，责令监护人加以管教；已满十四周岁不满十八周岁的人有违法行为的，从轻或者减轻行政处罚。

（4）精神病人在不能辨认或者不能控制自己行为时有违法行为的，不予行政处罚，但应当责令其监护人严加看管和治疗。间歇性精神病人在精神正常时有违法行为的，应当给予行政处罚。

（5）当事人具有法定情节的，应当依法从轻或者减轻行政处罚；违法行为轻微并及时纠正，没有造成危害后果的，不予行政处罚。

（6）违法行为构成犯罪，人民法院判处拘役或者有期徒刑时，行政机关已经给予当事人行政拘留的，应当依法折抵相应刑期；违法行为构成犯罪，人民法院判处罚金时，行政机关已经给予当事人罚款的，应当折抵相应罚金。

（7）违法行为在 2 年内未被发现的，不再给予行政处罚。

4. 行政处罚的程序

行政机关在作出处罚决定之前，必须告知当事人作出处罚决定的事实、理由、依据及当事人享有的权利。当事人有权进行陈述和申辩，行政机关必须充分听取并遵守法定程序作出处罚决定。

（1）简易程序。简易程序是指由行政机关执法人员当场实施行政处罚的程序。适用于违法事实确凿，有明确的法定依据且处罚轻微，对公民处以 50 元以下，对法人处以 1000 元以下罚款或警告的行政处罚的案件。

（2）一般程序。除简易程序外，其他行政处罚必须适用一般程序。一般程序是实施行政处罚的正规程序，是指行政主体对比较复杂、处罚较重的案件，依照法定的方法、步骤对相对人的违法行为作出处罚决定的程序。包括如下环节：①调查事实、搜集证据。②告知当事人作出处罚决定的事实、理由及依据，并告知当事人有关的权利。③作出处罚决定。④制作行政处罚决定书，并当场交付或限期送达当事人。

（3）听证程序。听证程序是指由行政处罚主体在作出行政处罚决定前组织的，在非本案调查人员的主持下，在调查取证人员、拟被处罚的当事人及其他利害关系人参加的情况下，听取各方陈述、辨明、对质即证据证明的法定程序。适用听证程序应符合以下要求：①严重的行政处罚，即责令停产停业、吊销许可证或执照、较大数额罚款等行政处罚；②当事人提出听证的要求。

听证包括以下环节：①行政机关在作出行政处罚决定之前，有义务告知当事人要求听证的权利。②当事人要求听证的，行政机关不得拒绝。③行政机关应当在听证开始的 7 日前通知当事人听证的具体时间、地点、参加人员等事项。④举行听证会，听证会应由行政机关指定的非本案调查人员和与本案无利害关系人员主持。当事人可以委托代理人出席听证会。除涉及个人隐私、商业秘密、国家机密外，听证一律公开进行。⑤听证应当制作笔录，笔录交当事人审核无误后签字或盖章。⑥听证结束后，行政机关依法作出处罚决定。⑦听证费用由国家财政开支。

（4）行政处罚决定的执行程序。是指对已经生效的处罚决定，在当事人逾期不履行时，行政机关申请人民法院强制当事人履行的程序。

在行政处罚的执行程序中，应当遵循以下两个原则：①当事人对行政处罚决定不服，申请复议或提起行政诉讼时，除法律另有规定外，行政处罚不停止执行。②除个别情况外，作出罚款决定的行政机关不得自行收缴罚款。

在受处罚人逾期不履行处罚决定时，处罚机关可以采取以下措施：①到期不缴纳罚款的，每日按罚款数额的3%加处罚款。②将查封、扣押的财物拍卖或者将冻结的存款划拨抵缴罚款。③申请人民法院强制执行。根据法律规定，只有公安、海关、税务等少数行政机关才有权对行政相对人采取查封、扣押等强制执行措施，无强制执行权的行政机关认为需要强制执行时，必须向人民法院申请强制执行。

行政复议法　　行政复议是指行政相对人不服行政主体的具体行政行为，依法向有复议权的行政机关提出申请，受理申请的复议机关依照法定程序对原具体行政行为是否合法、适当进行审查并作出决定的法律制度。

1999 年 4 月 29 日，第九届全国人大常委会第九次会议通过了《中华人民共和国行政复议法》，1999 年 10 月 1 日起施行。该法对行政复议的范围、申请、受理、决定以及有关的法律责任作出了具体的规定。该法的颁布实施，进一步完善了我国国家行政机关自身对具体行政行为的监督机制，对及时、有效地纠正违法的和不当的具体行政行为，切实保护公民、法人和其他组织的合法权益，具有非常重要的意义。

1. 行政复议的范围

公民、法人或其他组织有下列情形之一的，可以向有关行政机关提出复议申请：

（1）对行政机关作出的警告、罚款、没收违法所得、没收非法财物、责令停产停业、暂扣或者吊销许可证、暂扣或者吊销执照、行政拘留等行政处罚决定不服的。

（2）对行政机关作出的限制人身自由或者查封、扣押、冻结财产等行政强制措施决定不服的。

（3）对行政机关作出的有关许可证、执照、资质证、资格证等证书变更、中止、撤销的决定不服的。

（4）对行政机关作出的关于确认土地、矿藏、水流、森林、山岭、草原、荒地、滩涂、海域等自然资源的所有权或者使用权的决定不服的。

（5）认为行政机关侵犯合法的经营自主权的。

（6）认为行政机关变更或者废止农业承包合同，侵犯其合法权益的。

（7）认为行政机关违法集资、征收财物、摊派费用或者违法要求履行其他义务的。

（8）认为符合法定条件，申请行政机关颁发许可证、执照、资质证、资格证等证书，或者申请行政机关审批、登记有关事项，行政机关没有依法办理的。

（9）申请行政机关履行保护人身权利、财产权利、受教育权利的法定职责，行政机关没有依法履行的。

（10）申请行政机关依法发放抚恤金、社会保险金或者最低生活保障费，行政机关没有依法发放的。

（11）认为行政机关的其他具体行政行为侵犯其合法权益的。

2. 行政复议的管辖

对县级以上地方各级人民政府工作部门的具体行政行为不服的，可以向该部门的本级人民政府申请行政复议，也可以向上一级主管部门申请行政复议；对地方各级人民政府的具体行政行为不服的，向上一级地方人民政府申请行政复议；对国务院部门或者省、自治区、直辖市人民政府的具体行政行为不服的，向作出该具体行政行为的国务院部门或者省、自治区、直辖市人民政府申请行政复议。行政复议机关负责法制工作的机构具体办理行政复议事项。

3. 行政复议程序

（1）申请与受理。公民、法人或者其他组织认为具体行政行为侵犯其合法权益的，可以自知道该具体行政行为之日起 60 日内提出行政复议申请（法律规定的申请期限超过 60 日的除外）。复议机关收到申请后，应在 5 日内进行审查并作出是否受理的决定。

（2）审理与决定。复议机关审理案件原则上采取书面审理的方式，对行政行为的合法性和适当性进行全面审查，但是不能以调解方式处理。

复议机关应根据不同情况在受理复议申请之日起 60 日内分别作出处理决定：①复议机关认为原具体行政行为认定事实清楚，证据确凿，适用依据正确，程序合法，内容适当的，依法作出维持原具体行政行为的决定。②复议机关认为被申请人不履行法定职责的，依法作出限其在一定期限内履行法定职责的决定。③复议机关认为原具体行政行为有下列情形之一的，可以决定撤销、变更或者确认该具体行政行为违法：主要事实不清、证据不足的；适用依据错误的；违反法定程序的；超越或者滥用职权的；具体行政行为明显不当的。复议机关决定撤销或者确认上述具体行政行为违法的，可以责令被申请人在一定期限内重新作出具体行政行为。

复议机关对复议案件经过审理后作出的复议决定一经送达即发生法律效力，当事人必须履行。除法律规定终局的复议决定外，如果申请人对复议决定不服，可以在收到复议决定书之日起15日内，向人民法院起诉。

【案例分析】

案例：刘某为某大学（该大学为教育部直属高等院校）2003届毕业生。该校以刘某毕业论文有观点性错误为由，决定不授予刘某硕士学位。问：若刘某不服应当以谁为复议机关？

分析：我国《行政复议法》规定："被申请人为法律、法规授权的组织的，应当以直接管理该组织的机关为复议机关。"因此，本案刘某若不服该大学的决定，应以教育部为复议机关。

国家赔偿法 国家赔偿是国家对国家机关及其工作人员违法行使职权，对公民、法人和其他组织造成的损失承担赔偿责任的法律制度。《中华人民共和国国家赔偿法》于1994年5月12日经第八届全国人大常委会第七次会议通过，自1995年1月1日起施行。该法对保障公民、法人和其他组织的人身权利和财产权利，对促进国家机关及其工作人员依法行使职权，有效实施行政管理具有重要意义。

国家赔偿制度包括行政赔偿和刑事赔偿两种。行政赔偿是指国家行政机关及其工作人员违法行使职权，侵犯公民、法人和其他组织合法权益而造成损害时的国家赔偿制度。刑事赔偿是指公安机关、检察机关、审判机关、国家安全机关、监狱管理部门及其工作人员在行使职权时侵犯公民人身权益造成损害时的国家赔偿制度。以下仅就我国行政赔偿制度作一介绍。

1. 行政赔偿的范围

行政赔偿的范围分别包括行政机关及其工作人员在行使职权时造成的侵犯人身权的情形和侵犯财产权的情形。

侵犯人身权的情形：①违法拘留或者违法采取限制公民人身自由的行政强制措施的。②非法拘禁或者以其他方式非法剥夺公民人身自由的。③以殴打等暴力行为或者唆使他人以殴打等暴力行为造成公民身体伤害或者死亡的。④违法使用武器、器械造成公民身体伤害或死亡的。⑤造成公民身体伤害或死亡的其他违法行为。

侵犯财产权的情形：①违法实施罚款、吊销许可证和执照、责令停产停业、没收财物等行政处罚的。②违法对财产采取查封、扣押、冻结等行政强制措施的。③违反国家规定征收财物、摊派费用的。④造成财产损害的其他违法行为。

2. 行政赔偿义务机关

①行政机关及其工作人员行使职权造成损害的，该行政机关为赔偿义务机关。②两个以上行政机关共同行使职权造成损害的，共同行使职权的行政机关为共同赔偿义务机关。③赔偿义务机关被撤销的，继续行使其职权的行政机关为赔偿义务机关。④经复议的，最初造成损害的行政机关为赔偿义务机关，但复议机关的复议决定加重损害的，复议机关对加重的部分承担赔偿责任。

3. 行政赔偿程序

赔偿请求人要求赔偿的，应当先向赔偿义务机关提出（可以向共同赔偿义务机关中的任何一个机关提出赔偿请求），也可以在申请复议和提起行政诉讼时一并提出。赔偿义务机关应当自收到申请之日起两个月内给予赔偿。逾期不予赔偿或赔偿请求人对赔偿数额有异议的，赔偿请求人可以自期间届满之日起三个月内提起行政诉讼。

4. 行政赔偿的方式和计算标准

行政赔偿的方式包括：支付赔偿金、返还财产、恢复原状、消除影响、恢复名誉、赔礼道歉等。

行政赔偿以支付赔偿金为主要方式，其计算标准如下：①侵犯公民人身自由的，每日的赔偿金额按照国家上年度职工日平均工资计算。②侵犯公民生命健康权的，有以下几种情形：一是造成身体伤害的，应当支付医疗费以及赔偿因误工减少的收入，最高额为国家上年度职工年平均工资的五倍；二是造成部分或全部丧失劳动能力的，应当支付医疗费及残疾赔偿金；三是造成公民死亡的，应当支付死亡赔偿金、丧葬费。部分丧失劳动能力的最高赔偿额为国家上年度职工年平均工资的十倍；全部丧失劳动能力及死亡的为国家上年度职工年平均工资的二十倍，对其扶养的无劳动能力的人，还应当支付生活费。③侵犯财产权的赔偿金，按直接损失给予赔偿。能够返还财产或恢复原状的，予以返还财产或恢复原状。

【案例分析】

案例：某县税务局的派出机构——某镇税务所所长胡某，因个体户李某春节时没有送礼给他，怀恨在心。于1999年3月12日以李某隐瞒经营情况、少交税款为由，对李某处以500元罚款。李某不服，在缴纳罚款后，向某市税务局申请复议。某市税务局只听胡某一面之词，在没有进行任何调查核实的情况下，作出复议决定，不但维持原来的处罚决定，同时责令李某停止生产、销售活动 2 个月。李某不服，向人民法院提起行政诉讼，要求法院判决市税务局的决定违法并赔偿其损失。问：李某的经济损失，应当由谁来赔偿？

分析：依据国家赔偿法的规定，某县税务局承担因罚款决定给李某造成的经济损失。某市税务局的复议决定加重了对李某的处罚，因而应对责令李某停止生产、销售 2 个月所造成的直接经济损失承担赔偿责任。

本章小结

· 行政法：是关于行政职权的授予、行使，以及对行政权力进行监督和对其后果予以补救的法律规范的总称。

· 行政法的基本原则：行政合法性原则与行政合理性原则，这是依法行政的全部内涵。

· 行政主体：是指享有行政职权，能以自己的名义行使国家职权、实施行政管理活动，并能对其行为承担法律责任的组织。主要是指国家行政机关，经法律、法规授权的非行政机关组织也可以成为某一行政管理事项的行政主体。

· 行政行为：是指行政主体行使行政职权，实施行政管理而做出的产生法律效果的行为。行政行为在行政法中处于核心地位，它是各种行政法律制度得以建立的基础。

· 治安管理处罚法：违反治安管理的行为是指某些危害后果较轻、尚未构成犯罪的、扰乱社会秩序和危害公共安全的违法行为。

· 行政处罚法：规定了行政处罚的原则、对象、程序等。

行政处罚必须由法定的处罚机关依据法定的权限、程序进行，并不得违背法定的处罚原则。

• 行政复议法：行政复议是指行政相对人不服行政主体的具体行政行为，依法向有复议权的行政机关提出申请，受理申请的复议机关依照法定程序对原具体行政行为是否合法、适当进行审查并作出决定的法律制度。

• 国家赔偿法：国家赔偿是国家对国家机关及其工作人员违法行使职权，对公民、法人和其他组织造成的损失承担赔偿责任的法律制度。包括行政赔偿和刑事赔偿两种。行政赔偿是指国家行政机关及其工作人员违法行使职权，侵犯公民、法人和其他组织合法权益而造成损害时的国家赔偿制度。

基本训练

■ 基本知识检测

一、解释下列概念

行政法、行政主体、行政行为、行政处罚、行政复议、国家赔偿

二、简要回答以下问题

1. 行政法的基本原则是什么？

2. 什么是行政处罚？行政处罚的程序有哪些？

3. 什么是行政复议？其特点是什么？

4. 什么是国家赔偿？它包括哪两类赔偿制度？

三、辨析题

1. 行政主体就是行政机关，其含义是相同的。

2. 间歇性精神病人如果实施了违法行为，不能对其处以行政处罚。

3. 行政相对人如果认为行政机关的行政行为不合法或不适当，可以向作出该行政行为的行政机关的上一级行政机关申请行政复议。

四、选择题

1. 以下不属于具体行政行为的是（　　）。

A. 某县林业局对乱砍滥伐木材的行为进行处罚

B. 某区工商行政管理局拒绝向申请人颁发营业执照

C. 某市社会保险经办机构向林某发放失业救济金

D. 某市政府出台一项关于治理市区临街非法建筑的政府规章

2. 以下社会关系中，应由行政法调整的是（　　）。

A. 某市税务局因建办公楼与某施工单位发生的建筑工程承揽关系

B. 某市税务局与纳税人之间的税收征纳关系

C. 某市政府与政府公务员之间的工作关系

D. 甲因某行政机关的违法行政行为遭受损失，甲与该行政机关之间的赔偿关系

3. 以下行政处罚中，可以适用听证程序的有（　　）。

A. 责令停产停业　　　　　B. 吊销营业执照

C. 行政拘留　　　　　　　D. 对公民处以 20 元罚款

4. 某县甲乡的公安派出所民警以扰乱社会秩序为由扣押了李某的拖拉机，李某不服，应当以（　　）作为被申请人申请行政复议。

A. 公安派出所　　　　　　B. 县公安局

C. 县人民法院　　　　　　D. 乡人民政府

5. 违反治安管理的行为是指（　　）。

A. 给社会和公民利益造成一定危害的违法行为

B. 是情节轻微尚不够刑事处罚的行为

C. 是依照《中华人民共和国治安管理处罚法》应该受到处罚的行为

■ **基本技能训练**

一、案例启示

阅读下面真实案例，谈谈自己的想法：

2001 年，袁某依法向××县矿产管理办公室申请办理采矿手续，并经××县工商行政管理局核准登记，随后又经××县矿管办审查并发给《××省个体采矿许可证》，准予其在南坑石山开采石灰石。采矿队开业以来均能照章缴费，守法经营。××县水土保持办公室是县农业委员会下属的机构，其人事、工资管理及有关业务均隶属于××县农业委员会。2003 年，××县水土保持办公室工作人员以要缴纳管理费为由，强行收缴袁某采矿工具 9 件。袁某向××县水土保持办公室要求领回工具继续生产，县水土保持办公室则提出如袁某不再在此矿点开采，可以免交管理费；如果要继续开采，就应缴纳管理费 1600 元，并口头决定袁某两年来为无证采矿，处以 400 元罚款，共需缴纳 2000 元。袁某向水土保持办公室索要关于采矿收费规定的文件，遭拒，工作人员只是说这是水土保持办公室新作出的决定。袁某被迫向县水土保持办公室缴纳罚款 400 元，管理费 400 元。水土保持办公室出具白条"今收到袁某人民币 800 元"给袁某。半个月后，县水土保持办公室的工作人员又以袁某未缴清上述款项为由，强行收缴袁某的风钻机一台，造成袁某停产 7 天。袁某不服，向人民法院提起了行政诉讼。

本案是一起由于行政机关的具体行政行为而引起的行政纠纷。在分析此案时应注意以下几点：

1. 本案的被告，应为县农业委员会，因为县水土保持办公室是农业委员会的下属机构，不是行政主体，因而不具备作为被告的主体资格。

2. 本案中，县水土保持办公室在作出具体行政行为时，在程序上有很多违法之处，请依据行政处罚法一一找出。

3. 本案袁某的损失，可依据国家赔偿法予以补偿。

（资料来源：张能宝主编：《2004 年国家司法考试应试指导——实例分析专题例解》，法律出版社，2004 年版）

二、案例分析

1. 根据乡党委的指示，某乡政府为维护本地区社会稳定，组建了社会治安综合管理办公室。该乡农民王某与邻居李某因宅基地使用权发生纠纷。王某用砖头将李某砸伤。综合办接到举报后，将王某带到该乡派出所关押了 10 天，并罚款 1000 元。王某不服。

请回答：

（1）派出所的处罚是否合理？

（2）王某可以寻求哪些救济途径？

（3）王某若申请复议，应以谁为被申请人？到什么机构去申请复议？

2. 刘某在公路上打人被警察李某当场发现，李某口头作出罚款 200 元的处罚决定，并要求当场缴纳。刘某要求出具书面处罚决定和罚款收据。李某认为其要求属于无理取闹，拒绝听取其辩解。

请回答：

（1）李某在作出处罚决定时有哪些违法之处？

（2）刘某在处罚程序中有什么权利？

（3）若刘某不服，该怎么办？

三、举例说明

1. 在生活中找出可以通过行政复议的方式来解决的行政争议。

2. 举出两个行政处罚的例子。

■ **实践技能操作**

1. 到公安行政机关做一次调查，看看常见的违反治安管理的行为都有哪些表现，其法律责任是怎样的。

2. 旁听一次行政处罚的听证会，感受一下听证的程序。

第三章 民事法律制度

学习目标

通过本章学习，你应该达到以下目标：

■ 知识目标：了解民法的基本内容，掌握民法通则关于民事主体、民事法律行为及主要民事权利的规定。了解有关继承法和婚姻法的基本内容。

■ 技能目标：能根据民事法律的有关规定，分析现实生活中常见的民事纠纷。

第一节 民法概述

民法的含义　民法是我国的基本法之一，在我国整个法律体系中占有重要的地位，是一个十分重要的法律部门。对于民法具体包括哪些法律规范，有两种理解：从广义上看，民法是指所有的民事法律规范，包括婚姻法、继承法、合同法、专利法、商标法等单行民事法律和其他法律中有关的民事法律条款。从狭义上看，民法专指民法典，目前我国的民法典正在制定中。

【小资料】

一般认为，"民法"这个名称最早起源于古代的罗马帝国。古罗马时期调整国内公共事务的法是宗教法；而调整罗马市民与非罗马市民之间的法律则是"万民法"（现代国际法的语源）；调整国内罗马市民之间私人事务的法是"市民法"，后世学者称"市民法"为民法的语源。我国古代没有民法，我国封建制的法律民刑不分，重刑轻民，长期没有专门的民事法律。直到清朝"民法"这一名称才由日本传入我国，清政府聘请日本人起草了"大清民律"，但未及实施清朝就灭亡了。

1986 年，我国制定颁布了《中华人民共和国民法通则》（以下简称民法通则），虽然不是一部专门的民法典，但它对民法中的一些共性问题作出了规定，是我国现行的主要民事法律规范。

根据民法通则第 2 条的规定："中华人民共和国民法调整平等主体的公民之间、法人之间、公民和法人之间的财产关系和人身关系。"据此，民法的概念可以定义为：民法是调整平等主体间的财产关系和人身关系的法律规范的总称。

平等主体是指当事人之间法律地位是平等的，不存在命令与服从、领导与被领导的关系。

财产关系是指人们在占有、支配、交换和分配物质财富中所形成的具有经济内容的社会关系。如财产所有权和与财产所有权有关的财产权（如所有权、使用权、经营权）、债权、知识产权等。

人身权是指与人身不可分离而以特定的精神利益为内容的社会关系。它基于一定的人格和身份产生，不具有直接的经济内容。如肖像权、名誉权、姓名权等。

【小思考】

李某租用张某房屋开设一家小饭店，税务机关依税法有关规定核定其每月应纳税 500 元，但李某认为纳税太多，为此他找到税务机关，想要协商少交 50 元，被拒绝，双方发生争议。同时，张某认为李某在装修房屋时，破坏了房屋的结构，要求其赔偿 200 元，李某认为只应赔偿 100 元，双方也发生了争议。请问这两种纠纷是否都应适用民法来解决？

民法的基本原则

民法的基本原则是全部民事法律规范应遵循的基本指导思想、基本精神，具有十分重要作用。在具体适用民事法律规定或条文时，应以这些基本原则为指导，不得违背。在遇到新情况，找不到具体的条文适用时，可以依据这些基本原则进行处理。根据民法通则的规定，我国民法的基本原则可以概括如下：

1. 平等原则

民法通则第 3 条规定："当事人在民事活动中的地位平等。"这是民法的最根本的原则。在民事关系中以权欺人、以强凌弱等行为都是违反这一原则的。

2. 自愿、公平、等价有偿原则、诚实信用原则

民法通则第 4 条规定："民事活动应当遵循自愿、公平、等价有偿原则、诚实信用原则。"这是前一原则的具体化。只有坚持自愿、公平、等价有偿原则，双方当事人才能在民事活动中地位平等。

【案例分析】

郑某诉王某摔坏电视机损害赔偿纠纷案

案例：1998 年 4 月 20 日，郑某为购买彩电，邀请王某一同去商店挑选。买妥后，郑又邀王一同到郑家帮其调试频道。晚饭前，王某在床上调好三个频道后，将电视机放到组合柜上。晚饭后，王某又将电视机搬到床上继续调试。当王某打开电视机开关，转身去取遥控器时，电视机从床上掉在地上，摔裂电视机后盖，显像管尾管一同摔坏。双方因赔偿问题不能达成一致意见，郑某起诉到长春市朝阳区人民法院，要求王某赔偿损失。王某辩称：他是由郑某请去帮助调电视机的，电视机从床上掉下来与自己无关，因而没有赔偿责任。

问题：王某是否应当赔偿损失？

分析：吉林省高级人民法院依审判监督程序提审认为：王某虽是应郑某邀请，无偿帮助挑选、调试电视机，但是由于其疏忽大意，造成电视机摔坏的后果，应负过失责任；鉴于其是无偿为郑某服务，根据民事活动的公平原则，可减轻其赔偿责任。最后在总计 1008 元的损失费中，判决由王某赔偿 60％计 604.80 元，余下 40％计 403.20 元由郑某自己承担。

【小思考】

(1) 甲春节回家途中在火车站附近"好再来"拉面馆用餐，只吃了一碗牛肉拉面。结账时，服务员却要 30 元钱。甲认为太贵，至多 8 元钱就够了。这时，饭店里冲出来几个人，将甲团团围住，并说不拿钱就别想走。甲害怕，只好交了 30 元钱。本案中，拉面馆违反了哪些民法基本原则？

(2) 某房地产公司在其售楼广告中宣称：本公司所建"诺亚

方舟花园"地理位置绝佳，距火车站只有 300 米，距市内大商场只有 500 米。甲入住后才发现，由于火车道的阻隔，到火车站需绕道而行，至少要坐 40 分钟的公交车，到商场也十分不便。于是拿着广告找到了售楼商，商家回答说，广告上所说的 300 米和 500 米，是指直线距离，并没有任何错误。某房地产公司违反了哪些民法基本原则？

3. 合法民事权益受保护原则

民法通则第五条规定："公民、法人的合法权益受法律保护，任何组织和个人不得侵犯。"凡是合法的民事权益受到侵犯的人，都有权请求国家有关机关依法保护，有权向人民法院起诉；凡是侵犯他人合法民事权益的人，都应承担民事责任，受到民事制裁。

【案例分析】

汽车撞死狗是否该赔偿

案例：熊某家住北京丰台区，一日开车回家时，突然从小巷里窜出三条大狗，熊某立即刹车，但还是轧死了一条狗。狗的主人是熊某的老邻居李某，为看家护院共养了三条狗，都是名犬，被轧死的是其中最好的一条，此前有人出 2000 元李某都没舍得卖。李某要求赔偿 3000 元，熊某只答应赔偿 1500 元，双方协商未成，李某表示不拿钱车不能开走。几天后，熊某将李某告上了丰台区法院，要求其赔偿因扣车造成的损失，每天 100 元，精神损失费 1000 元。李某认为，轧死我的狗还告我，一气之下又将熊某告上了法庭，要求其赔偿轧死狗的损失 5000 元。

分析：丰台区法院在庭审调查中发现，李某没有合法的养犬证，而按照《北京市严格限制养犬的规定》，没有许可证是不能养狗的。于是作出判决，由于李某异地养犬，而且没有实行拴养或圈养，违反了《北京市严格限制养犬的规定》，造成的损失不受法律保护，李某赔偿熊某扣车损失 210 元，驳回二人其他的诉讼请求，事后双方均未上诉。

4. 遵守法律、不得损害社会公共利益原则

民法通则第 6 条规定："民事活动必须遵守法律，法律没有规定的，应当遵守国家政策。"民法通则第 7 条规定："民事活动应当尊重社会公德，不得损害社会的公共利益，破坏国家经济计划，扰乱社会经济秩序。"

【补充资料】

民事活动应当尊重社会公德，不得损害社会的公共利益，但"社会公德"、"社会公共利益"的含义却十分丰富，具有弹性，对此可结合下面的案例加以理解：

（1）"骨灰盒"案

2004 年，有关媒体报道了一起下岗女工讨工资讨得骨灰盒的事件：辽宁某市下岗女职工任某，2002 年经人介绍曾在该市一家殡仪福利厂工作半年，但直到离开该厂，厂方一直未付其工作期间的 2400 元工资。任某无奈之下，诉至法院。虽然她打赢了官司，法院判决被告支付拖欠的工资，但最终执行时，任某得到的却是用以抵工资的 24 个骨灰盒。检察机关认为，以骨灰盒抵工资，违背公序良俗，建议重新执行。

（2）"第三者"案

2002 年 1 月，四川省泸州市中级人民法院对被称为"公序良俗第一案"的张某诉蒋某遗产继承纠纷案作出判决。

立遗嘱人黄某系蒋某丈夫，后与张某同居，黄某在病故前立下遗嘱将部分遗产赠与张某，因黄某之妻蒋某不肯执行遗嘱，张某遂诉至法院。法院认为，遗嘱虽然经过公证机关办理了公证手续，但因该遗嘱行为本身违反了社会公德，损害了社会公共利益，属无效民事行为，故对张某的诉求不予支持。

民事法律关系

民法所确认和保护的关系是民事法律关系，民法在调整社会关系、规范人们行为时，是通过规定民事权利和民事义务，确定当事人之间的民事权利义务关系来实现的。因此，当事人之间是否存在民事法律关系是解决其民事纠纷，适用民法的前提。

民事法律关系是指民事主体之间发生的以民事权利和民事义务为内容的社会关系。主体，也称民事主体，是指在民事法律关系中享有民事权利和承担民事义务的人；内容是指民事法律关系所包含的权利和义务；权利、义务所指向的对象称为民事法律关系的客体，包括物、行为和智力成果。主体、客体和内容是构成民事法律关系的三个要素。

例如，甲房地产公司通过招标购买了一块土地，开发建设了十几幢住宅楼。乙购买了其中的一套二室一厅的房子。这里发生了四个民事法律关系：通过招标购买土地，在公司与国家之间产生了买卖土地使用权的法律关系；公司建成住宅楼，取得了所建楼房的所有权，产生了所有权关系；乙购买甲公司一套住房，与之形成了买卖关系，这是由合同产生的债的关系；乙通过买卖取得了该套房屋的所有权，这又是所有权关系。在乙与甲公司的买卖合同关系中，乙和甲公司就是这一民事法律关系的主体。甲公司有要求乙按合同约定交付房款的权利，也有按约定交付房屋及其所有权的义务；乙有要求甲公司按期交付房屋的权利，也有按约定交付房款的义务；这些权利和义务构成了该民事法律关系的内容。这些权利和义务所指向的对象——房屋及其所有权和房价就是该民事法律关系的客体。

【小思考】

李某在市场上买了一只小花猫，先放在朋友王某家请其帮助照管几天，打算等自己装修完房子再拿回家。请问李某与王某之间是否存在民事法律关系？若存在，其客体是什么？

第二节　民事主体

民事主体主要包括公民和法人。

公民（自然人）

公民是指基于自然状态出生而具有一国国籍的人。我国公民是指具有中华人民共和国国籍的人，根据民法通则的规定，在我国境内的外国人和无国籍人也可以成为我国民事关系的主体。

【小资料】

公民与自然人并不相同。自然人是指基于自然规律而出生并生存的人。因此，自然人可以是外国人也可以是本国人，当然也可能是无国籍人；而公民必定具有某一国的国籍。由于外国人、无国籍人也可以成为我国民法的主体，因此，把我国民法中的民事主体限定为公民，是不恰当的。我国新的合同法已经改称为自然人。

1. 公民的民事权利能力

一个人要参加民事活动的首要条件，是法律许可他参加这种活动并为自己取得权利和设定义务，法律赋予的这一资格就是权利能力。

公民的民事权利能力是指法律赋予公民享受民事权利和承担民事义务的资格。民法通则第9条规定："公民从出生时起到死亡时止，具有民事权利能力"。

公民的民事权利能力从出生开始，"出生时间以户籍证明为准。没有户籍证明的，以医院出具的出生证明为准，没有户籍证明和医院证明的，参照其他有关证明认定"。（"民法通则若干意见"第1条）

公民的民事权利能力终于死亡，死亡包括自然死亡和宣告死亡。

【补充资料】

宣告失踪和宣告死亡

宣告失踪，是指民法通则规定的，公民下落不明满2年的，利害关系人可以向人民法院申请宣告他为失踪人。战争期间下落不明的，下落不明的时间从战争结束之日起算。

宣告死亡，是指民法通则规定的，公民有下列情形之一的，利害关系人可以向人民法院申请宣告他死亡：第一，下落不明满4年的；第二，因意外事故下落不明，从事故发生之日起满2年的。战争期间下落不明的，下落不明的时间从战争结束之日起计算。被宣告死亡的人重新出现的或者确知他没有死亡的，经本人或者利害关系人申请，人民法院应当撤销对他的死亡宣告，有民事行为能力的人在被宣告死亡期间实施的民事法律行为有效。被撤销死亡宣告的人有权请求返还财产。依照继承法取得财产的公民或者组织，应当返还原物；原物不存在的，给予适当补偿。

【小思考】

甲与乙刚结婚不久，便向丙借了 3000 元钱，到外地做生意。开始时甲经常与乙联系，告知自己的情况。但两年后，却再也未与乙联系过。乙多方打听，到甲可能去的地方寻找，并发出寻人启示，从失去音讯至今已 5 年，仍未找到。此间丙不断要钱，乙独自生活十分艰难，想要再结婚，但又怕重婚，更担心甲哪一天突然又回来了。请问：按民法通则的有关规定，乙应如何解决所遇到的困难？

2. 公民的民事行为能力

公民要参加民事活动，自己的身体、智力也要达到一定的条件，这一条件在法学上称为行为能力。公民的民事行为能力是指公民能够以自己的行为参与民事法律关系，取得民事权利和承担民事义务的能力。

与民事权利能力不同，民事行为能力不是自然人从出生就有的，而是根据公民对自己的行为及其可能产生的后果的认识和判断能力，以及处理自己事务的能力来确定的。按民法通则的规定，可以划分为三类：第一，完全行为能力人，18 周岁以上的公民即成年人；16 周岁以上不满 18 周岁的公民，以自己的劳动收入为主要生活来源的，视为完全民事行为能力人。第二，限制民事行为能力人，10 周岁以上的未成年人，可以进行与他的年龄、智力相适应的民事活动；不能完全辨认自己行为的精神病人可以进行与他的精神健康状况相适应的民事活动。第三，无民事行为能力人，不满 10 周岁的未成年人和不能辨认自己行为的精神病人。

3. 监护

对于大多数的民事活动，无民事行为能力人和限制行为能力人都不能独立地进行，也缺乏自我保护能力，所以必须为他们设立监护人，对其进行必要的监督和保护，代理他们进行民事活动，以保证他们的权益不受侵害。民法通则对有关监护的设定、终止、撤销、职责等作出了明确的规定，综合起来就是监护制度。监护是指法律规定的公民或单位对无民事行为能力的人或限制民事行为能力人的人身、财产和其他合法权益的监管和保护的一种制度。

（1）未成年人的监护。民法通则第 16 条规定，未成年人的父母是未成年人的法定监护人，未成年人的父母已经死亡或者没有监护能力的，则由下列人员中有监护能力的人担任监护人：①祖父母、外祖父母。②兄、姐。③关系密切的其他亲属或朋友愿意承担监护责任，经未成年人的父母所在单位或者未成年人住所地的居民委员会、村民委员会同意的。没有①、②规定的监护人的，由未成年人的父母所在单位或者未成年人住所地的居民委员会、村民委员会或者民政部门担任监护人。

（2）精神病人的监护。民法通则第 17 条规定，无民事行为能力或者限制行为能力的精神病人，由下列人员担任监护人：①配偶。②父母。③成年子女。④其他近亲属。⑤关系密切的其他近亲属或朋友愿意承担监护责任，经精神病人所在单位或者住所地的居民委员会、村民委员会同意的。没有近亲属或者近亲属不宜做监护人的，由他所在的单位或基层组织或民政部门担任监护人。

【小思考】

李某是汽车队职工，因患精神病于 1985 年与妻子离婚，后由其父李长福照料。半年后李某自己跑回汽车队，此后由车队用其病休工资为他支付吃饭、穿衣费用。其父李长福再未管过。1990 年 5 月 3 日，杨某与几个朋友喝完酒，在街上碰到李某，对其出言不逊，并打了一拳。李被激怒，随手操起一把铁铲朝杨面部铲去，致使其面部被严重毁容，共花医疗费 1470 元。

此案中，李某的监护人应当承担一定的赔偿责任，被害人杨某自身也应承担一定的责任。那么，如何确定李某的监护人，是其父李长福还是其单位汽车队？

（3）监护人的职责。民法通则第 18 条规定：监护人应当履行监护职责，保护被监护人的人身、财产及其他合法权益，除为被监护人的利益外，不得处理监护人的财产。监护人不履行监护职责或者侵害被监护人的合法权益的，应当承担责任；给被监护人造成财产损失的，应当赔偿损失。人民法院可以根据有关人员或者有关单位的申请，撤销监护人的资格。

【案例分析】

吴某的亲姨因可怜吴某年幼丧母，赠给他一套 70 平方米的房子。后来吴某的父亲又续娶了李某，继母与吴父共同抚养吴某，但继母在吴父死亡后，却将该套房子转到其亲生女儿名下，并办理了过户手续。吴某成年后知道此事，向继母索要被拒绝，于是起诉到法院。人民法院认为，李某的行为侵害了被监护人吴某的财产权（房屋所有权），根据民法通则第 18 条规定，认定房屋所有权变更无效，房屋应归还吴某。

| 法人 | 法人是指具有民事权利能力和民事行为能力，依法独立享有民事权利和承担民事义务的社会组织。 |

法人的民事权利能力是指法人进行民事活动，取得民事权利和承担民事义务的能力或资格，也就是法人的业务范围。在其业务范围内，法人有权进行各种民事活动，取得民事权利和承担民事义务；超过了这个范围，就没有这种资格或能力了，要承担相应的法律责任。也就是说法人的民事权利能力的内容是由法人成立的宗旨和业务范围决定。法人不得进行违背其宗旨和超越其业务范围的活动，在需要超过其原有的业务范围时，应通过法定程序变更其业务范围。民事权利能力始于法人成立，在法人解散、被撤销、被宣告破产或其他原因终止时消灭。

例如，某企业经工商部门登记，核准的经营范围是经营日用百货，这就是它的民事权利能力。它可以在这个范围内从事业务活动，如出售服装、文化用品、家电等。但若同时进行中介活动，如搞婚介、房地产中介或经营水泥、钢材等建筑材料，就超越了它的民事权利能力，即按规定该法人没有从事这些活动的资格。

法人的民事行为能力是指法人在自己的民事权利能力范围内，以自己的行为进行民事活动，取得权利并承担义务的能力或资格。法人的行为能力是由法人的机关来实现的，法人机关是指法人的最高管理机构。在法人机关中，只有法人的主要负责人，才是法人的法定代表人。依据民法通则第 38 条的规定："依照法律或者法人组织章程规定，代表法人行使职权的负责人是法人的法定代表人。"如工厂的厂长、公司的董事长、学校的校长等。

按民法通则的规定，要取得合法有效的法人资格，必须具备下列条件：依法成立；有必要的财产和经费；有自己的名称、组织机构和场所；能够独立承担民事责任。

法人的类型：一是企业法人，是指以生产经营为其活动内容，实行独立经济核算，自负盈亏，向国家纳税的单位。主要包括全民所有制企业法人、集体所有制企业法人、私营企业法人、个人独资企业法人、联营企业法人、中外合营企业法人、外资企业法人。二是非企业法人，是指不直接从事生产和经营活动，而以国家管理和非经营性的社会活动为其内容的法人。因此，非企业法人也可以称为非营利法人。它主要包括国家机关法人、事业单位法人、社会团体法人等。

【小思考】

(1) 举出一个法人的实例，说出法定代表人及该法人的类型。

(2) 校园周围开设的拉面馆、小卖部是不是法人？

民事法律行为　　民事法律行为是以意思表示为要素，并且依意思表示的内容发生法律效力的合法行为。

1. 民事法律行为的特征

(1) 民事法律行为是一种发生法律后果的合法行为。民事法律行为是民事法律事实之一，能够发生一定的法律后果。它属于民事法律事实中的行为，而不属于事件。同时它又属于行为中的合法行为。

(2) 民事法律行为以意思表示为要素。意思表示指当事人将希望发生一定法律后果的内在意思表示于外部的行为。

(3) 民事法律行为基于意思表示的内容发生法律后果。即民事法律行为发生当事人追求的法律后果。

2. 民事法律行为的形式

（1）口头形式。指以谈话的形式进行的意思表示。如电话交谈、托人带口信、当众宣布自己的意思等。

（2）书面形式。指以文书形式进行的意思表示。书面形式有一般书面形式与特殊书面形式之分。特殊书面形式指当事人的意思表示获得有关国家机关承认的文字记载形式。其中有公证形式、鉴证形式、审核登记形式及公告形式。

（3）视听资料形式。即通过录音、录像等视听资料形式进行意思表示。"民法通则若干意见"第 65 条规定："当事人以录音、录像等视听资料形式实施的民事行为，如有两个以上无利害关系人作为证人或者其他证据证明该民事行为符合民法通则第 55 条规定，可以认定有效。"

（4）推定形式。指当事人通过有目的、有意义的积极行为将其内在意思表现于外部，使他人可以根据常识交易习惯或相互间的默契，推知当事人已作出某种意思表示，从而使法律行为成立。

（5）沉默形式。是指既无语言表示又无行为表示的消极不作为。"民法通则若干意见"第 66 条规定："不作为的默示只有在法律有规定或者当事人双方有约定的情况下，才可以视为意思表示。"如继承法中规定，受遗赠人没有明确表示是接受还是放弃遗赠的，视为放弃。这就属于法律直接规定的情况。

3. 民事法律行为的生效

民事法律行为生效，必须具备一定的要件：

（1）行为人应当具有相应的行为能力。

（2）当事人的意思表示真实、自由。真实指内在意思与外在表示相一致；自由指行为人不是出于外在的强制而为意思表示。

（3）不违反法律强制性规定及社会公共利益。

4. 无效、可变更、可撤销的民事行为

（1）无效民事行为。指因欠缺民事法律行为的有效要件，当然、确定、完全不发生法律效力的民事行为。包括：①无民事行为能力人实施的民事行为。②限制民事行为能力人依法不能独立实施的民事行为。③因受欺诈而为的民事行为。④因受胁迫而为的民事行为。⑤因乘人之危使对方违背真实意思而为的民事行为。⑥恶意串通，损害国家、集体或者第三人利益的民事行为。⑦违反法律或者社会公共利益的行为。⑧以合法形式掩盖非法目的的民事行为。⑨违反国家指令性计划的民事行为。

民法通则第 58 条规定："无效的民事行为，从行为开始起就没有法律约束力。"

（2）可变更、可撤销的民事行为。指依照法律的规定，可由当事人请求法院或仲裁机关予以变更或撤销的民事行为。包括：①重大误解的民事行为。②显失公平的民事行为。依"民法通则若干意见"第 72 条规定："一方当事人利用优势或者利用对方没有经验，致使对方的权利与义务明显违反公平、等价有偿原则的，可以认定为显失公平。"实践中判断民事行为是否显失公平的主要标准是权利义务是否对等。

民法通则第 59 条规定："被撤销的民事行为从行为开始起无效。"

（3）民事行为无效或被撤销的法律后果。民事行为无效并不是不发生任何法律效果，而是不发生当事人追求的法律效果。民法通则第 61 条规定："民事行为被确认为无效或者被撤销后，当事人因该行为取得的财产，应当返还给受损失的一方。有过错的一方应当赔偿对方因此所受的损失，双方都有过错的，应当各自承担相应的责任。双方恶意串通，实施民事行为损害国家的、集体的或者第三人利益的，应当追缴双方取得的财产，收归国家、集体所有或者返还第三人。"

归纳起来，有三种处理方式：返还财产、赔偿损失、追缴财产。

【案例分析】

"狗"案之约是否具有法律效力

案例：2003 年初，任某在某集市上发现陈某所牵"灵蹄"犬与自己前不久丢失的那只极为相似，遂与陈某交涉。陈某称该犬系为黄某代买，于是任某要求陈某一起去找黄某。见到黄某后，黄某称该犬系其家雌犬所生，但任某认为没有证据，由此引发争执。后双方协商，由陈某作为证人，双方在野外放犬，犬跑到谁家，谁就拥有所有权，如果该犬跑到一方家中，由另一方给付对方现金 1 万元。任某、黄某各拿出 1 万元交给陈某后，双方到野外放犬，结果该犬跑到黄某家中，陈某遂将 2 万元一并交给黄某。任某向法院提起诉讼，要求被告黄某返还其现金 1 万元。

争议：第一种意见认为，原告与被告协商在野外放犬决定犬的归属并由一方给付另一方 1 万元的约定，是双方当事人的合意，不违反法律规定，法院应认定约定有效，驳回原告要求被告返还 1 万元的诉讼请求。第二种意见认为，原告与被告的约定虽是出于二人当时的真意，但所约定的 1 万元给付具有"赌金"的性质，违背了社会的善良风俗，依据民法通则之规定，应认定该民事行为无效，由被告返还所得 1 万元给原告。第三种意见认为，被告所得具有"赌金"性质，属非法所得，应依法没收。

分析：本案所涉及的主要问题是任某与黄某的约定是否具有

法律效力。从本案的实际情况看，任某、黄某均为有完全民事行为能力的适格民事主体，二人的约定也是双方真实意思的体现。问题在于双方的约定是否违反了法律或社会公共利益呢？从现有的法律、法规看，法律并没有明确禁止当事人的这种约定。既然法律、法规未将这种行为纳入法律规范调整的范畴，该行为是否就是合法有效的民事行为呢？结论不是当然的，这要看这种行为所产生的效果是否损害了社会公共利益、社会公德即"公序良俗"。本案中，双方约定在野外放犬以确定犬的归属，这种解决问题的方式在民法上无可厚非，纯属当事人私法自治的范围，但一方给付另一方 1 万元钱的约定，从某种意义上讲具有"赌金"的性质，该行为已构成了对善良风俗的违反，法律是不应该保护的。从另一方面讲，如果任某在打赌输了以后，并未向黄某支付钱财，黄某基于约定向法院起诉任某追索赌债，同样会因为债务的原因非法而不会得到法院支持。

那么，本案的约定无效后的法律后果是什么呢？根据法律规定，无效民事行为的法律后果有三种：返还财产、赔偿损失、收缴财产上缴国家。本案中，任某与黄某的约定属无效约定，其法律后果就是返还财产，即由黄某将所得 1 万元返还给任某。本案不属于应当适用收缴财产上缴国家的情形，因为只有无效合同损害了国家和社会公共利益的时候，才可以适用此规定。

综上，因任某和黄某协议内容违反公序良俗原则，法院认定二人协议无效，判决黄某返还任某 1 万元是正确的。

审理法院认为，原、被告双方因犬的所有权问题发生争议，应平等协商，采取民间调解或诉讼方式解决纠纷，而双方采取在野外放犬的方式确定该犬的所有权，且约定该犬跑入一方家中，另一方给付对方现金 1 万元，具有打赌的性质，这种方式违反了社会的公共秩序和善良风俗。另因双方均有过错，应各自承担相应的损失。据此，判决被告返还原告现金 1 万元。

代理

对于各种民事行为，当事人可以亲自进行，也可以请比自己更内行的、更有能力的亲属、朋友或具有专业知识的律师、专家代为进行。如各种诉讼、交税、申请专利、注册商标等。这种方式可以更好地保护自己的权益，这些活动在民法中则表现为代理。

1. 代理

代理是某人（代理人）依据本人（被代理人）的委托或者法律规定以及人民法院或有关单位的指定，以本人名义与第三人所实施的民事法律行为，其后果直接由本人承担的制度。如甲请乙在上海为自己买一套房子，乙按照甲的要求同房地产公司进行谈判，以甲的名义签订了买房合同。该合同的权利义务均由甲承担，则乙的行为构成了代理。

2. 代理的特征

（1）代理人必须是以被代理人的名义进行的活动，如果是以自己的名义所为的行为则不是代理，如甲将自行车放在乙商店代卖，乙商店卖给了丙。则乙商店的行为是以自己的名义将自行车卖给了丙，该行为不是代理，其产生的权利义务由商店承担。

（2）代理人在被代理人授权范围内独立作出意思表示。若代理人完全传达被代理人的意思，本身没有任何独立的行为，则与被代理人自己为该行为没有什么不同，也就不可能达到更好地维护被代理人利益的目的，则代理制度便失去了意义。同时，代理人的独立意思必须是在被代理人授权范围内。若超越了代理权限，则被代理人不予追认时，代理人要承担责任。如上面的例子中，若甲要求乙买 100 平方米的房子，而乙擅自做主买了 150 平方米的房子，则超越了代理权限；若甲要求买 4 层以下的都可以，则乙可以根据具体情况自主决定为甲选一个 4 层以下较好的楼层，如 3 楼或 2 楼。

（3）代理人必须是具有法律意义的行为，即能够在被代理人与第三人之间发生变更和终止某种民事权利和民事义务。如代人抄书稿、代人清算账目等活动不和第三人发生关系，则不是代理；再如请人传达口信、代人招待朋友也不是代理。

（4）代理行为产生的法律后果直接由被代理人承受。如上面的例子中，买卖房屋的合同的权利义务应由甲和房地产公司承担。

3. 代理的种类

按照代理权产生的根据不同，可以分为：

（1）委托代理，是指代理人根据被代理人的授权行为所产生的代理，又称为授权代理。

（2）法定代理，是指法律根据一定的社会关系的存在而设立的代理。它主要是为无行为能力人和限制行为能力人所设立的一种代理方式。

（3）指定代理，是指根据指定单位或人民法院的指定而产生的代理。一般是对无法定代理人的未成年人和丧失行为能力人，有关指定机关和未成年人的父母所在单位或住所地的居民委员会等可以为其指定监护人代理参与民事活动。

4. 代理关系的消灭

代理关系是根据一定的法律事实产生，也可以根据一定的法律事实的出现而消灭。

（1）有下列情形之一的，委托代理终止：①代理期间届满或者代理事务完成。②被代理人取消委托或者代理人辞去委托。③代理人死亡。④代理人丧失民事行为能力。⑤作为被代理人或者代理人的法人终止。

（2）有下列情形之一的，法定代理或者指定代理终止：①被代理人取得或者恢复民事行为能力。②被代理人或者代理人死亡。③代理人丧失民事行为能力的或指定代理的人民法院或者指定单位取消指定。④由其他原因引起的被代理人和代理人之间的代理关系消灭。

【小思考】

下列情况哪些属于代理：

（1）甲请乙代抄书稿，乙代抄书稿的行为是否为代理？

（2）甲请乙转告丙：周六晚八点在友好电影院门口等她一同看电影。乙的行为是否为代理？

第三节　民事权利

财产所有权　财产所有权是财产所有人依法对自己的财产所享有的占有、使用、收益和处分及排除他人干涉的权利。占有是指所有权人对财产进行管领、控制。使用是指按照物的性能和用途加以利用，以满足生产和生活需要。收益是指收取原物产生出来的新增经济价值。新增经济价值在民法上主要是指孳息，包括天然孳息与法定孳息。天然孳息是指原物因自然规律而产生的，或者按物的用法而收获的物，如母鸡生蛋、树上结的果实。法定孳息是指根据法律的规定，由法律关系所产生的收益，如出租房屋的租金，借贷的利息。处分是指依法对物进行处置，从而决定物的命运。包括事实上的处分和法律上的处分。

【补充资料】

财产共有权

　　财产共有权是指同一财产属于两个或两个以上法律主体所有的一种财产所有权形式。按照民法通则的规定，它可以采用按份共有和共同共有两种形式。

　　按份共有，是指两个或两个以上法律主体就同一财产按照份额享有权利和承担义务的共有。这种形式的共有有明确的份额之分。按份共有人只对属于自己份额内的共有财产享受权利和承担义务。

　　共同共有，是指两个或两个以上法律主体基于某种法律关系，共同享有同一财产的所有权。这种形式的共有是不分份额的。只要共有关系存在，就无法划分出任何共有人享有多少份额。只有共有关系终止时，才可以确定共有人各自的份额。共同共有人对共有财产享有共同的权利，承担共同的义务。在共同共有关系存续期间，部分共有人擅自处分共有财产的，一般认定无效。共同共有产生的主要根据是夫妻关系和血缘关系，它的主要表现形式是夫妻共同共有和家庭成员共同共有。

　　按份共有人在将自己的份额分出或转让时，不得损害其他共有人的利益，其他共有人在同等条件下有优先购买的权利。只有在共有人不愿意购买时，才可以卖给其他人。共同共有人在出卖自己分得的共同财产时，如果属于一个整体或者配套使用，其他原共有人主张优先购买权的，应当予以支持。

不动产所有权　　　财产所有权按不同的标准可以有不同的分类，根据其客体是动产还是不动产可分为动产所有权和不动产所有权。

不动产是性质上不能移动其位置，或非经破坏、变更则不能移动其位置的物，一般指土地及其定着物（主要指房屋）。

1. 土地所有权

土地所有权是指土地所有人对土地享有的独占的支配权，即土地所有权人在法律规定的范围内，可以对其所有的土地进行占有、使用、收益、处分并排除他人干涉的权利。我国土地所有权只有两类：国家土地所有权与集体土地所有权。

2. 房屋所有权

房屋所有权是指房屋所有权人对其所有的房屋享有的独占的支配权，即房屋所有权人在法律规定的范围内，可以对其所有的房屋进行占有、使用、收益、处分并排除他人干涉的权利。我国的城镇房屋与农村房屋适用的法律有所差异。

房屋所有权有三种形态：单独所有、共有、区分所有。

3. 相邻权

是指相邻不动产所有人或占有、使用人，为行使自己的权利而对相邻的他人的不动产所享有的一定的利用或限制的权利。

从本质上讲，相邻权是一方财产所有人或使用人财产权利的延伸，同时又是对他方所有人或使用人财产权利的限制，是保障所有权和与之相联系的财产权的正常行使的客观需要。

处理相邻关系的总的原则：实际生活中有各种各样的相邻关系，情况复杂多样，法律不可能逐一详尽规定，民法通则第83条规定了处理相邻关系的总的原则："不动产的相邻各方，应当按照有利生产、方便生活、团结互助、公平合理的精神，正确处理截水、排水、通行、通风、采光等方面的相邻关系。给相邻方造成妨碍或者损失的，应当停止侵害，排除妨碍，赔偿损失。"

常见的相邻关系及处理如下：

（1）相邻土地使用、通行关系。相邻一方因生产或生活的需要，必须使用他方土地的，他方应当允许。因一方施工临时占用他方土地的，如需埋设管道、电缆或空中拉线等，应当允许。但占用一方如未按照双方约定的范围、用途和期限使用的，应当责令其及时清理现场，排除妨碍，恢复原状，赔偿损失。再如，相邻一方除了从他方土地上通行外别无选择的，他方应当予以准许。因此造成损失的，应当给予适当补偿。对于一方所有或者使用的建筑物范围内历史形成的通道，所有权人或者使用权人不得堵塞，因堵塞影响他人生产、生活，他人要求排除妨碍或者恢复原状的，应当予以支持。但有条件另开通道的，也可以另开通道。

（2）相邻用水、排水关系。相邻各方使用同一水源的，上游或高地的人不得截流、独占，影响下游的邻人使用。相邻一方必须用另一方的土地排水的应当准许，但应当在必要的限度内使用并采取适当的保护措施排水，如仍造成损失的，由受益人合理补偿。

（3）相邻防危关系。一方在自己土地上生产、施工等，不得危及相邻方。如在自己使用的土地上挖水沟、水池、地窖等，或者种植的竹木根枝延伸，危及另一方建筑安全或正常使用的，应当分别情况，责令消除危险，恢复原状，赔偿损失。

（4）相邻通风、采光关系。一方建造房屋、植树造林等，不得影响邻方的通风、采光，否则受害人有权请求拆除妨碍，赔偿损失。

【小思考】

甲、乙是邻居，甲将旧房拆掉，在原地盖起了一幢三层小楼。建成不到一个月，乙也要建新房。甲提出自己的房子刚刚建成，还未定型，请求乙推迟一段时间再开工。乙拒绝，并立即开始打地基，致使甲的房子地面裂缝，门窗变形，墙面倾斜。甲是否有权要求乙赔偿损失？

动产所有权　　动产是指改变空间位置而不会影响其性质和用途的物。动产所有权是指以动产为标的物的所有权。

1. 善意取得

原物由占有人转让给善意第三人时，善意第三人一般可取得原物的所有权，原所有人只能要求无权处分人赔偿损失，不能要求善意第三人返还原物。善意第三人是指不知占有人为非法转让而取得原物的第三人。

在我国司法实践中，根据既要保护所有人的合法权益，又要维护第三人的合法利益，稳定民事流转的原则，决定是否返还原物。

若第三人是无偿地从无权转让该项财产的占有人那里取得的财产，所有人在任何情况下都有权向第三人请求返还原物。例如，甲将照相机寄存在乙处，乙私自将照相机赠给丙，不论丙在接受赠与时是否知道乙是非法转让，所有人甲都有权请求丙返还照相机。

若第三人是有偿并善意地从占有人处取得财产，则要看占有人的占有是否是基于所有人的意思取得。如果不是基于所有人的意思取得的（如遗失、被盗等），占有人非法转让，善意第三人不能取得原物的所有权，所有人有权向第三人请求返还原物（但第三人如果是从出卖同类物品的公共市场上买得的，即使是盗窃物、遗失物，所有人也无权向第三人请求返还）。如果占有人的占有是基于所有人的意思取得的（如借用、保管等），而占有人滥用所有人的信任非法出让，这时善意第三人取得原物的所有权，所有权人无权要求第三人返还原物，只能要求非法转让人赔偿损失。例如，甲将电视机存放于乙处，乙未经甲的许可，将电视机卖给丙，丙并不知道乙是无权转让，在这种情况下，甲就只能向乙要求赔偿损失，而不能要求丙返还电视机。

2. 先占

先占是指因最先占有无主财产而取得所有权。先占必须具备三个条件：其一必须是对无主物的占有；其二必须有取得所有权的意思；其三必须是现实的占有。我国立法上没有规定先占制度。

3. 拾得遗失物

遗失物，是某人遗忘于某处，不为任何人占有的物。

遗失物不同于无主物，它是所有人丧失了对物的占有，不为任何人占有的物。民法通则将漂流物、失散的饲养动物也视为遗失物。漂流物，是指所有人不明，漂流于江河、湖、海、沟上的物品。而饲养的动物，多是指人们饲养的家禽、家畜，如鸡、鸭、牛、马、羊等，这类动物如果走失，所有人丧失对物的占有，就是遗失物。

对于遗失物、漂流物及失散的饲养动物，民法通则规定，拾得人应当将其归还失主。拾得的遗失物毁损、灭失，拾得人没有故意的，不承担民事责任。拾得人将遗失物据为己有，拒不返还的，应当承担侵权责任。

【小思考】

（1）甲在自习室拾到价值 3000 多元的手机一部，便放在桌子上等待失主，忽然刮起一阵大风，将书本连同放在上面的手机刮到地上，手机被摔坏。恰在此时失主乙回来寻找手机，见手机被摔坏，要求甲赔偿。甲是否应该赔偿？

（2）李某出国回来时，不慎将装有 2 万元现金及护照和各种证件的皮包忘在了出租车上，十分着急。于是在报纸上刊登启事，称有拾到者送还将重谢 5000 元。司机张某在自己的车上发现了李某的皮包。就与李某联系送还，但提出李必须支付 5000 元钱的酬谢费。李某认为 5000 元太多，只是因为自己想尽快找到皮包才写这么多钱，故只同意支付 2000 元。为此双方发生争议，该案应如何解决？

4. 发现埋藏物、隐藏物

埋藏物是指包藏于他物之中，不容易从外部发现的物；隐藏物是指放置于隐蔽的场所，不易被发现的物，如天花板上搁置物，屏风中夹带物。

根据民法通则的规定，所有人不明的埋藏物与隐藏物归国家所有。但这并不是说埋藏物或隐藏物一经发现，都毫无例外地归国家所有，而是在埋藏物或隐藏物被发现后，如果埋藏或隐藏该物之人或其继承人能够证明其合法的所有权或继承权时，应当将发现的埋藏物或隐藏物交还给埋藏或隐藏该物的人或者其继承人，以保护其合法财产权利。只有确实查证发现的埋藏或隐藏物的所有人不明时，才归国家所有。

依民法通则第79条规定，所有人不明的埋藏物、隐藏物归国家所有后，接收单位应当对上缴单位或个人，给予表扬或物质奖励。在埋藏物、隐藏物中，有些是具有历史、艺术和科学价值的文物，这些文物并不是所有人不明的物，而是国家所有的财产。

【小思考】

村民王某在翻建房屋时挖出一坛银元和一幅古画，并发现一张字条，上写"留给李家后代，李大明。"该房是王某十年前购买李某的房子，李大明是李某的爷爷，李家再无其他后人。村民王某认为，银元和古画是在自己的房子下挖出来的，当然归自己所有；李某认为这是爷爷留给李家后代的，应该归自己所有；村委员会认为宅基地是村集体的，银元和古画应归村集体所有。那么银元和古画究竟应归谁所有？

5. 添附

添附包括三种情况：附和、混合、加工。

（1）附合是指两个或两个以上不同所有人的物结合在一起不能分离，若分离会毁损该物或者花费较大，如用他人的建筑材料造房屋。

（2）混合是两个或两个以上不同所有人的动产，互相混杂合并，不能识别。混合发生在动产之间，它与附合的不同在于：附合（指动产的附合）的数个动产在形体上可以识别、分割，只是分离后要损害附合物的价值，出于社会利益考虑不许分割；而混合则是数个动产混合于一起，在事实上不能也不易区别。混合法律效果与附合类似。

（3）加工是指在他人之物上附加自己的有价值的劳动，使之成为新的财产。对于加工物所有权的归属，我国司法实践的一般做法是，加工物的所有权原则上归原物的所有人，并给加工人以补偿，但是当加工增加的价值大于材料的价值时，加工物可以归加工人所有，但应当给原物的所有人以补偿。

【补充资料】

所有权取得的时间：民法通则第72条规定："按照合同或者其他合法方式取得财产的，财产所有权从财产交付时转移，法律另有规定或者当事人另有约定的除外。"据此，不动产所有权自登记时发生转移。动产所有权有约定的则依约定，没有约定的从交付时起转移。

债权　　债是按照合同的约定或者依照法律的规定，在当事人之间产生的特定的权利和义务关系。享有权利的人是债权人，负有义务的人是债务人。

债的发生必须以一定的法律事实为根据，引起债发生的主要根据有：合同之债、不当得利之债、无因管理之债、侵权行为之债。其中合同之债是债发生的最重要、最普遍的根据，其主要内容将在经济法一章介绍。

1. 不当得利之债

不当得利是指没有法律上或合同上的根据，取得不应获得的利益而使他人受到损失的行为。当这种法律事实发生后，即在不当得利者与利益损失人之间形成了相对应的债权债务关系，称之为不当得利之债。

由于不当得利没有合法的根据，因而虽属既成事实，也不受法律保护。在不当得利之债中，受益人负有利益返还的义务，如果原物存在，应当返还原物，原物不存在则应折价补偿；如属善意受益，则仅以现存利益负返还义务，如利益已不存在，则不负返还义务；如属恶意受益，则应返还全部利益及其孳息；受益人在取得利益时为善意，后来为恶意的，其返还范围应以恶意开始之时存在的利益为准。

例如，甲卖给粮库 350 公斤大豆，但收购员却写成了 3500公斤，甲因此多得了 2000 多元。这里甲多得的 2000 多元钱没有法律上或合同上的根据，粮库因此受到了损失，则甲多得的财产即为不当得利。粮库是债权人，有权要求甲返还多得的钱款；甲为债务人，有义务返还。

【小思考】

某建筑公司到水泥厂购买水泥 200 袋，装车时由于装运工疏忽多装了 20 袋，当时建筑公司并未发现。在回公司途中装运水泥的货车突遇车祸翻入河中，结果水泥大部分报废。第二天水泥厂发现给建筑公司多装了水泥，马上派人到公司协商，要求返还多装的 20 袋水泥或给付相应的货款。经查的确多装了 20 袋水泥，但建筑公司认为，多装水泥自己并不知情，况且现在水泥已经因车祸毁损，故不同意水泥厂的要求，双方发生争议。该案应如何解决？

2. 无因管理之债

无因管理是指没有法定的或者约定的义务，为避免他人利益遭受损失，自愿为他人管理事务的行为。管理人与本人之间原不存在权利义务关系，但因发生无因管理行为，管理人和本人之间就产生了债权债务关系，即无因管理之债。管理人是债权人，本人是债务人。

例如，1999 年，王某出海打渔，第二天气象台预报晚间将有强台风，邻居李某见王某的房子年久失修，便主动找了几名村民，自己出钱购买了材料，将房子加固。王某本以为房子可能已经被风刮塌，但回来后见已被加固，安然无恙。便登门道谢，李某提出可以不要工钱，但希望王某支付材料钱 500 元。王某认为价格太高，自己事先也并未让其加固，钱可给可不给。这里李某的行为就是无因管理。首先李某管理的是他人的事务，为王某加固房子。其次，双方是邻居，李某并无为王某加固房子的法定义务，双方也未就此加以约定，李某也无约定的义务。第三，李某加固房子的管理行为是为避免王某的财产损失。因此，李某的行为符合无因管理条件。

在无因管理之债中，管理人的权利是请求被管理人偿还因管理事务所支出的必要费用及其利息；管理人为本人负担必要的债务时，本人应清偿该债务；管理人因管理事务而遭受损失时，本人负责赔偿。管理人的义务是负有与一般债务人同等的注意义务进行管理；通知、报告及返还义务；本人的义务是应偿付管理人因管理行为而支付的必要费用。包括管理本人事务直接支出的费用，为本人谋利益而负担的债务，以及在管理活动中受到的直接损失。

在上例中，由于李某的行为构成了无因管理，双方因此产生了债的关系，债权人为李某，债务人为王某。王某应偿付管理人李某因管理行为而支付的必要费用，包括材料费及劳务费等。由于李某只要求对方支付材料费，王某应当按债权人的要求支付。

【小思考】

林某承包了一大片果园，正值收果季节，林某却因重病住院。此时气象台预报将有 10 级左右的大风，邻居孙某为避免果园受损，连忙找了几个帮工抢收苹果。恰巧第二天有高价收果商收果，考虑到林某在外地住院还要几个月，无法回来照看，为防果烂，孙某又将苹果卖出得款 7000 多元，大大高于林某以前的收入。林某回来后向孙某索要果款，孙某认为正因为自己的大力帮助，才多卖了近 2000 多元，而且自己为收果和卖果也花费了近 300 元，因此只同意给林某 5000 元。孙某应当给林某多少钱？

3. 侵权行为之债

侵权行为是指侵害他人财产权利或人身权利的不法行为。发生侵权行为，依照法律规定，侵害人和受害人之间就产生债权债务关系，受害人有权要求加害人赔偿损失，加害人必须依法承担民事责任。由侵权行为产生的债称为侵权行为之债。有关内容在民事责任一节介绍。

人身权是指法律赋予民事主体所享有的与其人身不可分离而无直接财产内容的民事权利。人身权是民事主体享有的最基本的民事权利，它与财产权构成民法的两大基本民事权利。

人身权通常分为人格权与身份权两大类。

1. 人格权

人格权是法律赋予民事主体以人格利益为内容的，作为一个独立的法律人格所必须享有且与其主体人身不可分离的权利。只要自然人出生、法人成立，无须任何意思表示或经过特别授权，就当然取得人格权并受法律保护，其实质是国家通过法律赋予的一种资格。

人格权一般可分为一般人格权和具体人格权，一般人格权是以民事主体全部人格利益为标的的概括性权利。通常包括人身自由、人格尊严、人格独立与人格平等。具体人格权包括：

（1）生命健康权。生命健康权包括生命权、身体权、健康权：①生命权是法律赋予自然人的以性命维持和性命安全为内容的权利。②身体权是指自然人对其肢体、器官和其他组织的完整依法享有的权利。③健康权是自然人依法享有的保持其自身及其器官以至身体的功能安全为内容的权利。

根据民法通则和有关司法解释的规定：侵害公民身体造成伤害的，应当赔偿医疗费、因误工减少的收入、残废者生活补助费等；造成死亡的，应当支付丧葬费、死者生前扶养的人必要的生活费等费用，同时还可要求精神损害赔偿。

（2）姓名权与名称权。姓名权是自然人依法享有的决定、使用、改变自己姓名并排除他人侵害的权利。名称权则是法人、个体工商户、个人合伙等社会组织依法享有的决定、使用、改变其名称，并排除他人侵害的权利。

侵犯他人姓名、名称的情况主要有以下几种形式：干涉，如强迫他人改变姓名或名称，强迫他人使用或不使用某个姓名、名称等。盗用，如不经他人同意，也无法律许可，使用他人姓名发布非法言论，盗用他人名称参加社会活动等。假冒，如假冒他人姓名发表作品，假冒他人名称缔结合同等。

自然人的姓名权、法人的名称权受到侵害的，有权要求停止侵害，恢复名誉，消除影响，赔礼道歉，并可以要求赔偿损失。如果侵害他人的姓名权、名称权而获利的，侵权人除应适当赔偿受害人的损失外，其非法所得应当予以收缴。但是根据最高人民法院《关于确定民事侵权精神损害赔偿责任若干问题的解释》，自然人的姓名权受到侵害的可以主张精神损害赔偿；法人或者其他组织以名称权遭受侵害为由向人民法院起诉请求赔偿精神损害的，人民法院不予受理。

【案例分析】

叶克贞诉徐勋根假冒其姓名写检举信案

案例：1989 年至 1990 年期间，原告叶克贞被常山县劳动人事局派往县招生办公室协助招生工作。被告徐勋根是留职停薪开办高考复习班的教师，对叶克贞的情况很了解。1990 年 8 月 6 日，徐勋根以"县劳动人事局叶克珍"的名义，向省高校招生办公室负责人写检举信，反映考生徐小平"体检不合格，叫人冒名顶替参加体检才合格"，"县、市招生办有关人员，县政府分管领导为其'舞弊'行为大开绿灯"；并在信中声称："我是县劳动人事局干部，今年协助县'招生办'搞招生工作。"8 月 26 日，省高校招生办公室复信给"叶克珍"，说明徐小平身体合格，不存在冒名顶替现象。叶克贞接信后，感到莫名其妙，为了不受无端牵连，即向县招生办公室和县有关领导反映此事，1990 年 12 月，经常山县公安局进行笔迹鉴定，鉴定结论为：检举信系被告徐勋根书写。被告的行为，使原告的名誉受到一定的影响，原告自接到复信至鉴定结论长达四个月的时间内，精神压力大，血压升高，受到一定的精神损害。

1991 年 1 月，原告叶克贞向常山县人民法院起诉，诉称：被告徐勋根毫无根据地伪造事实，假冒她的姓名，向省"招生办"负责人写检举信，使她的声誉受到不良影响，并受到了一定的精神损害，请求判令被告在省、市范围内登报赔礼道歉，消除影响，恢复名誉；赔偿一定的精神损失费和承担鉴定费、诉讼费。

问题：徐勋根是否侵犯了叶克贞的姓名权？

分析：徐勋根是否侵犯了叶克贞的姓名权，应分析其行为是否符合侵犯姓名权的构成要件。首先，被告徐勋根具有假冒他人姓名的故意。本案中，被告徐勋根捏造事实，向上级有关部门反映不真实的情况；而且为了掩盖自己这一不良动机，使用"叶克珍"这个姓名，具有主观上的故意。其次，"叶克珍"就是叶克贞。从原告的工作单位、工作情况，与被告信中所写的"叶克珍"的工作单位、工作情况联系起来看，足以使熟悉或了解叶克贞的人认为检举信中的"叶克珍"就是原告叶克贞。据此，被告徐勋根检举信中署名的"叶克珍"可以与原告叶克贞之名作同一认定，徐勋根以"叶克珍"之名假冒了叶克贞之名。第三，有损害的事实。即由于被告徐勋根的假冒姓名行为，使原告叶克贞的人格尊严受到了损害。原告叶克贞收到复信后，担心被周围同事或公众误解，精神压力很大，以致精神恍惚，血压升高，影响了身心健康，在人格上和精神上受到了损害。因此，本案中徐勋根的行为是以假冒他人姓名的方式侵犯了他人的姓名权。

审判：法院经审理认为，徐勋根以县劳动人事局干部、今年协助县招生办公室搞招生工作的"叶克珍"的名义写检举信，而县劳动人事局在招生办公室协助工作的只有叶克贞一人，其行为应属侵犯了叶克贞的姓名权。被告徐勋根履行了判决中确定的赔偿原告精神损失费的义务，也递交了"赔礼道歉"声明，但该声明内容中仍坚持系化名"叶克珍"。经法院审查，以其声明内容不符合判决中认定的事实为理由，限期命其纠正，但被告徐勋根拒不同意。常山县人民法院依据《中华人民共和国民事诉讼法》之规定，以法院的名义，于1992年3月7日在《衢州日报》上刊登公告，说明徐勋根侵犯叶克贞姓名权的事实以及法院的判决结果，费用由被告徐勋根负担。

（资料来源：最高人民法院应用法学所编：《人民法院案例选》，人民法院出版社，1997 年版）

（3）名誉权。名誉权是公民或法人对自己在社会生活中获得的社会评价、人格尊严享有的不可侵犯的权利。

名誉权主要包括公民名誉权和法人名誉权两种。公民的名誉权通常表现在如下几个方面：任何新闻报道、书刊进行真人真事的报道都不得与事实不符，影响公民原有的社会评价；公民的个人隐私受法律保护，任何人和组织都无权向社会公开或传播；任何人都不得以侮辱、诽谤的方法，损害他人名誉。任何人不得捏造事实，陷害他人，损害其名誉。法人的名誉权虽其本身无直接的经济内容，但往往对法人活动的社会效益和经济效益有重大影响。机关事业法人的名誉权受到侵害，其社会威信就可能降低，工作计划可能受阻；企业法人的名誉权受到侵害，就可能使其生产、经营、销售受到影响，甚至可能导致企业破产倒闭。

公民的名誉权、法人的名誉权受到侵害的，有权要求停止侵害，恢复名誉，消除影响，赔礼道歉，并可以要求赔偿损失。同时，公民的名誉权受到损害的还可提起精神损害赔偿。

【案例分析】

超市检查顾客衣物，应当承担责任

案例：王颖和倪培璐于 1991 年 12 月 23 日下午到北京惠康超市购物。离开超市时，被工作人员追出拦住责问："小姐，你们有没有拿什么东西?"二人告知所购相框已付款。但工作人员仍继续追问:"你们有没有拿别的东西?"二人回答:"没有。"工作人员将二人带到收银台,要其看所张贴的告示:"本公司保留在收银台处查看带进本店各类袋之权利。"二人气愤地打开所带的手袋让对方检查,并坚持说没拿。后工作人员将二人带到办公室,继续质问盘查。二人在此压力下,气愤地摘下帽子、解开衣服、打开购物袋,由超市工作人员检查,并伤心地掉了眼泪。最后超市工作人员并未检查出二人拿了什么东西,才向二人道歉并放行。

二人回家后,精神受到很大刺激,不想出门,并有轻生念头。1992 年 6 月 3 日,二人向北京市朝阳区人民法院提起诉讼,认为被告侵犯了她们的名誉权,要求其赔礼道歉,消除影响,赔偿精神损失。被告惠康超市辩称:根据超市所张贴的告示,其对原告所采取的行为不构成侵权。

问题:超市工作人员根据其商场所贴的告示,拦截被怀疑偷拿商品的消费者,并进行盘问和检查,不让离开超市,是否侵害消费者的名誉权?

分析:被告的行为是否构成侵害原告的名誉权,要看其行为是否符合名誉侵权的构成要件。我国宪法第 37 条规定:"公民的人身自由不受侵犯。""禁止非法搜查公民的身体。"被告拦截、盘问、检查原告的行为是限制人身自由和搜查的行为,我国法律并没有赋予企业这种限制公民人身自由和搜查的权利,因此,被告的行为具有违法性。民法通则第 101 条规定:"公民、法人享有名誉权,公民、法人的人格尊严受法律保护,禁止用污辱、诽谤等方式损害公民、法人的名誉。"被告主观上具有过错,行为具有违法性,损害他人名誉权的事实存在,损害行为和后果之间有因果关系,因此,其行为已侵害了原告的名誉权。

　　由于被告的告示内容具有违法性，是无效的民事行为，被告不能因此告示内容而享有检查消费者的权利，消费者也不因去该商场而负有接受检查的义务。即使消费者偷拿了商品，商场工作人员也只能在其作案时予以抓获，送交公安机关，而不能自行检查，更不能仅凭怀疑就随便拦截消费者进行检查盘问。

　　（资料来源：最高人民法院应用法学所编：《人民法院案例选》，人民法院出版社，1997 年版）

　　（4）肖像权。肖像权是指公民通过各种形式在客观上再现自己形象而享有的专有权。民法通则第 100 条规定："公民享有肖像权，未经本人同意，不得以营利为目的使用公民的肖像。"因此，对公民肖像权的侵犯需具备两个构成要件：其一，使用公民肖像未经其同意。其二，以营利为目的进行使用。对公民肖像权的保护也有一定的限制，为了社会公共利益的需要，或为了科学艺术上的目的，或为了宣传报道而制作和使用的公民的肖像，可以不征得公民同意，但同时不应侵害公民的合法权益。为了职务上的目的或公共利益而依法制作、使用他人肖像的，则不需通过本人同意，如通缉逃犯、张贴寻人启事等。

【案例分析】

董云诉南阳市虹光摄影图片社侵犯其肖像权纠纷案

　　案例：1993 年 12 月份，原告在南阳市虹光摄影图片社拍了一张抱一玩具熊猫的半身彩色照片。数日后，原告托本单位同事杨文霞取照片，并将取片单交给了杨。杨又转托给同事谢宇，谢宇又转托给同事于启明，最后由与原告互不相识的高广友取回，由杨文霞将照片交给了原告。1994 年 2 月 6 日，被告南阳市邮电局内刊《南阳邮电》刊登一文，介绍虹光图片社引进的彩扩设备的先进性能和该社精湛的摄影技术，并写道："春节将临，爱美的朋友，不妨前往一试。"文章末尾注明了虹光图片社的详细地址和电话号码。配发有说明"少女、熊猫、许建秋摄"的照片。

《南阳邮电》是南阳市邮电局的内刊，在系统内发行，也对外赠阅，1994 年 2 月 6 日的《南阳邮电》出版后，在原告单位引起一部分人议论，说"董云做广告挣钱"，"与熊猫比美"等。为此，原告向南阳市卧龙区人民法院提起诉讼，称：两被告擅自使用照片，引起单位同事议论纷纷，使其难以见人，造成精神上的负担和痛苦，并致头痛、头晕去医院治疗。请求判令被告赔礼道歉，赔偿交通费、误工费、医疗费和给予精神赔偿。

被告虹光图片社辩称：我们使用原告照片曾征得一取照片的男人同意。《南阳邮电》属免费赠阅发行，不存在营利问题。使用原告的照片是为了新闻报道，不是为商业性广告配发。故其行为未侵犯原告的肖像权。

被告南阳市邮电局辩称：该刊是我单位内部免费发行或向社会免费赠阅发行，介绍虹光图片社的文章未收取任何费用，不是以营利为目的。原告的照片是与新闻体裁的文章配发，虹光图片社称已经同意，故我们谈不上侵犯原告肖像权。

问题：两被告是否侵犯了原告的肖像权？

审判：法院经审理认为，虹光图片社称其使用原告照片曾征得取片人的同意，并提交有本单位职工等证人的证言，但取片人否认，虹光图片社又不能提供其他证据加以证明，证据不足以认定。原告的肖像照片与文配发使用，该文中确有广告内容，能够起到广告作用，应认为具有营利目的。肖像权是肖像权人专有的人身权，使用其肖像照片必须经本人同意。二被告使用原告肖像照片，未经原告同意，且具有营利目的，侵犯了原告的肖像权。《南阳邮电》对原告是否同意使用其肖像未加核查，也有过错。该过错责任应由南阳市邮电局承担。故判决：（1）在《南阳邮电》上向原告公开赔礼道歉，道歉文章内容经本院审定；（2）虹光图片社在判决生效后十日内，向原告支付经济损失赔偿费367.14元，精神损害赔偿费1200元；（3）南阳市邮电局在判决生效后十日内，向原告支付经济损失赔偿费244.76元，精神损害赔偿费800元。

（资料来源：最高人民法院法学所编：《人民法院案例选》，人民法院出版社，1997年版）

（5）隐私权。又称个人生活秘密权，是指公民不愿公开或让他人知悉个人秘密的权利。公民为了维持正常的生活和精神安宁，往往希望保护自己私生活中的秘密，这些秘密包括通信秘密权与个人生活秘密权。通信秘密权是指公民对其在信件、电报、电话中的内容享有保密权，未经允许不得非法公开。个人生活秘密权是指公民对其财产状况、生活经历、个人资料等私人信息享有的禁止他人非法利用的权利。

2. 身份权

身份权是民事主体基于特定的身份享有的民事权利。它不是每个民事主体都享有的权利。只有当民事主体从事某种行为或因婚姻、家庭关系而取得某种身份时才能享有。身份权包括：亲权、配偶权、亲属权、荣誉权。其中主要是荣誉权。荣誉权是指公民、法人所享有的因自己的突出贡献或特殊劳动成果而获得光荣称号或其他荣誉的权利。如对科学技术事业做出杰出贡献被授予国家荣誉称号。

荣誉权与名誉权相比都表明了民事主体在社会中的信誉与评价。但二者具有很大的不同（见下表）。

权利\\项目	荣誉权	名誉权
性质不同	荣誉权是身份权	名誉权是人格权
范围不同	荣誉权只有特定的公民、法人才能享有，具有专有性	名誉权是每个公民或法人都享有的，具有普遍性
取得的方式不同	荣誉权的取得除了法律规定外，必须通过自己的行为作出贡献并获得有关机关、组织的认可才能取得	名誉权是法律赋予每个公民、法人的权利，其取得不需要履行任何程序
内容不同	荣誉是对做出突出贡献的公民、法人的一种褒扬和嘉奖	名誉是社会对每一个公民、法人的品德、才干、专长、声望、生活作风等方面评价
消灭的要求不同	荣誉权可以依法剥夺	名誉权则无法被剥夺或受到限制

【小思考】

某报社在一篇新闻报道中披露未成年人甲是乙的私生子，致使甲备受同学的嘲讽与奚落，甲因精神痛苦，自残左手无名指，给学习和生活造成重大影响。

某报社是否侵权？侵害了甲的哪些权利？

A. 身体权　B. 姓名权　C. 名誉权

知识产权是指民事主体对智力劳动成果依法享有的专有权利。

知识产权具有如下特征：①知识产权的客体是不具有物质形态的智力成果。这是知识产权的本质属性，是区别于物权、债权、人身权和财产权等民事权利的首要特征。智力成果是指人们通过智力劳动创造的精神财富或精神产品，其本身凝结了人类的一般劳动，具有财产价值，可以成为权利标的，是与民法意义上的"物"相并存的一种民事权利客体。②专有性，即知识产权的权利主体依法享有独占使用智力成果的权利，他人不得侵犯。同物权一样，知识产权是一种绝对权和对世权，从而有别于债权。③地域性，即知识产权只在产生的特定国家或地区的地域范围内有效，不具有域外效力。④时间性，即依法产生的知识产权一般只有在法律规定的期限内有效。

著作权。也称版权，指作者及其他著作权人依法对文学、艺术和科学、工程技术等作品所享有的各项专有权利。著作权包括人身权和财产权两大类，一般因作品的创作完成而自动产生。

专利权。在专利法中，专利权是指专利权人在法律规定的期限内对其发明创造成果所享有的一种独占权或专有权。专利权的特征主要有：①专有性，同一内容的发明创造或设计只能授予一次专利，即使有两个发明人或者设计人分别独立完成内容相同的发明创造或设计，专利权也只能授予申请在先者。②公开性，实施专利的前提是公开专利成果，以便使公众得以知晓和提出异议，杜绝重复发明。③法定性，专利权由专利行政部门依法授予，发明人或设计人应通过法定程序与手续向专利行政部门提出申请，经审查合格后，才能依法授予专利权。

商标权。商标权是指商标注册人在法定期限内对其注册商标所享有的受国家法律保护的各种权利。包括专用权、禁止权、许可权、转让权、续展权和标示权等。商标是指经营者在商品或服务上使用的，将自己经营的商品或提供的服务与其他经营者经营的商品或提供的服务区别开来的一种商业专用识别标志。商标最基本的功能就是识别商品或服务的来源，区别相同商品或服务的不同经营者。

第四节 民事责任

1. 民事责任的概念

民事责任概述

民事责任即民事法律责任，是指违反合同或其他民事义务而应负的法律上的责任。民法通则第 106 条规定："公民、法人违反合同或者不履行其他义务的，应当承担民事责任。"

民事责任与刑事责任、行政责任不同：其一，民事责任主要是补偿性的，其责任方式也主要是财产性的经济补偿，而以非财产性排除措施为辅（如停止侵害、消除影响、赔礼道歉等）。刑事和行政责任则主要是惩罚性的，其方式主要是人身性的制裁（如剥夺自由、警告、吊销执照等），而以经济制裁为辅（如罚款等）。其二，处理原则不同，民事责任因为是补偿性的，所以一般都以等价为原则，经济赔偿的数额只能等于而不高于受害人所受的损失。刑事、行政制裁既然是惩罚性的，当然无等价问题，人身性制裁无等价问题，即使财产性制裁也无等价问题。其三，财产的归属不同，民事责任的经济赔偿是为补偿受害人的损失，故一律归受害人，行政、刑事的罚款一律归国家所有。其四，强制程度不同，民事责任虽有法律规定，但也可依当事人意愿自行协商，国家一般不干预。而刑事责任、行政责任则是强制性的，当事人无权改变，即使是作出制裁的行政机关或司法机关也只能依法律规定处理，无权任意减免。

2. 民事责任的归责原则

归责原则是判定当事人民事责任的有无和大小所依据的准则。也就是责任应当由谁来承担所依据的原则。一般认为，我国民法的归责原则有三个：

（1）过错责任原则。即有过错的人承担民事责任，无过错的人不承担民事责任；过错大的承担大部分责任，过错小的承担小部分责任。过错是行为人决定其行为的一种故意或过失的主观心理状态。

过错责任原则一般实行"谁主张谁举证"的原则，在特殊情况下，采用过错推定的形式，即对过错的认定实行"举证责任倒置"。它是指一旦行为人的行为致人损害，就推定其主观上有过错，除非其能证明自己没有过错，否则应承担民事责任。过错推定责任不能任意运用，只有法律明确规定的情况下才可适用。

（2）无过错责任原则。是指不管有过错还是无过错都要承担民事责任，即责任的有无和大小不以过错有无、大小为依据。

无过错责任适用时，其一，必须有法律明确的规定。其二，适用无过错责任，受害人不须证明加害人有无过错，加害人亦不能通过证明自己无过错而免责，但原告应证明损害事实及其因果关系。其三，我国实行的是有条件的、相对的无过错责任，在出现某些法定免责事由时，有关当事人也可全部或部分免除其民事责任。如我国环境保护法规定，完全由于不可抗拒的自然灾害，并经及时采取合理措施，仍然不能避免造成环境污染损害的，免于承担责任。

（3）公平责任原则。是指损害双方的当事人对损害结果的发生都没有过错，但是在受害人的损失得不到补偿又显失公平的情况下，由人民法院根据具体情况和公平的观念，要求当事人分担后果。例如，紧急避险致人损害的，如果险情是由自然原因引起的，行为人采取的措施又无不当，则行为人不承担民事责任。受害人要求补偿的，可以责令受益人适当补偿。当事人对造成损害均无过错，但一方是在为对方的利益或者共同利益进行活动的过程中受到损害的，可责令对方或者受益人给予一定的经济补偿。

3. 免责事由

民法通则不仅明确规定了承担民事责任的条件，而且也明确规定了免除民事责任的条件。

（1）执行职务的行为。具有一定职责的工作人员，为了维护社会公共利益和公民的合法权益，在执行职务时不可避免地对他人的财产或人身造成伤害，不构成侵权行为。如医生对患者进行必要的肢体切除，工商人员依法对收缴的假冒商品进行销毁等。

（2）正当防卫行为。这是指法律规定，为了保护公共利益、自身或他人的合法利益，对正在进行非法侵害的人给予适当的还击，以排除或减轻违法行为可能造成的损害。例如，甲在面对乙对其实施的伤害行为时，奋起反抗，将乙击伤。正当防卫行为是合法行为，因此，民法通则第128条规定，因正当防卫造成损害的不承担民事责任。

（3）紧急避险行为。所谓紧急避险，是指在危险情况下，为了使社会公共利益、自身或他人的合法权益免受更大的损害，在迫不得已的情况下采取的致他人或本人受损害的行为。例如，甲在骑自行车的过程中，为了躲避汽车的碰撞，将乙撞倒。

民法通则第129条规定：因紧急避险造成的损害，由引起险情发生的人承担民事责任。如果危险是由自然原因引起的，紧急避险人不承担民事责任或者承担适当的民事责任。因紧急避险采取措施不当或者超过必要的限度，造成不应有的损害的，紧急避险人应当承担适当的民事责任。

（4）受害人同意的行为。所谓受害人同意的行为，是指受害人事先明确表示愿意自行承担某种损害结果，而且不违反法律和社会公共利益。例如，病人或其家属在同意做手术的书面文书上签字后，对于正常进行手术可能发生的损害后果，医院不承担责任，但构成医疗事故的除外。

（5）外来原因。指损害的发生不是被告的行为造成的，而是被告之外的其他原因造成的。既包括自然现象，如地震、洪水、台风、火山爆发等，也包括某些社会现象，如战争、暴乱等。不可抗力对于行为人来说已超过了他能够预见、防范的限度，行为人主观上并无过错。因不可抗力不能履行合同或者造成他人损害的，不承担民事责任，法律另有规定的除外。

4. 承担民事责任的方式

民法通则第 134 条规定，民事责任的责任形式主要有：

（1）停止侵害。当侵权行为人实施的侵权行为仍然处于继续状态时，受害人可以依法要求法院责令加害人停止侵害人身权或财产权的行为。

（2）排除妨碍。当侵权行为人实施的侵权行为使受害人的财产权利、人身权利无法正常行使时，受害人有权请求排除妨碍。

（3）消除危险。当行为人的行为对他人的人身财产安全造成了威胁，或存在对他人人身、财产造成损害的危险时，处于危险中的人有权要求行为人采取措施消除危险。如甲设置的广告牌即将坠落，对行人的人身安全构成威胁，行人可以要求甲进行修缮，排除危险。

（4）返还财产。当侵权人没有合法依据，将他人财产据为己有时，受害人有权要求其返还财产。

（5）恢复原状。是指侵权行为致使他人的财产遭到损坏或形状改变，受害人要求加害人对受损财产进行修复或采取其他措施，使其恢复到原来状态。例如，甲在承租乙的房屋期间，对乙的房屋进行了改造，乙就有权要求甲对其房屋恢复原状。通常对于损害的财产能恢复原状的，应当尽量恢复原状；只有难以恢复时，才要求予以赔偿。恢复原状的费用，应由加害人承担。

（6）赔偿损失。当侵权行为人给他人造成财产或人身损害时，应当给予赔偿。包括对人身损害的赔偿及精神损害的赔偿。

（7）消除影响、恢复名誉、公民的姓名权、肖像权、名誉权受到侵害的，有权要求恢复名誉、消除影响；法人的名称权、名誉权、荣誉权受到侵害的，也可以要求恢复名誉、消除影响；一般而言，消除影响的方式是通过在报刊、大众传媒上刊登更正声明和赔礼道歉声明的方式来实现。

（8）赔礼道歉。赔礼道歉是指行为人通过向受害人承认错误、表达歉意、请求原谅的方式以弥补受害人心理上的创伤。进行赔礼道歉的方式可以是公开的，如将道歉声明刊登于报纸、期刊上，也可以是不公开的，由加害人在特定场合对受害人进行口头道歉，或向受害人提交道歉信。

侵权的民事责任

民事责任可以根据不同的标准作不同的分类，根据产生责任的法律根据不同可分为违反合同的民事责任与侵权的民事责任两大类。违反合同的民事责任即违约责任，将在合同法中讲述。侵权的民事责任，产生的根据是违反了合同之外的民事义务，是指非法侵害公民、法人等的财产所有权（及与所有权有关的财产权）、知识产权和人身权即应承担相应的民事责任。

1. 一般侵权民事责任的构成要件

在一般情况下，构成侵权的民事责任必须具备四个要件，即损害事实、违法行为、违法行为与损害事实之间有因果关系、侵权人有主观过错。缺少任何一个要件，就不能构成侵权民事责任，致损人不必承担民事责任，但法律有特别规定的除外。一般的侵权行为构成要件包括以下四个方面：

（1）损害事实。损害事实，既包括对财产的损害，也包括对人身的损害。对财产的损害，包括直接的与间接的损害，前者是指现有实际财产的减少，如房屋被侵占，动产被毁损；后者是指受害人可得利益的减少，比如租金收入的减少。对人身的损害包括对生命、健康、名誉、荣誉等的损害。

（2）违法行为。行为的违法性是指行为人实施的行为违反了法律的禁止性规定或强制性规定。根据违法行为的表现形式，又可以分为作为的违法行为与不作为的违法行为。前者如法律规定禁止毁损他人的财产，行为人实施了毁损他人财产的行为。后者如法律规定在公共场所安装地下设施应按规定设置警示标志，如果施工者没有采取该措施，就构成不作为的违法行为。

（3）因果关系。即损害事实必须是由违法行为所造成的，只有当二者之间存在因果关系时，行为人才应承担相应的民事责任。民事主体只能为自己实施的行为的损害后果承担责任，没有因果关系的侵权责任是不成立的。

（4）主观过错。即使具备了损害事实，有违法行为，损害事实也是由违法行为造成的，但如果行为人没有主观过错，一般也不构成侵权责任。行为构成中的主观条件，反映行为人实施侵权行为的心理状态。

主观过错可分为故意与过失。故意是指行为人预见到自己的行为可能产生的损害结果，仍希望其发生或放任其发生。如明知诽谤他人会侵害他人的名誉权仍为之等。过失是指行为人对其行为结果应预见或能够预见而因疏忽未预见，或虽已预见，但因过于自信，以为不会发生，以致造成损害后果。如快餐店应当预见到其热饮可能烫伤顾客，但因疏忽大意未采取防范措施，导致烫伤事件发生。根据法律对行为人要求的注意程度不同，过失又分为一般过失与重大过失。一般过失是指行为人没有违反法律对一般人的注意程度的要求，但没有达到法律对具有特定身份人的较高要求。重大过失是指行为人不仅没有达到法律对他的较高要求，甚至连法律对普通人的一般要求也未达到。

【小知识】

共同的侵权行为与共同危险行为

（1）共同的侵权行为。是指两个或两个以上的行为人，基于共同的故意或过失，侵害他人人身或财产权利的行为。

如"民法通则若干意见"第148条规定：教唆、帮助他人实施侵权行为的人，为共同侵权人，应当承担连带民事责任。教唆、帮助无民事行为能力人实施侵权行为的人，为侵权人，应当承担民事责任。教唆、帮助限制民事行为能力人实施侵权行为的人，为共同侵权人，应当承担主要民事责任。民法通则第130条规定：二人以上共同侵权造成他人损害的，应当承担连带责任。

（2）共同危险行为。是指两个或两个以上的行为人，共同实施可能导致他人权利受损的危险行为，造成了损害后果，但不能准确判定谁为加害人的行为。如甲乙共同向空中抛掷石块，导致丙受伤，但加害人与受害人均不能证明是甲还是乙抛掷的石块将丙击伤，甲乙二人的行为即为共同危险行为。

确立共同危险行为，可以更充分地保护受害人，不会因实际加害人的无法确定而使受害人的权利无法得到救济，也能更有效地遏制侵权行为。

2. 特殊的侵权行为

（1）国家机关工作人员职务侵权行为。民法通则第 121 条规定：国家机关或者国家机关的工作人员在执行职务中侵犯公民、法人的合法权益造成损害的，应当承担民事责任。如某警察甲，在与邻居的争执中将乙殴伤。其行为便不是执行职务行为，乙不能以甲职务侵权为由要求国家赔偿。

（2）产品缺陷致人损害的侵权行为。民法通则第 122 条规定：因产品质量不合格造成他人财产、人身损害的，产品制造者、销售者应当依法承担民事责任。运输者、仓储者对此负有责任的，产品制造者、销售者有权要求赔偿损失。

（3）高度危险作业致人损害的侵权行为。民法通则第 123 条规定：从事高空、高压、易燃、易爆、放射性、高速运输工具等对周围环境有高度危险的作业造成他人损害的，应当承担民事责任；如能够证明损害是由受害人故意造成的，不承担民事责任。

高度危险作业致人损害采用的是无过错责任，免责的事由仅有一种情况，即损害是由受害人的故意造成的。如果受害人对于损害的造成仅有过失，也应由作业人承担责任。对于受害人的故意行为应由作业人进行证明。

【案例分析】

李艳平诉宁安县气象局发射气象炮弹碎片
致人死亡损害赔偿纠纷案

案例：李艳平家住海林市旧街乡张明村。1991 年 7 月 7 日下午 5 时半至 6 时半，宁安县气象局驻海浪镇五良子村气象站打炮点为防冰雹，打出了 30 发防冰雹气象炮弹，其中向海林市旧街乡方向打出 6 发。此间，原告丈夫常运阁因见下雨，自地里回家，行至家门口时，原告等人听见屋外一声惊叫和倒地声，即出来查看，见常运阁倒在距窗前 1 米多远处，头部流血，人已昏迷。原告以为是被雷击所致，遂将常送往医院抢救。常运阁送医院抢救 7 日后死亡。医院进一步诊断为，死者不是遭雷击死亡，而是由一硬物以高速冲击造成的。据此，常的亲属联想到常受伤当天气象部门打炮，常的伤可能是炮弹皮下落所致，并且还在常倒地现场发现一铁块。上有"人雨、17 秒"字样。据此，原告向宁安县人民法院提起诉讼称，其丈夫常运阁被被告打的人工降雨炮弹碎片击伤而死，要求被告赔偿医药费、丧葬费等共计43300 元。

问题：宁安县气象局是否应承担赔偿责任？

分析：气象局为防冰雹或进行人工降雨，向空中打防冰雹炮弹或人工降雨炮弹，确属从事对周围环境有高度危险的作业。从事这种高度危险作业对他人造成损害的，无论致害人有无过错，根据民法通则第 123 条的规定，只要其不能证明损害是由受害人故意造成的，致害人就应承担损害赔偿的民事责任。本案中，法院认定死者受伤时间与被告打炮时间基本吻合。从死者致伤原因上看，医院证明是由一硬物以高速冲击所致。在没有证据证明有其他物体坠落在死者致伤现场的情况下，本案所发生的事实具有惟一性，使被告打炮和死者受伤具有因果关系。从法院查证的情况看，也无法排除打炮与死者受伤的因果关系。排除不了的即应予以认定。

综上所述，本案死者受伤与被告打炮之间具有因果关系，在被告不能提出相反的证据来否定这种因果关系的情况下，只能认定被告打炮所散落的炮弹碎片是致死者头颅骨损伤的原因，被告应根据民法通则第 123 条的规定，承担无过错责任，而不用去考虑被告打炮时是否有过错。

该案最后在法院主持下，原告和被告自愿达成了由被告一次性赔偿 7000 元的调解协议。

（资料来源：最高人民法院法学所编：《人民法院案例选》，人民法院出版社，1997 年版）

（4）污染环境致人损害的侵权行为。民法通则第 124 条规定：违反国家保护环境、防止污染的规定，污染环境造成他人损害的，应当依法承担民事责任。

由于环境污染的特殊性，受害人因技术条件所限，往往难于证明因果关系的存在，因而常常采用因果关系推定的原则。即只要证明企业已经违法排放了污染物质，受害人的人身或财产已经遭受或正在遭受损害，即推定排污行为与损害后果间有因果关系，除非行为人证明损害不可能由其排污行为所致。

污染环境致人损害采用的是无过错责任，免责事由有三种情形：其一，不可抗力；其二，受害人的过错；其三，第三人的过错。

【案例分析】

案例：1983 年新疆维吾尔自治区决定开发铁厂沟地下煤炭资源。1985 年 6 月，新疆煤矿设计院编制出《铁厂沟露天煤矿可行性研究报告》，肯定该露天煤矿爆破引起的噪声和震动会对周围自然环境产生影响，但对如何采取预防措施未加以论述。1991 年 4 月，当地一劳动服务公司将其养鸡场发包给本案原告庞宗林，承包期为 4 年。同年 8 月至 10 月，这些鸡先后进入产蛋期。与此同期，指挥部在露天煤矿进行土层剥离爆破施工，其震动和噪声惊扰养鸡场的鸡群，鸡群的产蛋率突然大幅下降，并有部分鸡死亡。经计算，庞宗林因鸡产蛋率下降而减少利润收益120411.78元。新疆兽医研究所对庞宗林承包的养鸡场的活鸡、死鸡进行抽样诊断、检验，结论为：因长期放炮施工的震动和噪声造成鸡群患上"应激产蛋下降综合症"。原告庞宗林向乌鲁木齐市中级人民法院起诉要求被告赔偿损失402418.42元。被告辩称：我部开矿爆破经国家有关部门批准，没有违法，不构成侵权，不应承担赔偿责任。

分析：本案被告指挥部在其露天煤矿爆破施工，造成原告养鸡场鸡群的产蛋率大幅下降，属于环境污染致人损害。环境污染致人损害的民事责任属于一种特殊侵权民事责任。其构成须具备三个条件：①须有污染环境造成的损害事实。②须有污染环境的违法行为。③污染环境行为与损害事实之间有因果关系。

首先，被告在其露天煤矿爆破产生的震动和噪声污染了附近的环境，致使原告养鸡场鸡群的产蛋率大幅下降，证明被告污染环境行为造成了损害事实。其次，被告在居民区附近建设露天煤矿，在可行性研究报告中已经明确肯定该煤矿爆破施工会对周围自然环境产生不良的影响，可行性报告中没有关于采取防范措施的论述，在开发时没有采取实际防范措施，这证明被告污染环境行为具有违法性。再次，被告在露天煤矿长时间进行爆破施工，其震动和噪声改变了原告养鸡场鸡群的生活环境，使该鸡场鸡群产生"应激产蛋下降综合症"，这证明被告污染环境行为与原告的损害事实之间存在因果关系。

（资料来源：最高人民法院法学所编：《人民法院案例选》，人民法院出版社，1997年版）

（5）地面施工致人损害的侵权行为。民法通则第 125 条规定：在公共场所、道旁或者通道上挖坑、修缮安装地下设施等，没有设置明显标志和采取安全措施造成他人损害的，施工人应当承担民事责任。

地面施工致人损害的行为适用过错推定责任，即除非施工人能证明其已尽法定警示义务并采取了安全措施，而且这些标志或安全措施可以使任何人以通常的注意就可避免损害发生，否则就应认定其有过错，应承担民事责任。

【案例分析】

案例：1990 年，被告吉林省珲春市市政管理处承担珲春市龙源街东段排水施工工程，至同年 10 月 21 日止，已挖好东西走向长 20 米、宽 1 米、深 3 米的排水沟。10 月 21 日下午，被告在排水沟的西端设置了红色标志灯和栏杆路障，在排水沟的东端设置了南北排列的各长 2 米、直径 70 公分的水泥管四根为路障，但南侧水泥管与排水沟施工土堆之间有约 1.5 米的空隙。该日晚 17 时许（此时当地已经天黑），原告李某骑自行车回家，由东向西经过龙源街东段排水施工工程处，骑行进入了工程东端路障南侧水泥管与施工土堆之间的空隙处，连人带车掉入排水沟内，后被行人救出送往医院。经法医鉴定为七级伤残。1991 年 7 月，原告以受伤后不能从事体力劳动和要求被告赔偿损失为理由，诉至珲春市人民法院，要求被告赔偿医疗费、误工工资、补助费等合计 15717.01 元。

分析：处理本案的关键在于对民法通则第 125 条的规定如何理解。只要施工人不能证明在施工中设置了符合要求的明显标志和采取了符合要求的安全措施，在造成他人损害时，就推定其有过错，并应承担民事责任。本案就属于这种情况。从本案的具体情况来看，被告在施工现场西端设置了红色标志灯和栏杆路障，这可以说是符合法律要求的。但在施工现场东端所采取的防护措施，是明显不符合法律要求的，一是没有设置红色标志灯，以在各种情况下提醒行人注意；二是虽采取了一定的安全防护措施，但该措施有明显的漏洞，不足以在正常情况下起到防护作用。因此，本案被告存在过错，应当承担致原告损害的全部赔偿责任。因为这是一种特殊的侵权民事责任，因此，是不考虑受害人的过错因素的。

（资料来源：最高人民法院法学所编：《人民法院案例选》，人民法院出版社，1997 年版）

（6）建筑物致人损害的侵权行为。民法通则第 126 条规定：建筑物或者其他设施以及建筑物上的搁置物、悬挂物发生倒塌、脱落、坠落造成他人损害的，它的所有人或者管理人应当承担民事责任，但能够证明自己没有过错的除外。

建筑物致人损害适用过错推定责任原则，即一旦发生建筑物致人损害的后果，便推定其所有人或管理人有过错，除非所有人或管理人自己举证证明无过错，否则应承担民事责任。建筑物致人损害的责任主体应是对该建筑物进行直接控制、管理并负责有妥善维护义务的人。例如，甲将其房屋出租给乙，在乙租赁期间，阳台上的花盆坠落致使丙受伤，承担赔偿责任的就应是乙，因为乙是对房屋进行直接管理的人。

【案例分析】

案例：2004 年，马某到体育局设立的全民健身设施上进行体育运动，在形体训练器上锻炼时，马某没有坐在通常的位置上，而是坐在旁边的一个小凳子上，当马某离开时，形体训练器的上部翻转，将马某的右手拇指砸断，造成粉碎性骨折，被迫截指。经查，形体训练器下面用以翻转的铁链已经损坏，体育局查看多次，但一直没有维修。事故发生后，马某诉至法院，要求公共设施的维护人体育局承担赔偿责任。

分析：民法通则第 126 条规定：建筑物或者其他设施以及建筑物上的搁置物、悬挂物发生倒塌、脱落、坠落造成他人损害的，它的所有人或者管理人应当承担民事责任，但能够证明自己没有过错的除外。

从案情介绍可知，原告的人身损害不是被告的直接行为造成的，而是由设施翻转坠落导致的，因此本案不属于一般的侵权行为，而属于特殊侵权行为。对于这种设施致人损害的民事责任，一般说来，设施的管理人只有证明设施的坠落是因下列原因造成的，才能够证明没有过错：①不可抗力。②第三人的过错。③受害人自身的过错。本案不存在前两种因素。受害人的自身过错表现为：受害人明知或应知有危险而不予避开，或者说有意放任损害结果的发生。作为马某来讲，他仅是一个体育器械使用人，他没有也不可能故意让设施处于危险的状态并使自己受伤。马某没有按照使用说明进行锻炼，引起的后果只能是没有锻炼效果，或者说没有达到特定的锻炼目的，而不能说损害是自己造成的。原告尽管使用不当，但不能构成人身损害发生的过错。

本案中，由于形体训练器用以防止设施翻转的铁链已经损坏，该形体训练器存在危及人身安全的可能，被告在明知的情况下，却没有进行维修，这就构成法律意义上的过错。因此被告有义务承担因没有维修而导致的危害后果。

公共设施的安全责任是一种严格责任，由于公共设施面对的是不特定的公众，使用者没有义务对公共设施是否安全进行审查，或要求使用者必须具备使用公共场所设置的健身器材的专业知识。体育局提供了有安全缺陷的设施，它应对使用者的人身损害后果承担民事责任。

（7）饲养的动物致人损害的侵权行为。民法通则第127条规定：饲养的动物造成他人损害的，动物饲养人或管理人应当承担民事责任；由于受害人的过错造成损害的，动物饲养人或者管理人不承担民事责任；由于第三人的过错造成损害的，第三人应当承担民事责任。

饲养动物致人损害采用的是无过错责任，只要发生了饲养动物致人损害的后果，饲养人或管理人就应承担民事责任。免责事由包括：其一，因受害人的过错造成损害。其二，因第三人过错造成损害。

【小思考】

小女孩甲（8岁）与小男孩乙（12岁）放学后常结伴回家。一日，甲对乙讲："听说王家昨日买了一条狗，我们能否绕道回家？"乙答："不要怕！被狗咬了我负责。"后甲和乙路经王家同时被狗咬伤住院。该案赔偿责任应如何承担？

A．甲和乙明知有恶犬而不绕道，应自行承担责任

B．乙自行承担责任，乙的家长和王家共同赔偿甲的损失

C．王家承担全部赔偿责任

D．甲、乙和王家均有过错，共同分担责任

（8）无民事行为能力人和限制行为能力人致人损害的侵权行为。民法通则第133条规定："无民事行为能力人、限制民事行为能力人造成他人损害的，由监护人承担民事责任。监护人尽了监护责任的可以适当减轻民事责任。有财产的无民事行为能力

人、限制民事行为能力人造成他人损害的，从本人财产中支付赔偿费用。不足部分，由监护人适当赔偿，但单位担任监护人的除外。"

责任的限制：①监护人尽了监护责任的，可以适当减轻他的民事责任。②对未成年人依法负有教育、管理、保护义务的学校、幼儿园或者其他教育机构，未尽职责范围内的相关义务，致使未成年人遭受人身损害，或者未成年人致他人人身损害的，应当承担与其过错相应的赔偿责任。第三人致使未成年人遭受人身损害的，应当承担赔偿责任。学校、幼儿园等教育机构有过错的，应当承担相应的补充赔偿责任。

第五节　继承法

继承法概述　　继承是指自然人死亡后，由法律规定的一定范围内的人或遗嘱指定的人依法取得死者遗留的个人合法财产的法律制度。在继承法律关系中，死者为被继承人，被继承人死亡时遗留的合法财产为遗产，依法承受遗产的人为继承人。

1. 遗产的范围

遗产是自然人死亡时遗留的个人合法财产。遗产包括以下财产：其一，自然人的合法收入；其二，自然人的房屋和生活用品；其三，自然人的林木、牲畜和家禽；其四，自然人的文物、图书资料；其五，法律允许自然人所有的生产资料；其六，自然人的著作权、专利权中的财产权利以及自然人的其他合法财产，如各种票据、证券及履行标的为财产的债权等。

但下列财产不能作为遗产来继承：一是承包经营权，承包经营权本身不能作为继承的客体，但承包所得收益在被继承人死亡后可以作为遗产来继承。若承包人希望继续承包，则应根据合同或法律的相关规定办理变更合同手续。二是与人身有关的和专属性的财产权。三是国有资源使用权以及宅基地使用权。此外，对于保险金，如果保险合同指定了受益人的，则由受益人取得保险金；保险合同未指定受益人的，则保险金可以作为遗产加以继承。对于抚恤金，如果是职工、军人因公死亡、生病或其他意外事故死亡后，由有关单位按规定给予死者家属而产生的，因具有对死者家属的经济补偿性，而不能作为遗产。有关部门发给因工伤残而丧失劳动能力的职工、军人的生活补助，归个人所有，这类抚恤金可以作为遗产继承。

2. 继承权

（1）继承权的取得。自然人取得继承权主要有两种方式。其一是由法律直接规定取得的，称为法定继承权。其二是合法有效的遗嘱指定的，称为遗嘱继承。

（2）继承权的放弃。继承权的放弃是指继承人在继承开始后，遗产分割前以明示的方式作出的拒绝接受被继承人遗产的意思表示。放弃继承的意思表示属于单方法律行为。只要放弃继承的继承人有放弃继承的意思表示即可，无须经他人同意。继承人放弃继承的意思表示应该在继承开始后遗产分割前以明示的方式作出。继承人在遗产分割前没有作出意思表示的，视为接受。放弃继承的继承人不享有请求分割遗产的权利；同时，对被继承人遗留的债务也不负清偿责任，并且放弃行为的效力溯及到继承开始时。

（3）继承权的丧失。继承权的丧失是指继承人因对被继承人或其他继承人有法律规定的违法行为而被依法剥夺继承权，从而丧失继承权的法律制度。根据继承法第7条的规定，继承人有下列行为之一的，丧失继承权：其一是故意杀害被继承人的。其二是为争夺遗产而杀害其他继承人的。其三是遗弃被继承人的，或虐待被继承人情节严重的。其四是伪造、篡改或者销毁遗嘱，情节严重的。情节严重是指伪造、篡改或销毁遗嘱的行为侵害了缺乏劳动能力又无生活来源的继承人的利益，并造成其生活困难的。

3. 继承的方式

根据我国继承法的规定，继承方式有三种：法定继承、遗嘱或遗赠、遗赠扶养协议。

继承法第5条规定，继承开始后，按照法定继承办理；有遗嘱的，按遗嘱继承或者遗赠办理；有遗赠扶养协议的，按照协议办理。即这三种形式之间，遗赠扶养协议效力高于遗嘱或遗赠，遗嘱或遗赠效力高于法定继承。

法定继承

法定继承是指根据法律直接规定的继承人范围、顺序和遗产分配原则，将遗产分配给合法继承人的继承方式。

1. 法定继承的适用范围

继承法第5条确立了"遗赠扶养协议在先"的原则。被继承人死亡后，有遗赠扶养协议的，要执行协议；无遗赠扶养协议或遗赠扶养协议无效的，适用遗嘱继承，然后才能适用法定继承。但下列情形也要按照法定继承处理：①遗嘱未处分的或遗嘱无效部分涉及的遗产。②受遗赠或遗嘱继承人先于被继承人死亡所涉及的那部分遗产。③遗产继承人放弃继承或丧失继承权后所涉及的遗产。④受遗赠人放弃受遗赠后所涉及的遗产。

2. 法定继承人的范围和顺序

（1）法定继承人的范围。按继承法的规定，被继承人的配偶、子女、父母、兄弟姐妹、祖父母、外祖父母都是法定继承人。丧偶儿媳或女婿对公婆、岳父母尽了主要赡养义务的，作为第一顺序法定继承人。其中子女包括婚生子女、非婚生子女、养子女和有抚养关系的继子女；父母包括生父母、养父母和有抚养关系的继父母；兄弟姐妹则包括同父母、同母异父、同父异母的兄弟姐妹、养兄弟姐妹和有抚养关系的继兄弟姐妹。

（2）法定继承顺序。法定继承顺序是指在继承开始后，由法律直接规定的法定继承人继承遗产的先后次序，具有强制性。第一顺序继承人有优先继承全部遗产的权利；第二顺序的法定继承人只有在第一顺序继承人全部放弃或丧失继承权或不存在时，才能参加继承。同一顺序的法定继承人地位平等。根据继承法的规定，被继承人的配偶、子女、父母、对公婆、岳父母尽了主要赡养义务的丧偶儿媳和女婿为第一顺序继承人；兄弟姐妹、祖父母、外祖父母为第二顺序继承人。"尽了主要赡养义务"是指对被继承人生前生活提供了主要经济来源，或在照顾方面给予了主要扶助。

3. 法定继承的遗产分配

继承法第13条对法定遗产分配原则作了明确的规定，一是同一顺序的继承人继承遗产的份额一般应均等。二是特殊情况下法定继承人的继承份额可以不均等。包括：①对生活有特殊困难又缺乏劳动能力的继承人，分配遗产时应给予照顾。②对被继承人尽了主要的扶养义务或者与被继承人共同生活的继承人分配遗产时可以多分，但不是应该多分，不具有强制性。③有扶养能力和扶养条件的继承人，不尽扶养义务的，分配遗产时，应该不分或少分。

此外，继承法第 14 条规定，对继承人以外的人依靠被继承人扶养的缺乏劳动能力又没有生活来源的人，或者继承人以外的对被继承人扶养较多的人，可以分给他们适当的遗产。

【小思考】

甲、乙为夫妻，有一儿一女均已成家，各自独立生活。甲有一弟早年去世，留下一子丙现年 5 岁，一直靠甲抚养。甲的父母一直与哥哥共同生活。现甲不幸遇难死亡，甲、乙共有家庭财产 10 万元。问甲去世后其财产如何继承？

遗嘱继承　　遗嘱是指自然人生前按照法律规定处分自己的财产及安排与财产相关的事务，并于死后发生法律效力的单方民事法律行为。

1. 遗嘱的法律特征

（1）遗嘱是单方民事法律行为。遗嘱是立遗嘱人单方的意思表示，其处分个人财产时不需经任何人的同意。

（2）遗嘱是要式民事法律行为，只有具备法律所要求的形式才能有效。

（3）遗嘱是附期限的民事法律行为。遗嘱并不是成立时就生效，它必须在立遗嘱人死亡后才能生效执行。

（4）遗嘱是人身性民事法律行为。遗嘱必须由立遗嘱人亲自进行，如同结婚登记或收养一样，不能由任何其他人代理。

【想一想】

甲母早年去世，甲与三个兄弟都对父亲尽了赡养义务，但甲父却立了一份经过公证的遗嘱，要把房子在死后都给结婚才几年的继母和继母带来的儿子，而且立遗嘱时也未同甲和几个兄弟商量，甲认为父亲这样做太不合理，打算向法院起诉。你认为甲父这样立遗嘱可以吗？

2. 遗嘱有效的条件

遗嘱不一定都有效，遗嘱要有效必须具备下列四个条件：

（1）主体合格。即立遗嘱人必须是具有完全民事行为能力的人。如年满 18 周岁或年满 16 周岁但应被视为完全民事行为能力的人。继承法第 22 条规定，无民事行为能力或者限制民事行为能力人所立的遗嘱无效。

（2）遗嘱是立遗嘱人的真实意思表示。根据继承法的有关规定，遗嘱必须表示立遗嘱人真实的意思，受胁迫、欺骗所立的遗嘱无效，伪造的遗嘱无效，遗嘱被篡改的，篡改的内容无效。

【想一想】

甲老太与儿子生活在一起，经常遭受儿子、儿媳妇打骂，并迫使她立了一份遗嘱，死后要将房子和财产都给儿子。现在甲老太想把一部分财产分给女儿，但儿子不让她更改，并把遗嘱藏起来。问甲老太应怎么办？如果不更改遗嘱，其女儿能分得遗产吗？

（3）内容合法。①遗嘱所处分的财产必须是立遗嘱人死亡时所遗留的个人合法财产。如果遗嘱处分了与他人共有的财产，则相关的部分遗嘱无效。如立遗嘱人生前的行为与遗嘱的意思相反，而使遗嘱处分的财产在继承开始前灭失、部分灭失或所有权转移、部分转移的，遗嘱视为被撤销或部分被撤销。②遗嘱不得取消缺乏劳动能力又没有生活来源的继承人的继承权。继承法第19条规定，如果遗嘱人未保留缺乏劳动能力又没有生活来源的继承人的遗产份额，遗产处理时，应当为该继承人留下必要的遗产，所剩余的部分才能参照遗嘱确定的分配原则处理。③遗嘱必须为胎儿保留必要的继承份额。根据继承法的有关规定，应当为胎儿保留的遗产份额没有保留的，应从继承的遗产中扣回。为胎儿保留的份额，如胎儿出生后死亡的，由其继承人继承；如胎儿出生时就是死体的，由被继承人的继承人继承。

【案例分析】

把财产全部留儿子，而不给父亲可以吗？

案例：李某75岁，依靠儿子李甲、女儿李乙供养。后李甲病重，立下遗嘱，将自己的3间房子及存款4000元指定由其子李丁（17岁）继承。后李甲死亡，李乙认为，李甲遗嘱取消了其父李某的继承份额是无效的，因为李某是"缺乏劳动能力又无生活来源"的继承人。而李丁认为，李某有其女儿李乙供养，不属无生活来源的人。该遗嘱是否有效？

分析：继承法中的无生活来源是指本人无合法的收入，并不包括其近亲属的赡养、抚养、扶养。这种特留份权和受赡养、抚养、扶养是同时受保护的，而不是相互抵消的。因此应认定李某为"无生活来源"的人，遗嘱部分无效，应为李某保留必要的份额。

（4）形式符合法律规定的要求。遗嘱可以采用公证、自书、代书、录音、口头等各种形式，但都必须符合法律的要求才能有效。①公证遗嘱。公证遗嘱应由立遗嘱人到公证机关办理。与其他遗嘱方式相比，公证遗嘱效力最高。自书、代书、录音、口头遗嘱，不得撤销、变更公证遗嘱。②自书遗嘱。自书遗嘱由立遗嘱人亲笔书写，签名，注明年、月、日。③代书遗嘱。代书遗嘱是由立遗嘱人口述遗嘱的内容，他人代为书写制作的遗嘱。代书遗嘱应当有两个以上见证人在场见证，由其中一人代书，注明年、月、日，并由代书人、其他见证人和立遗嘱人签名。④录音遗嘱。以录音形式立的遗嘱，应当有两个以上的见证人在场见证，见证人也应将自己的见证证言录制在录音遗嘱的磁带上。⑤口头遗嘱。遗嘱人在危急情况下，可以立口头遗嘱。口头遗嘱应当有两个以上的见证人在场见证。危急情况解除后，遗嘱人能够用书面或者录音形式立遗嘱的，所立的口头遗嘱无效。

继承法对上述见证人的资格作了规定，下列三类人员不能作为遗嘱见证人：一是无行为能力人或限制行为能力人；二是继承人、受遗赠人；三是与继承人、受遗赠人有利害关系的人。

【小思考】

张某写了一份遗嘱，主要内容如下："因老伴早逝，次子已故，二儿媳身体不好，又带两个孩子，生活困难，而长子及儿媳均有工资收入，生活条件好，所以我死之后，名下的全部遗产由二儿媳妇及两个孩子继承。"张某签上姓名，写上2004年5月1日。

对该遗嘱有四种不同意见：一是认为遗嘱取消了长子的继承权，应无效；二是认为遗嘱没有见证人见证，应无效；三是没有经过公证，应无效；四是认为符合继承法的规定，应有效。你同意哪种观点？

3. 遗嘱的变更和撤销

遗嘱是立遗嘱人生前所立，但必须在死后才能生效执行的，在立遗嘱到死亡这段时间内，各种情况都可能发生变化，如与某个继承人的关系可能变好或变坏。对他扶养的人的态度也可能发生变化。这时立遗嘱人就可能要变更或撤销原所立遗嘱。同时，遗嘱是立遗嘱人单方的法律行为，在尚未生效执行时当然有权改变。

遗嘱的变更和撤销的方式有明示和默示两种：

（1）明示方式。是指立遗嘱人以明确的意思表示变更、撤销遗嘱。继承法第20条第3款规定：自书、代书、录音、口头遗嘱，不得撤销、变更公证遗嘱。因此公证遗嘱的变更、撤销只有到公证机关办理公证后方为有效。

（2）默示方式。也称为推定方式，其一是立遗嘱人立有数份遗嘱，且内容相互抵触的，以最后所立的遗嘱为准，推定后立的遗嘱变更或撤销前立的遗嘱。其二是立遗嘱人生前的行为与遗嘱的意思表示相反，而使遗嘱处分的财产在继承开始前灭失，所有权移转、部分移转的，遗嘱视为被撤销或部分被撤销。其三是立遗嘱人故意销毁遗嘱的，推定立遗嘱人撤销原遗嘱。

| 遗 赠 | 遗赠是指自然人通过设立遗嘱把遗产的全部或一部分赠给国家、社会组织或法定继承人以外的自然人，并在死后生效的单方民事法律行为。 |

【补充资料】

遗赠与遗嘱的主要区别

其一，二者受让的主体不同。遗赠的受让人必须是法定继承人以外的自然人，或国家及其他社会组织。而遗嘱继承中的受让人，即继承人必须在法定继承人范围内，且必须是自然人。其二，二者所指向的客体范围不同。遗赠的客体只包括财产权利，不包括消极的财产义务。而继承的客体范围不仅包括财产权利还包括财产义务。继承遗产应当清偿被继承人依法应当缴纳的税款和债务。缴纳的税款和债务以被继承人的实际遗产价值为限，超过遗产实际价值的部分，继承人可以不予清偿。但继承人放弃继承的，对被继承人依法应当缴纳的税款和债务可以不负偿还责任。其三，权利的接受、行使方式不同。受遗赠人只有依法在法定期间（在知道受遗赠的两个月）内明确作出接受的意思表示时才视为接受，否则视为放弃遗赠。而遗嘱继承人在继承开始后，遗产分割处理前，明确作出放弃继承表示的才能有效。没有表示的视为接受继承。受遗赠人无权参与遗产分配。

遗赠扶养协议　遗赠扶养协议是指遗赠人与扶养人（包括组织）签订的，遗赠人的全部或部分财产在其死亡后按协议规定转移给扶养人所有，扶养人承担对遗赠人生养死葬义务的协议。

1. 遗赠扶养协议的特征

遗赠扶养协议是双务有偿的法律行为；遗赠扶养协议具有生前法律行为与死后法律行为的双重属性。遗赠扶养协议的遗赠人只能是自然人，扶养人则既可以是自然人，也可以是集体所有制组织。遗赠扶养协议的效力优先于遗嘱继承和法定继承。根据继承法第 5 条规定：继承开始后应先执行遗赠扶养协议，然后才按遗嘱继承和法定继承处理遗产。

2. 遗赠扶养协议的当事人的权利和义务

（1）受扶养人的权利和义务。受扶养人享有依协议请求扶养人扶养和接受扶养人扶养的权利；承担在世时妥善管理遗赠财产、不处分遗赠财产并将其转移给扶养人的义务。

（2）扶养人的权利和义务。扶养人享有在遗赠人死后取得遗赠财产的权利；承担扶养照顾遗赠人，并在遗赠人死亡后将其安葬的义务。

【补充资料】

被继承人债务的清偿

被继承人的债务是指被继承人个人生前依法应该缴纳的税款、罚金以及应由他个人偿还的合法的财产性债务。

清偿被继承人的债务的原则：一是以接受继承为前提的原则。继承人只有在接受继承时，才依法承担被继承人的债务。二是限定继承原则。继承人清偿被继承人依法应缴纳的税款和债务应以其取得的遗产的实际价值为限，超过部分可以不予偿还。三是保留必留份原则。如果继承人缺乏劳动能力又没生活来源的，即使遗产不足以清偿债务，也应当为其保留适当的遗产。四是连带责任原则。由于遗产在分割前属于各继承人共同所有，所以每个继承人应对被继承人的债务承担连带责任。五是有序清偿原则。在多种取得遗产方式并存的情况下，首先由法定继承人用其所得遗产清偿债务，不足清偿时，由遗嘱继承人和受遗赠人按比例用所得遗产偿还；如果只有遗嘱继承和受遗赠的，由遗嘱继承人和受遗赠人按比例用所得遗产清偿；在多种被继承人债务并存情况下，应按一定顺序清偿。首先清偿具有优先权的债权，比如工人工资和劳动保险费用、用遗产进行了担保的债权等；然后才能清偿普通债权。

第六节　婚姻法

结婚　结婚是指男女双方依照法律规定的条件和程序，确立夫妻关系的民事法律行为。

1. 结婚的条件

结婚的条件包括积极条件和消极条件。

（1）积极条件。①必须男女双方完全自愿。法律并不排除父母或第三人出于关心，对当事人提出意见和建议。但是结婚最终应由当事人自己决定。②必须达到法定的结婚年龄。法定婚龄是法律规定准予结婚的最低年龄。根据婚姻法第6条规定，结婚年龄，男性不得早于22周岁，女性不得早于20周岁。但根据婚姻法第50条规定，民族自治地方的人民代表大会基于本民族、宗教、风俗习惯等实际情况，可以对法定婚龄作变通性规定。③必须符合一夫一妻制规定。

（2）消极条件。①禁止一定范围内的血亲结婚。婚姻法第7条规定：直系血亲和三代以内的旁系血亲禁止结婚。这样规定是基于社会伦理道德、优生优育等因素的考虑。②男女一方或双方患有医学上认为不应当结婚或暂缓结婚的疾病时，禁止或暂缓结婚。

【案例分析】

表兄妹是否可以结婚

案例：汪某，男，24 岁。刘某，女，23 岁。刘某是汪某舅父的女儿，两人在技校念书时是同学，同是班干部，在一起的学习中，二人互相帮助、互相关照，感情十分融洽，1988 年，他们毕业分配在同一个单位工作，在工作中二人关系更加密切，感情进一步加深。汪、刘二人知道我国婚姻法禁止三代以内的旁系血亲结婚，经过他们思忖再三，决定不顾父母反对，向婚姻登记机关说明自愿不生育子女，申请结婚。1990 年 9 月，汪、刘二人正式到婚姻登记机关办理结婚登记手续，他俩表示，虽然他们是表兄妹，但自愿不生育子女，婚后可以抱养一个孩子，希望准予登记。

分析：对于汪、刘二人的结婚申请，婚姻登记机关未予登记，理由是婚姻法规定："直系血亲和三代以内的旁系血亲禁止结婚。"之所以这样规定，是因为这关系到个人、家庭的幸福和民族的健康。它集中地反映了人类社会长期生活实践的经验，具有高度的科学性和严肃性。因此，婚姻法的这条规定是不能以任何方式或提出相应的条件来变通的。

2. 结婚的程序

结婚登记是我国公民结婚的法定形式要件，是确立夫妻关系的法定程序。根据婚姻法第 8 条的规定，要求结婚的男女必须亲自到婚姻登记机关进行结婚登记。符合法定实质条件的，予以登记，发给结婚证；取得结婚证，即确立夫妻关系。而是否举行结婚仪式，与婚姻成立无关。

结婚登记程序分为申请、审查和登记。

（1）申请。自愿结婚的男女，必须亲自到一方户口所在地的婚姻登记管理机关申请结婚登记，填写结婚申请书。结婚申请必须双方当事人亲自到场，不能由一方单独申请，也不能委托他人代理申请。申请时应当持下列证件和证明：户口证明、居民身份证、婚姻状况证明。

（2）审查。婚姻登记管理机关应当依法对当事人的结婚申请和相关证件进行全面审查核实。同时要审查当事人双方是否都符合结婚的法定实质要件。

（3）登记。婚姻登记管理机关对当事人结婚申请进行审查后，对符合结婚条件的，应当予以登记，发给结婚证。对不予登记的，应当以书面形式说明不予登记的理由。

结婚当事人认为符合婚姻登记条件而婚姻管理机关不予登记的，可以依据行政复议法的规定申请复议；对复议决定不服的，可依行政诉讼法的规定提起行政诉讼。当事人也可直接提起行政诉讼。

办理结婚登记的机关，在城市是街道办事处或者市辖区、不设区的市人民政府的民政部门；在农村是乡、镇、民族乡的人民政府。户口不在同一地区的结婚双方当事人可以到任何一方户口所在地的婚姻登记机关办理结婚登记。

3. 无效婚姻与可撤销婚姻

（1）无效婚姻。是指不符合结婚的实质条件的男女两性结合，在法律上不具有合法效力的婚姻。无效婚姻包括：①重婚的。②有禁止结婚的亲属关系的。③患有禁止结婚疾病的。④未达到法定婚龄的。

无效婚姻自始无效，在当事人之间不产生夫妻人身及财产方面的权利义务关系。同居期间所得的财产，除有证据证明为当事人一方所有的外，按共同共有处理。当事人所生的子女为非婚生子女，与婚生子女享有同等的权利。

无效婚姻不发生合法婚姻的效力，但要对双方当事人在同居期间的人身关系和财产关系进行处理，因而其认定须经法定程序。在我国无效婚姻通过司法或行政程序予以确认。

【案例分析】

案例：某村村民杨某（男）与王某（女）于1998年按农村习俗举行结婚仪式后即以夫妻名义共同生活，因杨某未达法定婚龄而未办理结婚登记手续。同年7月23日，杨某欲外出到外企务工，双方分别到各自所在的村民委员会开具了婚姻状况证明，并到镇人民政府办理结婚登记手续，但杨某所填婚姻状况证明书将其出生日期由1976年8月8日更改为同年7月23日，即杨某在婚姻登记时实际年龄比法定婚龄差15天。婚姻登记机关除对双方原非法同居关系处以200元罚款外，未发现杨某虚填年龄一事，仍发给了结婚证。1999年2月2日，杨某务工时死亡，获死亡补偿费用人民币15万元，杨某另有遗产人民币4934元、美元1740.80元。王某要求分割夫妻共同财产和继承杨某遗产，遭杨某父母拒绝。镇人民政府以杨某结婚时未达婚龄为由，确认杨某与王某的婚姻关系无效，撤销双方办理的结婚证。王某不服，提起行政诉讼。法院经审理判决维持镇政府处理决定。

分析：对于本案来说，杨某死亡发生遗产等纠纷时，杨某早已达到法定婚龄，在这种情况下，应认为婚姻无效的原因已经消除。这决不是对当事人的违法行为的肯定和保护，而是出于稳定婚姻关系的需要。对于过去的违法行为固然应当予以批评教育，甚至给予处罚，但再去确认其无效未免多此一举。

若按2001年修正后的婚姻法衡量，杨某在婚姻登记时实际年龄比法定婚龄差 15 天，但杨某死亡时已达到法定婚龄，这时的婚姻应视为合法有效婚姻，受法律保护，不得再以过去未到法定婚龄结婚、违反结婚实质要件为现在确认婚姻无效的根据。故王某对于杨某的死亡补偿费用和遗产应享有分配的权利。

（2）可撤销婚姻。是指已成立的婚姻关系，因欠缺结婚的真实意思表示，受胁迫一方当事人可依法向婚姻登记机关或人民法院请求撤销的婚姻。

因胁迫结婚的，受胁迫的一方可以向婚姻登记机关或人民法院请求撤销的该婚姻，而且应当自结婚登记之日起一年内提出，被非法限制人身自由的当事人，应当自恢复人身自由之日起 1 年内提出。若在法定期间内不行使权利，该权利则归于消灭。该法定期间的性质为除斥期间，因而不适用诉讼时效中止、中断或延长的规定。仅有可撤销的事由而无撤销行为的，其婚姻效力并不消灭。

可撤销婚姻的法律后果与无效婚姻相同。

【案例分析】

案例：1999 年，某外企一姓郑的部门经理在一次公司聚会中，因多喝了几杯，稀里糊涂地被女助理李某扶到宾馆"休息"，次日凌晨，酒醒后的郑某发现李某与自己同床共枕，惊得夺门而逃。一个月后，李某带着两个哥哥找上门来，称已怀上郑的孩子，如果郑某不与她结婚，将告他强奸罪。郑某被逼无奈只得与李某匆匆登记结婚。婚后不到半年，李某即生下一子。郑某怀疑宾馆一夜乃李某设下圈套，愤而向法院起诉离婚，请求解除婚姻关系。

分析：郑某与李某的婚姻是典型的胁迫婚姻，可以撤销。提出撤销婚姻的前提是结婚时一方受到另一方胁迫，一般表现为以暴力、威胁、恐吓等方式，以给对方或对方的亲友的自由、健康、荣誉、名誉、财产等造成损害为要挟，迫使对方违背其的真实意愿而与之结婚。

郑某可以向婚姻登记机关或者向人民法院提出撤销该婚姻。

【补充资料】

事实婚姻与非法同居关系

根据我国现行法律与司法解释的规定，未办理结婚登记同居生活的男女两性结合形成的关系可分为两种：一是事实婚姻关系，二是非法同居关系。

1. 事实婚姻

事实婚姻是指没有配偶的男女虽未办理结婚登记，但符合结婚实质条件，并且以夫妻名义同居生活所形成的男女两性的结合。

（1）事实婚姻具有以下特征：①未依法办理结婚登记手续而欠缺结婚的法定形式要件。②有目的性和公开性，即双方当事人具有终生共同生活的目的，并以夫妻名义公开共同生活，群众也认为是夫妻关系，这区别临时和隐蔽性的通奸、姘居等非法两性关系。③符合结婚的实质条件，即符合结婚的法定条件和禁止条件，从而有别于非法同居关系。

（2）对事实婚姻关系的处理原则：①事实婚姻关系具有婚姻的效力，双方当事人的关系适用婚姻中有关夫妻权利义务的规定。②审理事实婚姻案件，应当先进行调解。经调解和好或撤诉的，确认婚姻关系有效，发给调解书或裁定书，经调解不能和好的，应判决准予离婚。③事实婚姻关系离婚时，子女的抚养、财

产分割及对生活困难一方的经济帮助等问题，适用婚姻法第
36～42条的有关规定。同居生活期间一方死亡的，另一方要求继
承死者遗产，如果认定为事实婚姻关系的，可以配偶身份按继承
法的有关规定处理。

2. 非法同居关系

是指均无配偶的男女双方在未办理结婚登记，又不符合结婚
实质条件时，以夫妻名义共同生活，或有配偶者与他人同居所形
成的两性关系。"有配偶者与他人同居"是指有配偶者与婚外异
性，不以夫妻名义，持续稳定地共同居住。

非法同居关系处理原则如下：①经查属非法同居关系的，应
一律判决解除。②离婚后，双方未再婚的，未履行复婚登记手
续，又以夫妻名义同居生活，一方起诉"离婚"的，一般应解除
非法同居关系。③人民法院审理非法同居关系的案件，如涉及非
婚生子女扶养和财产分割问题，应一并予以解决。具体分割财产
时，应照顾妇女、儿童的利益，考虑财产的实际情况和双方的过
错程度，妥善分割。解除非法同居关系时，同居期间双方共同所
得的收入和购置的财产，一般按共有财产处理。在此期间双方
各自继承和受赠的财产，一般按个人财产对待。男女双方在同
居期间双方均符合结婚的实质条件但不办理结婚登记的，应被
认定为非法同居关系，在此同居生活期间一方死亡，另一方要
求继承死者遗产的，在符合继承法第14条规定时，可根据相
互扶养的具体情况，作为法定继承人以外的人分得适当的
遗产。

夫妻关系　　　　　夫妻关系包括夫妻人身关系和夫妻财产
关系。

1. 夫妻人身关系

夫妻人身关系是指夫妻双方在婚姻中的身份、地位、人格等
多方面的权利义务关系，是夫妻关系的主要内容，根据婚姻法的
有关规定，夫妻人身关系主要有下列内容：

（1）夫妻地位平等、独立。

（2）夫妻双方都享有姓名权。在子女姓名的确定上，对子女
姓名的决定权，由夫妻双方平等享有，即子女既可以随父姓，也
可以随母姓，还可用其他的姓。

（3）夫妻之间的忠实义务。婚姻法第 3 条对夫妻双方所负的
忠实义务作了规定，忠实义务主要是指保守贞操的义务，专一的
夫妻性生活义务，不为婚外性行为。

（4）夫妻双方的人身自由权。婚姻法第 15 条规定，夫妻双
方都有参加生产、工作、学习和社会活动的自由，一方不得对另
一方加以限制或干涉。

（5）夫妻住所选定权。

（6）禁止夫妻一方以殴打、捆绑、残害、强行限制人身自由
或其他手段给对方的身体或精神方面造成一定伤害后果的暴力
行为。

（7）计划生育义务，不得计划外生育，这是我国的一项基本
国策，是夫妻的法定义务。

【案例分析】

夫妻之间的相互扶养应先于子女尽扶养义务

案例：刘某（51岁）与其丈夫王某（57岁）是某工厂的退休工人，他们的两个子女都已成家。夫妇俩退休后，于2000年3月开了一家小吃店，收入虽不多，但日子也过得平平安安。2000年11月，刘某与王某在赡养公婆问题上产生了严重的分歧，双方固执己见，谁也不肯让步。丈夫王某一怒之下打起铺盖携自己的父母回了老家，扔下与之相携相伴几十年的老伴，小吃店也撂给刘某独自经营。王某因有技术，回老家后有时外出打工贴补家用。小吃店生意本来就较为清淡，自王某回老家后，由于刘某患有风湿病，不能正常营业，收入就更加微薄。而刘某本人退休金每月只有108元，体弱多病加上收入微薄，致使基本生活都成问题。虽然王某的退休工资每月有460元，可他自回老家后就对老伴不闻不问。刘某曾多次要求丈夫予以经济资助，王某却认为刘某自己有退休金，且经营着小吃店，即使生活有困难，也应由两个子女负担，而不应由他尽扶养妻子的义务，况且自己还要赡养年事已高的父母。刘某认为丈夫对她不负责任，双方多次接触，都以王某拒绝承担扶养义务而告终。无奈，刘某一气之下一纸诉状将老伴告到了法院，要求法院依法判令丈夫承担扶养自己的义务。

法院查明，原告刘某每月退休金108元，小吃店收入也不稳定，并患有疾病，生活比较困难。被告王某的父母有一定经济收入，且有兄弟俩赡养。法院根据以上事实认为，夫妻有依法相互扶养的义务，一方不履行扶养义务时，需要扶养的一方有要求对方给付扶养费的权利，王某需要赡养父母，无力承担对妻子的扶养义务的理由不能成立。因此，法院判决王某每月给付妻子扶养费50元整；诉讼费由王某承担。

分析：夫妻关系存续期间，即使是分居时，如一方生活困难，有向另一方要求给予扶养费的权利。另一方不得以应由子女扶养为由而拒绝，夫妻间相互扶养应先于子女对父母的赡养，如果夫妻之间的确无法相互扶养，才能由子女来尽赡养的义务。

2. 夫妻财产关系

我国婚姻法对夫妻财产制度采取了法定财产制和约定夫妻财产制相结合的模式。

（1）法定夫妻财产制。法定夫妻财产制是指夫妻双方在婚前、婚后都没有约定或约定无效时直接适用有关法律规定的夫妻财产制度。

婚姻法第17条规定，夫妻在婚姻关系存续期间所得的下列财产，归夫妻共同所有：①工资、奖金。②生产、经营的收益。③知识产权的收益。④继承或赠与所得的财产，但婚姻法第18条第3项规定的除外。⑤其他应当归共同所有的财产。

婚姻法第18条则明确了一方所有的财产范围，包括：①一方的婚前财产。②一方因身体受到伤害获得的医疗费、残疾人生活补助费等费用。③遗嘱或赠与合同中确定只归一方的财产。④一方专用的生活用品。⑤其他应当归一方的财产。

夫妻财产除了包括积极财产外，还包括消极财产，即对外负担的债务。夫妻共同负担债务，由夫妻共同所有的财产清偿；夫妻一方所负的债务，由其个人所有的财产清偿。如果夫妻在婚姻关系存续期间所得的财产约定归各自所有，而第三人又不知道该约定的，则以夫妻在婚姻关系存续期间所得的财产清偿。

（2）约定夫妻财产制。约定夫妻财产制是相对法定财产制而言的，是依据不同的发生原因作出的划分。它是指夫妻双方通过协商对婚前、婚后取得的财产的归属、处分以及在婚姻关系解除后的财产分割达成协议，并优先于法定夫妻财产制。约定的内容，夫妻财产所有形式可以是各自所有、共同所有或部分各自所有、部分共同所有。约定的财产范围，包括婚前和婚后取得的各种财产。约定的形式，法律明确要求采取书面形式。约定的生效条件：首先，必须具备民事法律行为的生效要件，即合法、自愿、真实；其次，符合特别法上的要求，如男女双方平等，保护妇女、儿童和老人的合法权益。约定内容在第三人知晓时，其对外具有对抗的效力，否则，无对抗的效力；对内则对夫妻处理财产的行为产生约束力。

【案例分析】

夫妻未经约定的"私房钱"属于什么性质的财产

案例：刘某和张某结婚已有 4 年，结婚前，两人非常理性地对个人婚前财产进行了公证，并约定婚后的共有财产一人一半。从结婚那天起，张某就非常自觉地将每月的工资、奖金如数上交给刘某，由刘某负责家庭开支和储蓄。张某每月的零花钱，都由刘某从他交来的工资里返给他。每月，刘某都会用一个小本记下自己和张某的所得，以及家庭开支情况和储蓄情况，给张某过目。2005 年 1 月 21 日，刘某在家里大扫除时，在丈夫的工具箱隔层里发现了一张存单，存款人为丈夫，金额是 11 万元。刘某让张某把钱拿出来，说这应算夫妻共有财产，张某不同意。他说他的工资和奖金都上交了，这笔钱是他私下炒股的收入，是他的私房钱，不应该算共有财产。

分析：此例中，夫妻对婚前财产进行了公证，并约定婚后的财产一人一半。但是，对未约定的财产，按照婚姻法，凡是在夫妻婚姻关系存续期间无约定的财产，都应该属于夫妻共同的财产。所以，丈夫以是自己私下炒股的收入不算是共有财产的理由不能成立。

父母子女关系　　父母子女关系是指父母、子女间在法律上的权利义务关系，又称为亲子关系。根据血亲形成的性质，可分为自然血亲和拟制血亲的父母子女关系，后者包括养父母子女关系和继父母子女关系。

自然血亲的父母子女关系是基于子女出生的法律事实而在子女与父母亲之间形成的法律上的权利义务关系。依出生事实发生期间不同，自然血亲又分为婚生和非婚生的亲子关系。

1. 婚生父母子女关系

（1）父母的权利义务。在人身方面：①抚养的权利义务。②管理教育的权利和义务。③法定代理义务。父母可作为子女的法定代理人代理子女的各种行为。在财产上，主要表现为对子女财产的管理，未成年人给他人造成的损失，父母须承担赔偿责任。

（2）子女的权利义务。婚姻法第21条第2款、第3款规定，未成年或不能独立生活的子女，当父母不履行抚养义务时，有权要求父母给付抚养费用，其中不能独立生活的子女指尚在校接受高中及其以下学历教育或者丧失部分劳动能力并非主观原因而无法维持正常生活的成年子女。"抚养费"则包括子女的生活费、教育费、医疗费等。

在父母无劳动能力或生活困难时，子女有义务给付赡养费，并且不因父母的婚姻关系变化而终止。婚姻法第30条规定，子女有义务尊重父母的婚姻权利，不得干涉父母再婚以及婚后的生活。父母子女间有相互继承遗产的权利。

2. 非婚生的父母子女关系

婚姻法第 25 条规定，非婚生子女享有与婚生子女同等的权利，生父母应当负担子女的生活费与教育费，直至子女能独立生活为止。

此外，婚姻法对继父母子女关系和养父母子女关系也作了规定。

离婚　　　　　离婚是指夫妻双方依照法定的条件和程序解除婚姻关系的法律行为。

1. 离婚的方式分为协议离婚和诉讼离婚

（1）协议离婚。协议离婚是指夫妻双方依据法律规定合意解除婚姻关系的法律行为。根据婚姻法第 31 条的规定，男女双方自愿离婚的，双方必须到婚姻登记机关申请离婚登记。婚姻登记机关经过形式审查和实质审查，确认双方自愿并对子女和财产问题已经有适当处理的，应当办理离婚登记并发给离婚证。

有下列情形的，婚姻登记机关不予受理：①一方当事人请求登记离婚的。②双方当事人请求离婚，但对子女抚养、夫妻一方生活困难的经济帮助、财产分割、债务清偿未达成协议的。③双方或一方当事人为限制民事行为能力人或无民事行为能力人的。④双方当事人未办理过结婚登记的。

协议离婚须经过申请、审查、登记三个环节。婚姻登记机关经审查后，对于符合离婚条件的，应予登记，发给离婚证，注销结婚证；对于不符合法定条件不予登记的，应以书面形式说明不予登记的理由。夫妻关系从当事人领取离婚证时起解除；离婚的当事人一方不按照离婚协议履行应尽义务的，另一方可向人民法院提起民事诉讼。

（2）诉讼离婚。诉讼离婚是指夫妻双方对离婚或离婚后子女抚养或财产分割等问题不能达成协议，由一方向人民法院起诉，人民法院依诉讼程序审理后，调解或判决解除其婚姻关系的法律制度。

人民法院审理离婚案件时，应当进行调解，如感情确已破裂，调解无效，应当准予离婚。

有下列情形之一经调解无效的，应视为感情确已破裂：①重婚或有配偶者与他人同居的。②实施家庭暴力或虐待、遗弃家庭成员的。③有赌博、吸毒等恶习屡教不改的。④因感情不和分居两年的。⑤一方有生理缺陷或其他原因不能履行夫妻同居义务且难以治愈的。⑥婚前缺乏了解，草率结婚，婚后未建立起夫妻感情而难以共同生活的。⑦婚前隐瞒了精神病，婚后又久治不愈的；离婚前知道对方患有精神疾病而与其结婚或一方在夫妻共同生活期间患精神病，久治不愈的。⑧双方在办理结婚登记后未同居生活，无和好可能的。⑨因感情不和，在人民法院判决不准离婚后分居满1年，互不履行夫妻义务的。⑩一方与他人通奸、非法同居，经教育仍无悔改表现，无过错一方提起诉讼离婚；或过错方起诉离婚，对方不同意，经批评教育，在人民法院判决不准离婚后，过错方又起诉离婚，确无和好可能的。⑪一方被依法判处长期徒刑或其违法犯罪行为严重伤害夫妻感情的。⑫一方宣告失踪，另一方提出离婚诉讼的。⑬因其他原因导致夫妻感情确已破裂的。

【案例分析】

感情未破裂，判决不准离婚

案例：原告吴某（男）与被告肖某（女）于 1985 年经人介绍相识恋爱。1989 年双方登记结婚，1990 年生育一子，现已读小学。原、被告夫妻感情一直很好，在共同生活中互相帮助，互相鼓励，家庭和睦，受到外人称赞。1999 年 5 月，原告担任一家公司经理，应酬增多，经常回家很晚，被告不满，双方为此发生争吵。原告一气之下搬到公司里住。被告认识到错误，托朋友讲和，原告也表示了原谅，搬回家与被告一起生活。1999 年 7月，原、被告因琐事发生口角，原告遂起诉到法院要求离婚。被告不同意离婚，认为双方感情一直很好，虽然有过摩擦，但已经和好，原告应珍惜家庭关系，珍惜夫妻感情。

分析：法院经审理认为，原、被告经人介绍相识后，自由恋爱，相互了解了 4 年多才结婚，婚姻基础较好。双方婚后 10 年夫妻感情一直非常好，后由于原告应酬多，回家晚，双方争吵，虽然发生矛盾，但很快就和解了。只要双方能够相互谅解，以诚相待，共同为家庭和孩子着想，夫妻关系是能够和好如初的。法院认为原告的离婚请求不能支持，于是判决不准原、被告离婚。

2. 离婚的法律后果

离婚作为导致婚姻关终止的法律事实，必然产生一系列相应的法律后果。这表现在当事人人身和财产关系两方面。

(1) 人身关系方面，因夫妻身份而确定的相互扶养的权利和义务、相互继承的权利、监护关系、共同生活关系均因离婚而消灭，同时当事人获得再婚姻的权利。

离婚对父母子女关系并无影响，父母子女间的关系不因离婚而消灭。离婚后，子女无论由父方或母方抚养，仍是父母双方的子女，父母对子女有抚养教育的义务。养父母与养子女间的身份关系及权利义务关系，也不因养父母离婚而消灭；养父母离婚后，养子女不管是由养父还是养母抚养，仍是双方的养子女。

（2）在财产关系方面，离婚中止了夫妻之间的财产关系，发生夫妻共同生活财产与个人财产的认定和分割、债务的定性与清偿、特定情形下的经济补偿，对生活困难一方的经济帮助等法律后果。

【案例分析】

儿子改姓是不是停付抚育费的理由

案例：张某、谢某（女）于1997年8月5日经判决离婚，儿子张强由谢某抚养，张某每月支付抚养费200元。一年后，谢某未与张某协商，让儿子随自己的姓，张某得知儿子改名为谢强后，以"儿子不姓张、不是自己的儿子为由"拒付抚养费。谢某于是向法院请求强制执行。

分析：离婚后抚养方改变子女的姓氏，一般应先征得非抚养方的同意，但是未经非抚养方同意单方面改变子女姓氏，在法律上也是允许的。首先，女方有权让子女随母姓。婚姻法第16条规定："子女可以随父姓，也可以随母姓。"而不是子女一定要随父姓或者是随母姓。母亲有权让子女随母姓。其次，父母对子女的抚养义务，是基于子女关系上的法定义务。父母子女关系，是一种法律关系，是基于子女出现这一事实而产生的身份关系。这一身份关系，不因婚姻关系解除而消灭，也不因姓氏改变而改变。只要父母子女这一身份关系存在，父母对子女就必须承担抚养义务。由此可见，在没有对子女的姓氏进行约定或判决的情形下，谢某有权改变子女的姓氏，张某不得以孩子不随自己姓就不是自己的孩子为由拒绝支付抚养费。

3. 离婚的损害赔偿

离婚的损害赔偿是指因夫妻一方有特定侵权行为导致离婚，另一方当事人有权依法请求损害赔偿。该损害赔偿包括物质损害赔偿和精神损害赔偿。

（1）请求损害赔偿主体。只能是合法婚姻关系中的无过错方，且必须是由于对方的过错导致离婚的；而承担损害赔偿责任的主体仅为离婚诉讼当事人中无过错方的配偶。

（2）损害赔偿的依据：①重婚的。②有配偶者与他人同居的。③实施家庭暴力的。④虐待、遗弃家庭成员的。

上述情形不仅是判决离婚的法定事由，还是无过错方请求损害赔偿的依据。当事人有上述情形的即被视为有过错，即须对无过错方承担损害赔偿责任。如果当事人有上述情形之外的其他过错的，无过错方不得请求离婚损害赔偿。

（3）损害赔偿的提出。无过错方作为原告向人民法院提起的损害赔偿请求，必须与离婚诉讼同时提出，由人民法院在判决离婚时一并作出裁决。原告不提出请求的，视为对权利的放弃，并丧失请求损害赔偿的权利。如无过错方作为被告并且同意离婚的，可以在离婚诉讼中要求损害赔偿。一审时被告未提出赔偿请求而在二审期间提出的，人民法院应当进行调解，调解不成的，当事人可以在离婚后1年内对损害赔偿另行起诉；如果被告不同意离婚也不提起损害赔偿诉讼的，被告可以在人民法院判决准予离婚后1年内就此单独提起诉讼。

【案例分析】

案例：张某（男）与赵某（女），1995年结婚，婚后育有一子。1997年，张某通过赵某的同学与海外亲戚的牵线搭桥，顺利考到美国一所大学读研究生。赵某则留在国内的一家公司工作，同时还要负责照料小孩与张某的父母。张某于2000年取得美国大学的硕士学位，之后，很快被一家美国的研究所聘用。由于夫妻分居已长达三年，双方的感情逐渐淡漠，并各自有了新的情感归属。双方于是决定协议离婚。由于张某留学美国的三年时间里，赵某独立承担了儿子的抚育及对张某父母的赡养，赵某提出要求张某给予10万元人民币的经济补偿。而张某认为自己刚刚完成学业，才开始工作，没有经济能力支付这笔费用。双方僵持不下，只好诉至法院。

法院经审理查明，张某与赵某均为某名牌大学毕业生，毕业后二人同在一家外商投资公司工作，二人的收入都比较高。1995年结婚时，双方口头约定夫妻财产实行AA制，各自收入归各自支配。婚后二人住在张某父母家中，并育有一子。1997年张某在赵某的帮助下，通过自己的努力考上美国某大学深造。2000年张某毕业，获得硕士学位，并于同年9月被美国一家研究所聘用从事研发工作。自张某留学美国以来的三年中，张某从未向国内的家中给予任何经济上的帮助，儿子的抚育及老人的赡养均由赵某一人承担。2000年11月，赵某向人民法院提出离婚诉讼，要求解除婚姻关系，并要求张某给予10万元人民币的经济补偿。另外，夫妻双方对小孩的抚养已达成协议。

分析：在本案中，虽然张某与赵某结婚时只是口头约定实行夫妻财产AA制，不符合夫妻财产约定必须以书面形式作出的要件，而应当适用法定财产制。但实际上，由于张某在长达三年的时间里在国外留学，并且没有任何经济收入，至少没有向国内家中提供经济支持，因此，只有赵某所取得的经济收入构成夫妻共同财产，而张某已明确表示愿意遵守当年的承诺，认为这部分财产应当归赵某个人所有。那么赵某提出的 10 万元经济补偿是否应当得到支持呢？首先，应当判定赵某是否有权提出经济补偿的要求。在张某留学美国的三年里，赵某独自一人承担家里的经济负担，照料年幼的儿子并赡养张某的父母，因此，赵某提出经济补偿的要求符合婚姻法第四十条的规定，应当予以支持。其次，应当如何计算经济补偿费？赵某本身是能干的外企职员，月薪较高，其用于家务劳动的机会成本相应地也比较高。而且，张某在美国取得硕士学位后，又在某研究所从事研发工作，收入相当可观。另外，张某得以顺利出国留学，也是依靠了赵某的同学与海外亲戚关系，人际关系在商业社会里是一种重要的经济资源，否则张某不可能有今日与未来优越生活的保证。综合以上几点，赵某提出 10 万元人民币的经济补偿费并不过分。最后，张某提出他刚刚毕业，才参加工作不久，没有能力支付这 10 万元人民币，但考虑到张某未来的收入水平，张某应当完全可以承受这 10 万元人民币的经济负担。法院可以判令张某以分期付款的形式将这 10 万元人民币在一定期限内支付给赵某。

本章小结

· 民法：是调整平等主体之间财产关系和人身关系的法律规范的总称。

· 民事法律关系：是指由民法调整所形成的具有以民事权利和义务为内容的财产关系和人身关系，包括主体、客体、内容三要素。

· 民事法律事实：民事法律关系的产生、变更和消灭必须基于一定的民事法律事实。民事法律行为是主要的民事法律事实。

　• 民事法律关系主体：主要是公民和法人，其成为民事法律关系主体的前提是具有民事权利能力和民事行为能力。

　• 民事法律关系客体：民事法律关系的客体指民事法律关系主体之间的权利义务所指向的对象，包括物、行为和智力成果。

　• 民事权利：民事主要有物权、债权、人身权、知识产权（著作权、专利权、商标权）、亲属权（婚姻权、继承权）。

基本训练

■ 基本知识检测

一、简要回答下列问题

1. 民法通则规定了哪几种人身权？

2. 一般民事侵权责任的构成要件有哪些？

3. 继承法是如何规定法定继承人的范围和顺序的？

4. 遗嘱有哪几种形式？

5. 结婚的条件和程序是如何规定的？

6. 无效婚姻和可撤销婚姻包括哪些情况？

7. 根据婚姻法说说离婚的条件和程序。

二、辨析题

1. 继承从继承人商定分割财产时开始。

2. 自书遗嘱的效力高于代书遗嘱。

3. 兄弟姐妹之间属于直系血亲。

4. 具有完全民事行为能力的人必须年满 18 周岁。

5. 从法律上看，婚姻自由包括结婚自由和离婚自由。

三、选择题

1. 张家为孙子张明过生日，却为确定出生日期犯愁，张明的父亲记得儿子是 8 月 28 日傍晚出生，医院的接生记录簿上记载的是 8 月 29 日，出生证上记载的是 8 月 30 日，而户口簿上记载的是 9 月 1 日，依照有关法律，张明的出生时间应以哪一日期为准？（　　）

A. 8 月 28 日　　　　　　B. 8 月 29 日

C. 8 月 30 日　　　　　　D. 9 月 1 日

2. 甲为一儿童影星，片酬颇丰，乙为甲的监护人。乙的下列哪些行为在征得甲同意时，属于合法有效的民事行为？（　　）

A. 因甲的侵权行为给他人造成损失，用其片酬予以支付的行为

B. 用甲的片酬赠与他人的行为

C. 用甲的片酬为甲购买人身保险的行为

D. 用甲的片酬为乙母购买房产的行为

3. 甲被宣告死亡后，其妻乙改嫁于丙，其后丙死亡。1 年后乙确知甲仍然在世，遂向法院申请撤销对甲的死亡宣告。依我国法律，该死亡宣告撤销后，甲与乙原有的婚姻关系如何？（　　）

A. 自行恢复　　　　　　B. 不得自行恢复

C. 经乙同意后恢复　　　D. 经甲同意后恢复

4. 甲为一乘客（熟知烟的价格），乙为一小贩。乙在火车车厢叫卖："红塔山香烟，10 元钱一条。"甲欣然买之。经查，该烟为假烟。甲与乙之间的行为性质应如何认定？（　　）

A. 无效民事行为，理由为欺诈

B. 可撤销民事行为，理由为欺诈

C. 无效民事行为，理由是违反法律规定

D. 有效民事行为，理由是双方达成合意

5. 第一顺序的法定继承人有（　　）。

A. 配偶　　B. 子女　　C. 父母　　D. 儿媳、女婿

6. 某医院在一优生优育图片展中，展出了某一性病患者的照片，并在说明中用推断的语言表述该患者系生活不检点所致。虽然患者眼部被遮，也未署名，但仍有些观众能辨认出该患者是谁。患者得知这一情况后精神压力过大，悬梁自尽。为此，患者亲属向法院提起诉讼，状告该医院。医院侵害了患者（　　）。

A. 生命权　　B. 肖像权　　C. 名誉权　　D. 隐私权

7. 在下列民事纠纷中，哪些应按相邻关系处理？（　　）

A. 甲在乙的房屋后挖窖，造成其房屋基础下沉，墙体裂缝，引起纠纷

B. 甲村为了取水浇地，在乙、丙村的土地上修建引水渠，引起纠纷

C. 甲新建的房屋滴水滴在乙的房屋上，引起纠纷

D. 甲村在河流上游修建拦河坝，使乙村用水量骤减，引起纠纷

8. 甲不慎落水，乙奋勇抢救，抢救过程中致甲面部受伤，同时乙丢失手机一部。下列表述中哪一说法是正确的？（　　）

A. 乙应赔偿甲面部受伤的损失，甲不应赔偿乙失落手机的损失

B. 乙应赔偿甲面部受伤的损失，甲应赔偿乙失落手机的损失

C. 乙不应赔偿甲面部受伤的损失，甲不应赔偿乙失落手机的损失

D. 乙不应赔偿甲面部受伤的损失，甲应赔偿乙失落手机的损失

9. 解除非法同居生活关系时，同居生活期间双方共同所得的收入和购置的财产，按（　　）处理。

A. 夫妻共同财产　　　B. 一般共有财产

C. 家庭共有财产　　　D. 双方个人财产

10. 甲拾得乙遗失的钱包，内有人民币 1500 元。甲欲交给公安部门，但在乘车途中，甲自己的钱包和拾得的钱包一起被盗，则甲对被盗的钱包（　　）。

A. 不承担责任　　　B. 承担全部责任

C. 承担部分责任　　　D. 依公平原则，乙应适当给甲补偿

四、举例说明

1. 在什么情况下，继承人将丧失继承权。

2. 举出一件一般的民事侵权案件，说明其构成要件。

3. 在什么情况下，离婚诉讼的一方当事人有权向对方请求损害赔偿。

■ **基本技能训练**

一、案例启示

阅读下面真实案例，谈谈自己的想法。

1. "脱衣秀"案

2004 年 5 月，重庆张某将某商场告上法庭。张某诉称，该商场在周年庆典时承诺，在场女顾客如果脱下衣服只剩标准的"三点式"，可任意在商场拿走一件衣服，她立即照办并选走一件价值千元的貂皮大衣，但出门时却被拦下，商场称其内衣并非标准的"三点式"，故不能拿走衣服。法院经审理认为，商场的承诺违背公序良俗原则和民法的立法精神，属无效的民事行为，由此引发纠纷不受法律保护，故驳回张某的诉讼请求。

2. "劝酒"案

2004 年 1 月 29 日晚，在广东省梅州市大埔县城某酒吧内，一伙年轻人正兴高采烈举杯庆新年，气氛热闹非凡，但谁也没想到，就在这觥筹交错中，一场悲剧随之发生。

这天下午约 5 时，赖某、郑某、郑某某到城新中路一家小食店吃豆腐干及牛杂，席间饮完了一瓶金奖白兰地酒。因为下雨，并且酒酣耳热之余，赖某、郑某、郑某某又转到刘某所经营的酒吧，继续饮酒。不久，郑某某约女朋友到酒吧，4 个人你一杯我一杯地开怀畅饮。在喝酒过程中，赖某又邀请吴某、张某一同饮了两瓶红葡萄酒。喝得正兴时，赖某又叫服务员送上 8 瓶小瓶装金奖白兰地酒，与张某相互敬酒，各饮了一大杯金奖白兰地酒，此时赖某感觉不适，发生了呕吐现象。刘某见赖已不能走动，便让赖某躺在店中的沙发上休息。其他人先后离去，第二天上午，赖某在该酒吧死亡。

同年 2 月 9 日，大埔县公安局进行了尸检，认定："死者赖某系因呕吐物进入气管、支气管导致机械性窒息而死亡的，排除外加暴力致死。"赖死后，刘某等人曾与死者亲属协商关于死亡损害赔偿问题，但没有达成一致意见。死者的家属认为，死者是在酒吧喝酒过量致死的，作为该酒吧的消费者，酒吧对客人安全负有责任，遂向法院起诉，要求几个劝酒者共同赔偿补偿费、丧葬费、被抚养人生活费合计人民币 13 万元。

法院认为，该案中死者本人对自己的死亡承担主要责任，张某、郑某的行为只是该严重后果发生的次要原因。故判决几个劝酒人共赔偿给死者家属 2.2 万元。

提示：由于类似事件不属于特殊侵权范畴，因此适用民法上的一般侵权的过错归责原则，即有过错才承担责任，无过错即可免责的原则。

赖某本人对自己的酒量即对酒精的耐受程度在饮酒前就应有清醒的认识，饮酒后，这种认识虽然在一定程度上有所减弱，但并未完全丧失。对自己的健康、生命安全都应当承担最高的注意义务，饮酒过量将会导致的后果，一个完全民事行为能力人应当能够预见到。所以本案中的赖某明知饮酒过量可能会导致损伤自己身体的后果，但仍然继续饮酒，最终导致因此死亡，对此严重后果，饮酒者即赖某本人应当承担主要责任。

根据民法的有关理论，基于先前行为，即因自己先前的行为产生了可能导致他人面临某种危险结果的人，应承担防止这种危险结果发生的义务。本案的店主刘某在发现赖某已经饮酒过度后，应采取积极的防范措施，例如通知其家属或及时送往医院处理，就有可能避免严重后果的发生。刘某不但没有采取这些正确的方法，反而将赖某留宿在并不具备相应条件的店中，因此对赖某的死亡应负有一定责任；张某、郑某在共同饮酒过程中就应当发现赖某已经饮酒过量，他们本应该预见到可能发生损伤身体的后果，从而劝阻其继续饮酒，但两人却忽视了这种可能发生的严重后果，反而与之觥筹交错，因此，也要为自己的这种疏忽大意承担相应的责任。

二、案例分析

1. 李某在教室中自习时，发现一部价值3000多元的手机无人认领，便带回宿舍，并写了一份招领启示。第二天，李某在收拾床时，不慎将手机碰到地上，恰巧掉在水盆中。第三天，失主张某来找手机，但发现已经不能使用，便要求李某赔偿。李某是否应当赔偿？

2. 甲、乙等四人同住一女生寝室，二人素有矛盾。甲经常对他人讲，本寝室有一高个人，经常穿白色运动服，此人常去宾馆，深夜还有男人开车送回来，不知有什么事；家里是农村的，却总买名牌服装。而乙恰好高个，经常穿白色运动服而且在宾馆打工。经甲的宣传，很多人都对乙另眼相看。乙的心理压力很大，找甲质问。甲说，自己并未指名说乙，乙是没事找事，乙无话可答。于是甲又在宿舍门口贴出了告示，让大家注意有人败坏了大学生的名誉，此人"高个"，"常穿白色运动服"。乙无法忍受大家的异样眼神，精神出现恍惚，被迫休学，应如何认定甲的行为？

3. 张甲（20 岁）与张乙（14 岁）走到张丙家门口，见张丙家门口卧着一条花狗睡觉，张甲对张乙说，你拿一块石头去打花狗，看它有何反应，张乙照此办理。花狗被打以后朝张乙追去，张乙见势不妙忙躲在迎面走来的张丁的身后，花狗咬伤了张丁。张丁为此花去医药费 500 元。对此费用应如何承担？

4. 一天夜晚，甲开车逆行迫使骑车人乙为躲避甲向右拐，跌入修路挖的坑里（负责修路的施工单位对该坑未设置保护措施），造成车毁人伤。对乙的损失应如何承担责任？

5. 甲、乙两家的承包地相邻，甲地地势低注。一日突降大暴雨，甲为排涝必须从乙地挖一条沟，才能将水引入河中。但乙坚决不同意，认为挖沟会毁坏自己的庄稼。甲提出给予适当的赔偿，乙仍不同意。甲是否有权在乙的承包地上挖沟排水？

■ 实践技能操作

1. 根据提供的材料，查一查相关的法律，举办一场课堂辩论会，谈一谈个人隐私权及其保护。

一年前，刘某与张某谈恋爱，后因双方性格不合，刘某提出终止恋爱关系。不久，刘又同他人开始谈恋爱。而张对刘一直念念不忘。1998 年 8 月的一个晚上，电视上突然映出"一位不愿透露姓名的男子为他昔日的恋人刘某点播一首《牵挂你的人是我》，愿你永远记住小树林的那个晚上。"为此刘某的男友离她而去，刘某在同事及亲友面前也抬不起头。一气之下，刘某一纸诉状将张某告到法院，请求法院责令张某赔礼道歉，消除影响，赔偿精神损失费。张某辩解说，自己点歌是用来表达对刘某的思念，并没有违反什么法律规定。

法院审理查明，刘某与张某确实有过恋爱关系，张某利用点歌公布了"小树林"之隐私，侵犯了刘某的名誉权，遂判决张某向刘某赔礼道歉，赔偿刘某损失 1000 元。

2. 旁听一次民事案件的审理。

3. 观看一次《今日说法》节目或录像，说说你对实际案例的分析。

第四章　经济法律制度

学习目标

通过本章学习，你应该达到以下目标：

■　知识目标：了解我国调整经济关系的主要法律，如公司法、合同法、劳动法、消费者权益保护法等，掌握其基本内容。

■　技能目标：树立正确的社会主义市场经济法律观念，能够运用有关法律维护自身的合法权益，并能运用经济法律知识分析生活中发生的一般经济法律纠纷。

第一节　公司法

1. 公司的概念及分类

公司与公司法
概述

我国公司法意义上的公司是指依法在中国境内设立的有限责任公司和股份有限公司。公司是企业法人，有独立的法人财产，享有法人财产权。公司以其全部财产对公司的债务承担责任。

按照不同标准，可将公司作不同的划分：依据股东对公司承担责任的不同，可将公司分为无限责任公司、两合公司、股份有限公司、股份两合公司和有限责任公司；从公司间的组织关系角度，可将公司分为总公司和分公司（分公司是总公司的内部机构，不具备法人资格）；从公司间的控股关系角度，可将公司分为母公司和子公司（母公司是子公司的股东，二者之间是投资关系，子公司是独立的法人）。

2. 公司法

公司法是调整公司组织管理关系和资本运营关系的法律规范的总和。其调整的社会关系包括以下四类：

（1）公司内部的财产关系。如公司发起人之间、发起人与其他股东之间、股东相互之间、股东与公司之间在公司设立、变更、破产、解散和清算过程中形成的社会关系。

（2）公司外部财产关系。主要指公司在经营过程中与其他公司、企业或个人之间发生的财产关系，如公司发行债券。

（3）公司内部组织管理与协作关系。主要指公司内部组织机构如股东会、董事会、监事会相互之间，公司与职员之间发生的管理协作关系。

（4）公司外部的组织管理关系。主要指公司在设立、变更、经营活动和解散过程中与有关国家经济管理机关之间形成的纵向经济管理关系。如公司设立的审批、登记，股份及公司债券的发行审批、交易管理，公司财务会计的检查监督等。

我国调整公司关系的法律规范是《中华人民共和国公司法》，这是我国的公司基本法。该法于1993年12月29日第八届全国人民代表大会常务委员会第五次会议通过，于1994年7月1日开始实施，并于1999年、2004年、2005年三次进行修改。

【补充资料】

在公司的分类方法中，依据股东对公司承担的责任可将其分为无限责任公司、两合公司、股份有限公司、股份两合公司和有限责任公司，这是公司最主要的分类方法。其中无限责任公司是最早出现的公司形式，尽管其股东同样也承担无限连带责任，但其与合伙企业的不同之处在于，无限责任公司的出资人是股东而非合伙人，其股东的权利义务和组织形式要比合伙人的权利义务和合伙企业的组织形式更明确、更稳定、更受强制性规范的约束。在无限责任公司之后出现的是两合公司，这两种公司形式在公司制度的演进中并没有起到什么划时代的作用，而在其后出现的股份有限公司，对公司制度的发展影响极为深远。股份有限公司最早起源于航海贸易。1600 年成立的英国东印度公司和 1602 年成立的荷兰东印度公司，是最早的股份有限公司。股份有限公司因其极强的筹集资金的功能而成为现代企业形式的典范。有限责任公司与其他几种公司形式不同，它是人为创设出来的一种公司形式，首创于 1892 年的德国。在当时为了使中小企业主能够享受股东的有限责任而设立了有限责任公司制度。如果说股份有限公司因其筹集巨额资金的功能而适用于建立大型企业的话，有限责任公司则因其设立的简便和小投资而适用于建立中小型企业。我国公司法只规定了有限责任公司和股份有限公司两种公司形式。

1. 有限责任公司的概念和特征

有限责任公司是指股东以其出资额为限对公司承担责任，公司以其全部资产对公司债务承担责任的公司形式。

与其他公司形式相比，有限责任公司有以下特点：

（1）股东人数有最高数额的限制，从而有利于股东之间的有效合作。

（2）股东以出资额为限对公司承担责任。在有限责任公司里，证明股东资格的是出资证明，股东以此享受权益、承担风险。

（3）是封闭型的公司。有限责任公司的出资转让受到限制，不能公开募集股份，无须公开其财务会计报告。

（4）设立方便，机构简单。有限责任公司的设立不涉及向社会筹集资金，因而设立的程序比较简单。同时，由于公司股东人数较少，因而规模较小的有限责任公司可以将机构简化。如可以不设董事会而只设一名执行董事，可以不设监事会而只设一名执行监事。

2. 有限责任公司的设立

根据我国公司法的规定，有限责任公司的设立必须符合以下条件：

（1）股东符合法定人数。我国公司法规定，有限责任公司由50 个以下的股东共同出资设立。

（2）股东出资达到法定的注册资本最低限额。有限责任公司的注册资本为在公司登记机关登记的全体股东认缴的出资额。有限责任公司注册资本的最低限额为人民币 3 万元。公司全体股东的首次出资额不得低于注册资本的 20%，也不得低于法定的注册资本最低限额，其余部分由股东自公司成立之日起两年内缴足；其中，投资公司可以在 5 年内缴足。

股东可以用货币出资，也可以用实物、知识产权、土地使用权等可用货币估价并可依法转让的非货币财产作价出资；但是，法律、行政法规规定不得作为出资的财产除外。对作为出资的非货币财产应当评估作价，核实财产，不得高估或者低估作价。全体股东的货币出资金额不得低于有限责任公司注册资本的 30%。

（3）股东共同制定公司章程。

（4）有公司名称，建立符合有限责任公司要求的组织机构。

（5）有固定的生产经营场所和必要的生产经营条件。

有限责任公司设立的程序相当于股份有限公司的发起设立方式。

1. 概念及特征

股份有限
公司

股份有限公司是指其全部资产分为等额股份，股东以其所持股份为限对公司承担责任，公司以其全部资产对公司的债务承担责任的公司形式。

与有限责任公司相比，股份有限公司有以下特征：

（1）发起人人数有最低限制。

（2）公司的全部资本划分为等额股份。股份有限公司的股份是确定股东权益的基本单位，股东按所持股份享受权益、承担风险。

（3）是开放型的公司。股份有限公司可以向社会公开募集股份，同时必须定期向社会公布其财务状况，而且其股份可以自由转让，因而是典型的开放型的公司。

（4）设立的条件和程序比较严格。由于股份有限公司投资额较大，而且往往涉及社会公众的利益，所以公司法对其设立的条件和程序的规定要比有限责任公司严格得多。

2. 设立条件

根据公司法的规定，设立股份有限公司应具备以下条件：

（1）发起人符合法定人数。发起人是公司的创始人，也是公

司成立之后的当然股东，其任务是完成公司组建中的各项工作，并承担公司设立过程中的有关责任和后果。股份有限公司的设立，应有 2 人以上 200 人以下为发起人，其中须有过半数的人在中国境内有住所。

（2）发起人认缴和向社会公开募集的股份达到法定的注册资本最低限额。股份有限公司采取发起设立方式设立的，注册资本为在公司登记机关登记的全体发起人认购的股本总额。公司全体发起人的首次出资额不得低于注册资本的 20%，其余部分由发起人自公司成立之日起两年内缴足；其中，投资公司可以在 5 年内缴足。在缴足前，不得向他人募集股份。

股份有限公司采取募集方式设立的，注册资本为在公司登记机关登记的实收股本总额。股份有限公司注册资本的最低限额为人民币 500 万元。法律、行政法规对股份有限公司注册资本的最低限额有较高规定的，从其规定。

（3）股份的发行、筹办事项合法。

（4）发起人制定公司章程，并经创立大会通过。

（5）有公司名称，建立符合股份有限公司要求的组织机构。

（6）有固定的生产经营场所和必要的生产经营条件。

3. 设立方式

股份有限公司的设立可以采取发起设立和募集设立两种方式。

（1）发起设立。发起设立，是指由发起人认购公司应发行的全部股份而设立公司。以发起设立方式设立股份有限公司的，发起人应当书面认足公司章程规定其认购的股份；一次缴纳的，应即缴纳全部出资；分期缴纳的，应即缴纳首期出资。以非货币财产出资的，应当依法办理其财产权的转移手续。

发起人不依照前款规定缴纳出资的，应当按照发起人协议承担违约责任。发起人首次缴纳出资后，应当选举董事会和监事会，由董事会向公司登记机关报送公司章程、由依法设定的验资机构出具的验资证明以及法律、行政法规规定的其他文件，申请设立登记。

（2）募集设立。募集设立，是指由发起人认购公司应发行股份的一部分，其余部分向社会公开募集而设立公司。募集设立的程序比较复杂，条件也更加严格。包括以下环节：

一是以募集设立方式设立股份有限公司的，发起人认购和认缴的股份应不少于公司应发行股份的 35％。

二是发起人向社会公开募集股份，必须公告招股说明书，并制作认股书。

招股说明书是由发起人在公开募股前制定的邀请公众认股的书面文件。招股说明书应当附有发起人制定的公司章程，并载明下列事项：发起人认购的股份数；每股的票面金额和发行价格；无记名股票的发行总数；认股人的权利、义务；本次募股的起止期限及逾期未募足时认股人可撤回所认股份的说明。

三是签订股票承销协议。

发起人向社会公开募集股份，应当由依法设立的证券经营机构承销，并签订股票承销协议。

四是与银行签订代收股款协议。

五是公告招股说明书，制作认股书。

公告招股说明书的目的是为了邀请公众来认股，而制作认股书的目的是为了供认股人在认股时填写，认股书的内容与招股说明书基本相同。

六是验资。

发行股份的股款缴足后，必须经依法设立的验资机构验资并出具证明。发起人应当自股款缴足之日起 30 日内主持召开公司创立大会。创立大会由发起人、认股人组成。发行的股份超过招股说明书规定的截止期限尚未募足的,或者发行股份的股款缴足后,发起人在 30 日内未召开创立大会的,认股人可以按照所缴股款并加算银行同期存款利息,要求发起人返还。

创立大会是发起人依法召集的认股人大会。公司法不仅把它作为募集设立的法定程序,而且事实上也把它作为设立中的公司的权力机关。创立大会是股东大会的前身,作用与股东大会相当。公司法第 91 条规定:发起人应当在创立大会召开 15 日前将会议日期通知各认股人或予以公告。创立大会应由代表股份总数 1/2 以上的发起人、认股人出席方可举行。

创立大会的职权是:审议发起人关于公司筹办情况的报告;通过公司章程;选举董事会、监事会成员;对公司的设立费用进行审核;对发起人用于抵作股款的财产作价进行审核;发生不可抗力或者经营条件发生重大变化直接影响公司设立的,可以作出不设立公司的决议。对上述事项作出决议,必须经出席会议的认股人所持表决权的半数以上通过。

七是申请设立登记。

八是股份有限公司成立后,发起人未按照公司章程的规定缴足出资的,应当补缴;其他发起人承担连带责任。股份有限公司成立后,发现作为设立公司出资的非货币财产的实际价额显著低于公司章程所定价额的,应当由交付该出资的发起人补足其差额;其他发起人承担连带责任。

股份有限公司的发起人应当承担下列责任:公司不能成立时,对设立行为所产生的债务和费用负连带责任;公司不能成立时,对认股人已缴纳的股款,负返还股款并加算银行同期存款利息的连带责任;在公司设立过程中,由于发起人的过失致使公司利益受到损害的，应当对公司承担赔偿责任。

4. 公司的股份

（1）股份的概念和特征。股份的概念可以从不同的角度加以概括：从公司资本的角度，股份是指公司资本的基本构成单位，即公司的全部资本是由若干股份为基本单位组合而成的；从股东的角度，股份是股东对公司权利义务的表现，是表示股东在公司法律地位的计算单位；从股票的角度，股份是股票这一有价证券所依附的物质内容和存在基础，习惯上也把股份与股票视为一体。因此，可以将股份定义为：以股票为表现形式的、体现股东权利义务的、等额划分的公司资本的构成单位。

股份有以下特征：①股份是等额的，股份有限公司的每一股份额是完全相等的，每一股份所代表的权利义务是相同的。②股份以股票为表现形式。③股份具有不可撤回性。购买股票是一种风险投资行为，股东在公司核准登记后，不得要求退股，只能通过收取股息红利和转让股份收回自己的投资。④股份具有可转让性，股份有限公司的股东可以自由转让自己所持的股份。

（2）股份的发行和转让。①股份发行，也称股票发行，是指股份有限公司为了筹资或者其他目的而出售自己股票的行为。股份的发行，必须遵循公开、公平、公正的原则，必须同股同权，同股同利。股份有限公司发行股票，可以平价发行，也可以溢价发行，但是不能折价发行。②股份的转让，是指公司股东将自己持有的股票让与他人的行为。股份有限公司的股票可以在依法设立的证券交易场所自由转让。无记名股票以交付的方式转让，由受让人支付了费用即可发生转让的效力。记名股票以背书方式或法律、行政法规规定的其他方式转让，其手续是将受让人的姓名或名称记载于股票和公司的股东名册上。

为了保护公司及全体股东的利益，公司法在规定股份可以自由转让的同时，又对其进行了必要的限制：①发起人持有的本公司的原始股份，自公司成立之日起一年内不得转让。②公司董事、监事、高级管理人员应当向公司申报所持有的本公司的股份及其变动情况，在任职期间每年转让的股份不得超过其所持有本公司股份总数的 25％；所持本公司股份自公司股票上市交易之日起一年内不得转让。上述人员离职后半年内，不得转让其所持有的本公司股份。③公司不得收购本公司的股票（但是，有下列情形之一的除外：减少公司注册资本；与持有本公司股份的其他公司合并；将股份奖励给本公司职工；股东因对股东大会作出的公司合并、分立决议持异议，要求公司收购其股份的）。④公司不得接受本公司的股票作为质押权的标的。

【补充资料】

股份从不同的角度可以作多种划分，其中比较具有代表性的分类有以下几种：

1. 普通股和优先股

这是依据股份所代表的股东权的内容的不同而对股份所作的划分。普通股是指股东拥有的权利、义务相等，无差别待遇的股份。这是股份有限公司发行的股份中最为普通的一种，也是构成公司资本的最基础部分。其特点为股息率不固定，随公司盈利的多少而变化。普通股的股东在公司中不仅拥有财产权，还享有对公司事务的表决权。优先股，是指在分配收益及分配公司剩余资产等方面比普通股股东享有优先权的股份。优先股通常没有表决权，其收益率固定，而且一般较低，所以投资风险小于普通股。

2. 记名股和无记名股

这是依据股东姓名或名称是否记载于股票为标准而对股份所

作的划分。记名股是将股东姓名或名称记载于股票之上的股份，反之即为无记名股。区分二者的主要意义在于其转让的方式不同：记名股的转让方式比较繁琐，必须以背书的方式转让，即要将受让人的姓名或名称记载于股票上和公司的股东名册之中，否则不发生转让的效力；无记名股的转让方式简便，只需交付股票即可发生转让的效力。公司法规定，公司向发起人、国家授权的投资机构、法人发行的股票，应当为记名股。

3. 人民币股和人民币特种股

这是依据是否以人民币认购和交易为标准而对股份所作的划分。人民币股又称 A 股，是指专供我国的法人和公民（不含我国港澳台地区的投资者）以人民币认购和交易股份。人民币特种股是指以人民币标明面值，以外币或港元认购和交易，专供外国和我国港澳台地区的投资者买卖的股份。人民币特种股又可分为 B 股和 H 股。B 股是以人民币标明面值，以美元认购和交易，在境内证券交易所上市交易的人民币特种股。H 股是以人民币标明面值，以港元认购和交易，在香港联合交易所上市交易的人民币特种股。

股份的分类方法还有很多，如根据持有股份的主体的不同还可将其分为国有股、法人股、个人股和外资股等。而且，各种类型的股份也是相互交叉的，如普通股和优先股都有可能是法人股或个人股，而个人股则可能是记名股也可能是无记名股等等。

公司章程　公司章程是公司必备的法律文件，是指依法制定的规定公司经营范围、组织和活动原则、经营管理方式等重大事项的公司文件。公司章程对公司、股东、董事、监事、经理均具有约束力。

有限责任公司章程应记载以下事项：公司名称和住所；公司

经营范围；公司注册资本；股东的姓名或者名称；股东的出资方式、出资额和出资时间；公司的机构及其产生办法、职权、议事规则；公司法定代表人；股东会会议认为需要规定的其他事项。

股份有限公司的章程应记载以下事项：公司名称和住所；公司经营范围；公司设立方式；公司股份总数、每股金额和注册资本；发起人的姓名或者名称、认购的股份数、出资方式和出资时间；董事会的组成、职权和议事规则；公司法定代表人；监事会的组成、职权和议事规则；公司利润分配办法；公司的解散事由与清算办法；公司的通知和公告办法；股东大会会议认为需要规定的其他事项。

公司的组织机构

公司的组织机构是依法行使公司决策、执行和监督权能的机构总称。公司法规定，公司应设立股东会、董事会、经理及监事会等组织机构。

1. 股东会或股东大会

股东会，在股份有限公司中也称其为股东大会，是由公司的全体股东组成的公司权力机构。在一些大型的股份有限公司中，由于股东人数众多且极为分散，因此也允许其设立股东代表大会，其行使的职权等同于股东大会。股东会会议一般采取年会和临时会议两种形式。年会一般每年召开一次，临时会议根据公司需要在年会的间隔期内临时召开。

股东会是公司的权力机构，有权对公司的重大事项作出决议，选举和更换公司组织机构的组成人员，修改公司章程等。股东会由董事会召集，董事长主持。股东出席股东会，所持每一股份有一个表决权。

2. 董事会、经理

董事会是公司的执行机构，它是由股东选举产生的，对内执行公司业务，对外代表公司的常设性机构。我国公司法规定，股东人数较少和规模较小的有限责任公司，可以不设董事会而只设一名执行董事，并兼任公司经理。

有限责任公司的董事会成员为 3～13 人，股份有限公司为 5～19 人。董事的任期由公司章程规定，但每届任期不得超过三年，任期届满可以连选连任。公司董事会设董事长 1 人，副董事长 1～2 人，公司董事长为公司的法定代表人。

董事会对股东会负责，行使下列职权：召集股东会会议，并向股东会报告工作；执行股东会的决议；决定公司的经营计划和投资方案；制订公司的年度财务预算方案、决算方案；制订公司的利润分配方案和弥补亏损方案；制订公司增加或者减少注册资本以及发行公司债券的方案；制订公司合并、分立、解散或者变更公司形式的方案；决定公司内部管理机构的设置；决定聘任或者解聘公司经理及其报酬事项，并根据经理的提名决定聘任或者解聘公司副经理、财务负责人及其报酬事项；制定公司的基本管理制度；公司章程规定的其他职权。

经理是公司董事会聘任的主持公司日常管理工作的高级职员，经理对董事会负责，可以列席董事会会议。经理行使下列职权：主持公司的生产经营管理工作，组织实施董事会决议；组织实施公司年度经营计划和投资方案；拟订公司内部管理机构设置方案；拟订公司的基本管理制度；制定公司的具体规章；提请聘任或者解聘公司副经理、财务负责人；决定聘任或者解聘除应由董事会决定聘任或者解聘以外的负责管理人员；董事会授予的其他职权。

3. 监事会

监事会是公司设立的对公司经营活动、董事和经理执行职务的行为进行监督的常设机构。公司法规定，公司应设监事会，成员不得少于 3 人，在其中设一名召集人。股东人数较少或规模较小的有限责任公司，可以不设监事会而只设 1～2 名监事。公司监事的任期为三年，任期届满可以连选连任。监事会设主席一人，由全体监事过半数选举产生。监事会主席召集和主持监事会会议；监事会主席不能履行职务或者不履行职务的，由半数以上监事共同推举一名监事召集和主持监事会会议。董事、高级管理人员不得兼任监事。

监事会的职权包括：检查公司财务；对董事、高级管理人员执行公司职务的行为进行监督，对违反法律、行政法规、公司章程或者股东会决议的董事、高级管理人员提出罢免的建议；当董事、高级管理人员的行为损害公司的利益时，要求董事、高级管理人员予以纠正；提议召开临时股东会会议，在董事会不履行本法规定的召集和主持股东会会议职责时召集和主持股东会会议；向股东会会议提出提案；依法对董事、高级管理人员提起诉讼；公司章程规定的其他职权。

第二节　合同法

1. 合同的概念、特征和分类

合同与合同法

合同是商品交换的基本法律形式，与现代社会生活密切相关。合同又称契约、协议，是平等主体的自然人、法人和其他组织之间设立、变更、终止民事权利义务关系的协议。

从不同的角度，可以对合同作多种划分，如有名合同与无名合同、要式合同与非要式合同、单务合同与双务合同、实践合同与诺成合同等。

民法上的合同，有以下法律特征：

（1）合同是双方或多方当事人之间意思表示一致的协议。参与订立合同的当事人应该至少是双方的，双方或多方当事人经过平等协商，就他们之间的权利义务达成一致意见，才能形成合同关系。否则，合同不能成立。

（2）合同当事人的法律地位平等。这是合同最本质的特征。合同的当事人不论其社会地位如何、经济地位怎样，必须平等地进行协商，任何一方不能把自己的意志强加给对方；在合同成立之后，还要平等地履行合同。

（3）依法成立的合同对当事人具有法律约束力。合同一经依法成立，当事人必须履行合同义务，任何一方不得违反合同，否则就要承担相应的合同责任。

（4）合同是以设立、变更或终止一定民事权利义务关系为目的的协议。当事人之间订立合同，或者是为了在他们之间形成某种民事权利义务关系，或者是为了变更既存的民事权利义务关系，或者是为了使某种既存的民事权利义务关系归于消灭。

2. 合同法

合同法是指调整平等主体的自然人、法人和其他组织之间的合同关系的法律规范的总称。我国现行的《中华人民共和国合同法》于1999年10月1日开始实施，是我国第一部统一调整合同关系的法律规范。该法分为总则和分则两部分，分则中对15种有名合同作出了明确规定，分别为：买卖合同，供用电、水、气、热力合同，赠与合同，借款合同，租赁合同，融资租赁合同，承揽合同，建设工程合同，运输合同，技术合同，保管合同，仓储合同，委托合同，行纪合同，居间合同。

| 合同的订立 |

1. 合同订立的一般程序

合同的订立是指当事人双方就合同条款经过平等协商达成一致意见的过程。这个过程在法律上可将其概括为要约和承诺两个阶段。

（1）要约。要约是希望与他人订立合同的意思表示，即一方当事人向对方提出的希望以一定条件与之订立合同的建议。发出要约的一方为要约人，接受到要约的一方为受要约人。

一项有效的要约，应符合以下条件：①要约应该是向特定的人发出。②要约的内容应该具体、确定。③要约必须能够表明经受要约人承诺，要约人即受该意思表示约束。

要约从到达受要约人时起生效。在要约的有效期内，要约人要受到该项要约的约束。但在要约生效前，要约人可以撤回所发出的要约，只要是撤回要约的通知在要约通知之前或同时到达受要约人。要约生效后，原则上也可以将其撤销，只要是撤销要约的通知在受要约人发出承诺通知之前到达受要约人。但是，对以下两种情况的要约，要约人不得撤销：①在要约中，要约人规定了承诺的期限，或者以其他方式表明该要约是不可撤销的。②受要约人有理由相信该要约是不可撤销的，并已经为履行合同作了准备工作。

在下列情况下，要约的效力终止，要约人不再受其约束：①受要约人拒绝要约的通知到达要约人。②要约人依法撤销要约。③承诺期限届满，受要约人未作出承诺。④受要约人对要约的内容作出实质性的变更。

【补充资料】

在实践中，人们经常会把要约与要约邀请相混淆。要约邀请是希望他方向自己发出要约的意思表示。当事人一方向另一方发出的意思表示，如果不具备要约的构成要件，则可能为要约邀请。一个意思表示，如果不是向特定人发出的、或者内容不够具体、或者对所提出的条件有所保留和限制，就为要约邀请。例如，甲向乙发函："我公司有一批进口优质羊皮，如要订货，请速来函洽商。"该意思表示由于内容不够具体，缺少价格条款，因而不是要约，而是要约邀请。实践中的商业广告、向客户寄送的价目表、拍卖公告、招标公告等一般均为要约邀请。要约邀请的作用在于邀请他方向自己发出要约，它并不像要约那样会产生约束力。但是，在特殊情况下，商业广告的内容如果符合要约要求的，也应视为要约。

（2）承诺。承诺是受要约人同意接受要约全部内容的意思表示，即受要约人表示同意按要约人所提出的条件与要约人订立合同。

一项有效的承诺，应具备以下条件：①承诺必须由受要约人作出。②承诺应在要约中规定的有效期内作出。③承诺应完全同意要约中所提出的条件。如果受要约人对要约中所提出的有关合同标的、数量、质量、价款或报酬、违约责任、争议解决方法等内容作出改变，视为对要约的实质性的变更，其性质为反要约，等于拒绝了原来的要约，又提出了一项新的要约。

承诺自到达要约人时生效。在承诺到达要约人以前，受要约人可以将承诺撤回。但必须使撤回要约的通知在承诺通知之前或与之同时到达要约人。承诺一经生效，合同即告成立。当事人双方必须履行各自的合同义务。

【案例分析】

案例：1999 年 11 月，某电机厂向某锅炉厂发函称："我厂欲购买一台工业用锅炉，规格为 1T，价格为 12 万元，供方代办托运，若有货，请于 12 月发货，货到 10 日付款。"锅炉厂收到后，立即复函称："锅炉有货，规格为 2T，其他条件不变，若有异议，请于 11 月底前提出，否则，我厂将于 12 月 5 日发货。"电机厂接函后，一直未作答复。锅炉厂遂将货发至电机厂，货款 12 万元，运费 4200 元。但电机厂以合同未成立为由拒绝提货，不予付款。双方为此发生纠纷。

分析：本案中，电机厂向锅炉厂的发函为要约。而锅炉厂的复函中，对质量（货物的规格）作出了改变，因而是反要约，对这一反要约，必须经电机厂承诺，才能形成合同关系。当然，在复函中，锅炉厂要求电机厂如有异议，应在 11 月底前提出。对此做法，不能由于电机厂未予回复就认定为电机厂默认。因为，在合同订立过程中，作为受要约人在收到一份要约后，只是取得了承诺权利，但是他并不因此而承担必须承诺或必须答复的义务。所以，在电机厂未作答复的情况下，锅炉厂不能单方面地认为电机厂已经以默认的方式作出了承诺。可见，本案电机厂与锅炉厂之间并未成立合同关系，电机厂有权拒绝提货并拒绝付款。由此造成的损失，应由锅炉厂自己承担。

（资料来源：陈桂明主编：《法律基础知识》，北京师范大学出版社，2001 年版）

2. 合同的形式与内容

当事人订立合同，可以采用合同书、信件、数据电文等书面形式，也可以采用口头或其他形式。但法律、行政法规规定或当事人约定采用书面形式的，应当采用书面形式。

　　合同当事人的权利义务具体表现为合同的条款。合同的条款由当事人约定，一般应包括以下事项：

　　(1) 当事人的姓名或者名称和住所。

　　(2) 标的。即合同当事人的权利义务共同指向的对象，如货物买卖合同的标的为货物。

　　(3) 数量和质量。

　　(4) 价款或报酬。

　　(5) 履行期限、地点和方式。

　　(6) 违约责任。

　　(7) 解决争议的方法。

| 合同的效力 |

1. 合同生效

　　合同的效力是指合同成立后所产生的法律效果，即按当事人的意愿在他们之间确立、变更或终止某种法律关系。依法成立的合同，对当事人具有法律约束力。

　　一般情况下，当事人之间订立的合同，只要主体合格、内容合法、意思表示真实，该合同从成立时起就是一个有效合同。但是，法律、行政法规要求办理批准、登记等手续的，自当事人办理完这些手续后，合同方能生效。

2. 无效合同

　　无效合同是指当事人之间订立的违反国家法律、行政法规的强制性规定和社会公共利益，因而没有法律效力的合同。这样的合同一旦被确认为无效，从订立时起就没有法律效力。

　　我国合同法规定，以下合同属于无效合同：

　　(1) 一方以欺诈、胁迫的手段订立合同，损害国家利益。

　　(2) 恶意串通，损害国家、集体或第三人利益。

（3）以合法形式掩盖非法目的。

（4）违反法律、行政法规的强制性规定。

3. 可变更或可撤销的合同

可变更或可撤销的合同，是指因欠缺生效要件，一方当事人可以依照自己的意思使合同的内容变更或使合同效力归于消灭的合同。其与无效合同的不同之处在于，无效合同是一种绝对的无效，其无效的后果是由法律直接规定的，不以任何人的意志为转移。对于可撤销的合同，如果当事人没有将其撤销，它就是一个有效的合同，对当事人具有法律约束力，但是一旦被撤销，即从成立时起就没有法律效力，因而是一种相对的无效。

可变更或可撤销的合同包括以下三类：

（1）因重大误解订立的合同。

（2）在订立合同时显失公平的。

（3）一方以欺诈、胁迫的手段或者乘人之危，是对方在违背真实意思的情况下订立的合同。

以上三类合同中，受损害的一方当事人有权向法院或仲裁机构请求将合同变更或撤销，但是这种权利必须自该当事人知道或应当知道撤销事由之日起一年内行使，否则权利丧失。

4. 效力待定合同

效力待定合同是指在成立时其效力处于不确定状态，要根据某个有权的第三人的意思才能确定其有效或无效的合同。

效力待定合同有以下三类：

（1）限制民事行为能力人订立的与其行为能力不相适应的合同，经其法定代理人表示追认后，合同有效，否则为无效合同。

（2）无权代理人订立的合同，包括行为人超越代理权、没有代理权而以被代理人名义订立的合同和代理权已经终止后仍然以被代理人名义订立的合同。此类合同经被代理人追认后，合同有效。

（3）无处分权人处分他人财产而订立的合同，若权利人事后追认或无处分权人事后取得处分权，则合同有效。

以上三类合同，若事后有权的第三人不予追认，就是无效的合同。

5. 合同无效或被撤销的法律后果

合同被确认为无效或被撤销后，均为自始无效，即从订立时起就不发生法律效力。当事人还没有履行合同的，不得履行；当事人已经开始履行合同的，应当停止履行。

对合同被确认为无效或被撤销后，当事人之间已经发生的财产交付，分以下三种情况处理：

（1）返还财产或折价补偿。若当事人对合同的无效或被撤销均无过错，则他们因合同而从对方取得的财产，应当返还给对方；不能返还或没有必要返还的，应当折价以金钱补偿。

（2）赔偿损失。对合同的无效或被撤销有过错的一方当事人，应当赔偿对方因合同无效或被撤销而遭受的损失；双方均有过错的，应当各自承担相应的责任。

（3）收归国家或者返还集体、第三人。当事人订立的合同损害国家、集体或第三人利益的，其取得的财产应当收归国有或者返还集体、第三人。

【案例分析】

案例：2001 年 10 月，某汽车贸易公司甲与某企业乙订立了一份汽车买卖合同。合同规定：甲方于 2002 年 2 月向乙方交付新车一辆，价款 12 万元，自合同订立起 10 日内，乙方向甲方支付 20% 的定金 24000 元，余款提货时付清。2002 年 2 月乙方付款提货后，在使用中发现该车系旧车翻新，主要部件经常发生故障，便向甲方提出异议，并于 4 月提出退货，甲拒绝。乙向法院起诉，指出甲方有欺诈行为，请求法院确认合同无效，并判令甲承担违约责任，双倍返还定金。法院经调查认定，该车确属旧车翻新，但经维修后尚可使用。

　　分析：该案中，甲方以欺诈手段订立合同，但该合同并未损害国家、集体或第三人的利益，因而不是无效合同，而是可撤销合同。这样，乙方只能请求法院撤销或变更合同。如果乙方请求法院撤销合同的话，则不能要求甲方双倍返还定金，只能请求法院判令甲返还货款，赔偿损失。

1. 合同的履行

合同的履行、变更、转让

　　合同的履行是指当事人按照合同的约定全面完成各自的义务。当事人履行合同，应当遵循全面履行、诚信履行和协作履行的原则。

　　在实践中，当事人有时会由于各种原因而未能就合同的内容作出明确的约定，会给合同的履行带来困难，容易在当事人之间引发争议。为此，合同法规定，当事人就合同的质量、价款或报酬、履行期限、地点、方式等内容约定不明确时，可以协议补充；不能达成补充协议的，按照合同有关条款或者交易习惯确定。如果按以上方法仍然不能确定的，按以下规则处理：

　　(1) 质量要求不明确的，按照国家标准、行业标准履行；没有国家标准、行业标准的，按照通常标准或者符合合同目的的特定标准履行。

　　(2) 履行期限不明确的，债务人可以随时履行，债权人也可以随时要求履行，但应当给对方必要的准备时间。

（3）履行地点不明确，给付货币的，在接受货币一方所在地履行；交付不动产的，在不动产所在地履行；其他标的，在履行义务一方所在地履行。

（4）价款或报酬不明确的，按照订立合同时履行地的市场价格履行；依法应当执行政府定价或政府指导价的，按照规定履行。

（5）履行方式不明确的，按照有利于实现合同目的的方式履行。

（6）履行费用不明确的，由履行义务一方负担。

2. 合同的变更

合同变更，是指合同成立之后、履行完毕之前，由双方当事人依法对合同内容所作的修改、补充或删减。合同法规定，当事人协商一致，可以变更合同，法律、行政法规规定变更合同应当经批准或登记的，办理完相应的手续才发生合同变更的效力。如果当事人对合同变更的内容约定不明确的，视为未变更。

3. 合同的转让

合同的转让是指合同主体的变更，即合同当事人将其在合同中的权利、义务全部或部分地转让给第三人。合同的转让分为合同权利的转让、合同义务的转让和合同权利义务的概括转让三种情况。

合同法规定，债权人转让合同权利，应当通知债务人；债务人将其在合同中的义务转让给第三人时，应当取得债权人的同意，否则不发生转让的效力。

但是在下列情形中，合同不得转让：

　　（1）根据合同性质不能转让的；

　　（2）当事人约定不得转让的；

　　（3）根据法律规定不得转让的。

　　1. 合同的终止的含义

| 合同的终止 |

　　合同的终止是指由合同所确认的当事人之间的权利义务关系的消灭。合同终止后，当事人不再受合同的约束。

　　2. 合同终止的情形

　　依照合同法的规定，有下列情形之一的，合同的权利义务终止：

　　（1）债务已经按照约定履行。当事人各方已经按照合同约定履行完各自的义务，从而使合同目的得以实现，这是合同终止最主要的情形。

　　（2）合同解除。合同解除是指合同成立后，履行完毕之前，当事人依法提前结束合同的效力。我国合同法对此规定了协议解除和法定解除两种情形。协议解除是指当事人在合同中约定了解除合同的条件，当这些条件成就时而解除合同，以及在合同履行过程中经当事人双方协商一致而解除合同的情形。法定解除是指当具备法定条件时，依据当事人一方的意思即可解除合同的情形。合同法规定的法定解除条件包括以下几种情况：①因不可抗力致使不能实现合同目的；②在履行期限届满之前，当事人一方明确表示或以自己的行为表明将不履行主要义务；③当事人一方迟延履行主要义务，经催告后在合理期限内仍未履行；④当事人一方迟延履行或有其他违约行为使合同目的不能实现。合同解除后，尚未履行的，终止履行；已经履行的，根据合同情况和合同性质,当事人可以要求恢复原状或采取其他补救措施,并有权要求赔偿损失。

(3)债务相互抵消。合同当事人双方互负到期债务,可以用其债权来充当债务的清偿,从而使双方互负的债务在对等的数额内消灭。

(4)债务人依法将标的物提存。提存,是指由于债权人原因而无法向其交付标的物时,债务人将标的物交给提存机关,从而使债权债务关系归于消灭的制度。《合同法》规定,在以下情形时,债务人可以将标的物提存:①债权人无正当理由拒绝受领或迟延受领标的物;②债权人下落不明;③债权人死亡而未能确定继承人或丧失行为能力而未能确定监护人;④法律、行政法规规定的其他情形。我国法定的提存机关为公证机关。

(5)债权人免除债务。

(6)债权债务同归于一人。在当事人双方发生合并或债权债务发生转让的情况下,导致合同中的债权债务集中于同一主体,从而使合同由于失去了履行的必要而终止。

(7)法律、行政法规规定的或当事人约定终止的其他情形。

1. 含义

违约责任

合同一经生效,就对当事人产生约束力,当事人必须按约定履行,否则就要承担相应的违约责任。所谓违约责任,是指合同当事人因不履行合同义务或履行合同义务不符合约定而应该承担的民事责任。

违约责任属于民事责任,是一种合同责任,而且主要为财产责任。违约责任以补偿为原则,个别情况下具有惩罚性。违约责任可以由当事人在合同中约定,如果当事人在合同中未约定违约责任,则根据合同法的规定来确定。当事人可以根据合同法的规

定，在合同中约定承担违约责任的方式、方法。如合同法第 114
条规定，当事人可以约定一方违约时应当根据违约的情况向对方
支付一定数额的违约金，也可以约定因违约产生的损失赔偿额的
计算方法。

2. 违约责任的种类

合同法规定的承担违约责任的方式有以下几种：

(1) 继续履行。继续履行也称实际履行，是指当事人一方违
约时，对方可以请求人民法院强制其履行合同约定的义务。如果
违约方违反的是金钱债务，则必须实际履行；若违反的是非金钱
债务，对方可以要求其实际履行。但以下情形不能适用实际履
行：①法律或事实上不能履行。②债务的标的不适于实际履行或
者履行费用过高的。③债权人在合理的时间内未要求履行的。

(2) 赔偿损失。是指合同当事人一方因违反合同义务而给对
方造成损失时，按照法律规定或合同约定，补偿对方所受到的损
失，也称损害赔偿，它以金钱赔偿为主。赔偿损失的范围包括因
违约所造成的直接损失和间接损失，但是不能超过违约方在订立
合同时预见到或应当预见到的若其违反合同可能给对方造成的损
失。应当注意的是，在当事人一方违反合同时，另一方应当尽量
采取合理的措施以避免或减少损失，由此而支出的合理费用由违
约方承担。否则，对于扩大的损失，无权要求违约方赔偿。

(3) 采取补救措施。采取补救措施是指当事人一方履行合同
义务不符合约定时，向对方承担的修理、更换、重作、退货、减
少价款或报酬等责任。

(4) 违约金。违约金是当事人在合同中约定的若一方违反合
同时应当向对方支付的一定金额的货币。违约金的数额由当事人
约定。但是如果约定的违约金低于造成的损失的，当事人可以请

求人民法院或仲裁机构予以增加；若约定的违约金过分高于造成的损失的，当事人可以请求人民法院或仲裁机构予以适当减少。

应当注意的是，违约责任方式可以并用，如违约方承担了继续履行的责任后，仍然给对方造成其他损失的，还应当赔偿损失。

3. 违约责任的免除

违约责任的免除是指在法律规定或当事人有特别约定时，违约方可以不承担违约责任的法律制度。

法定的可以免除违约责任的情形主要为不可抗力。所谓不可抗力，是指当事人在订立合同时不能预见、对其发生和后果不能避免也不能克服的客观情况。不可抗力的范围可以由当事人在合同中约定，一般包括以下几类：①自然灾害；②社会异常事件，如战争、罢工等；③某些政府行为，如政府的封锁禁运。遭遇不可抗力的一方当事人应在不可抗力发生后及时将有关情况通知对方当事人，并在合理期限内提供有关机构出具的证明。

【案例分析】

案例：甲公司与乙服装公司于 2003 年 4 月签订了一份买卖合同。合同约定："乙向甲提供服装 2000 件，总价款为 4 万元。同年 5 月 20 日交货，货到付款。合同有效期到同年 5 月 22 日止。"5 月 27 日，乙向甲交货，甲公司称已过交货期，因此拒绝收货。经乙公司送货人员再三请求，甲公司同意代为保管，可以将货暂时存放在其门市部。次日，甲公司销售人员不明情况，将服装售出 200 件，其余存入库房。6 月，乙公司催讨货款。甲公司称：服装已经售出 200 件，其余的还存放在库里，因此只同意支付代售的 200 件服装的货款，其余的服装要求乙公司取回。而乙公司则要求甲公司支付全部货款。

　　分析：本案中，甲乙双方在合同中明确约定交货期为 5 月 20 日，而合同有效期到 5 月 22 日为止，乙公司直到 5 月 27 日才交货，已属迟延履行，甲公司有权拒收。但是，甲公司在代为保管货物期间将货物售出一部分并存入仓库，此行为应认定为甲公司已经接受货物。因此，甲公司应向乙公司支付全部货款，而乙公司应承担迟延交货的违约责任。

　　（资料来源：彭爽主编：《法律基础实用教程》，北京工业大学出版社，2004 年版）

　　【补充资料】

　　在合同当事人违约时，还可能涉及到的一种责任方式是定金制裁。严格说来，定金是一种担保方式，是当事人在合同中约定的一方违约时应当向对方支付的一定数额的货币。支付定金的目的在于担保合同的履行：若合同得以履行，定金应当抵作合同价款或者收回。若交付定金的一方违反合同的，无权要求返还定金；收取定金的一方违反合同的，应双倍返还定金。这一规则也被称为定金罚则，定金有时会具有惩罚性。定金与违约金的不同之处主要在于，定金须预先支付，而违约金则是在发生了违约行为后才支付。定金也不同于实务中的预付款，虽然二者都须预先支付，但是预付款没有所谓的罚则，若一方违约导致合同不能履行，预付款应该收回。而且，预付款本身就是合同价款的一部分，当合同得以履行时，不发生返还的问题。

　　合同的担保，是合同当事人为保障合同的履行而采取的措施。除定金之外，担保法还规定了以下几种担保方式：

　　（1）保证，是合同当事人以外的第三人以其信用担保债务履行的一种担保方式，其性质属于信用担保，而其他的担保方式均属财产担保。

（2）抵押，是指债务人或者第三人不转移对抵押物的占有，将该财产作为债权的担保。债务人到期不履行债务时，债权人有权依法以该财产折价或者以拍卖、变卖该财产所得的价款优先受偿。

（3）质押，是指债务人或者第三人将其动产移交给债权人占有，将该动产作为债权的担保。当债务人到期不履行债务时，债权人有权依法以该财产折价或者以该财产拍卖、变卖该动产所得的价款优先受偿。

（4）留置，是指债权人按照合同约定占有债务人的动产时，若债务人到期不履行债务，债权人有权依法留置该财产，以该财产折价或者以拍卖、变卖该财产所得的价款优先受偿。如，在保管合同中，如果存货方到期不支付保管费，保管方就有权留置其所保管的存货方的财产，经过了法定期间存货方仍不支付的，保管方可以以该财产折价或者以拍卖、变卖该财产所得的价款优先受偿。应当注意的是，留置这种担保方式，只适用于法律有明确规定的合同中。合同法所规定的保管合同、货物运输合同、加工合同这三种合同关系中，一方当事人按照合同约定得以控制对方的财产，因而才能行使留置权。

第三节 反不正当竞争法

概述　竞争是市场经济最基本的运行机制，在市场经济中，应倡导公平竞争。但是，各种不正当竞争行为往往会造成对公平竞争秩序的严重破坏，影响市场经济的健康发展。在这方面，国家有责任采取一定的手段，对竞争关系加以协调，以确立和维护公平的竞争秩序。《中华人民共和国反不正当竞争法》于1993年12月1日起实施，这部法律的制定，目的在于制止不正当竞争行为，鼓励和保护公平竞争，进而保护经营者和消费者的合法权益，保障社会主义市场经济的健康发展。

反不正当竞争法中所规定的不正当竞争行为，是指经营者违反自愿、平等、公平、诚实信用的原则以及公认的商业道德，损害其他经营者的合法权益，扰乱社会经济秩序的行为。这里的经营者，是指从事商品经营或者营利性服务的法人、其他组织或个人。

不正当竞争 行为的种类 我国反不正当竞争法共规定了以下11种不正当竞争行为：

1. 欺骗性交易行为

欺骗性交易行为是指经营者采用假冒等手段欺骗消费者，以推销自己的商品或服务的行为。主要包括以下四种：

（1）假冒他人的注册商标。

（2）擅自使用知名商品特有的名称、包装、装潢，或者使用与知名商品近似的名称、包装、装潢，造成和他人的知名商品相混淆，使购买者误认为是该知名商品。

（3）擅自使用他人的企业名称或者姓名，引人误认为是他人的知名商品。

（4）在商品上伪造或者冒用认证标志、名优标志等质量标志，伪造产地，对商品质量作引人误解的虚假表示。

2. 强制交易行为

强制性交易行为是指公用企业或其他依法具有独占地位的经营者，限定他人购买其指定的经营者的商品，以排挤其他经营者的公平竞争的行为。

这里的"公用企业",是指城镇中为适应公众的生活需要而经营的有公共利益性质的企业组织,如自来水、电力、煤气或天然气的供应,电话、电报等通讯服务,城市公共交通(汽车、电车、轮渡等),公共道路等。"其他具有独占地位的经营者"是指法律、行政法规规定的某些特殊行业具有独占地位的经营者,如依据有关烟草专卖法和药品方面的法律、行政法规的规定而具有独占地位的企业。

【案例分析】

某中学刚刚竣工一幢新教学楼,完工准备启用时,向其所在市的电信局申请安装了一台电话总机。总机安装完毕后,电信局派人到学校说,其下属的电信器材公司经营 20 多种电话机,希望学校购买该公司的电话机。但是学校发现,大部分电话机除了质量不好外,价格也比较高。考虑到要安装上百部话机,而且学校的经费紧张,于是从别处购买了电话机。安装完毕后,向电信局申请入网通话。电信局借口学校安装的电话机质量不合格,不给入网。后经查明,学校所购买的电话机均是有信息产业部进网合格证的合格产品。本案所涉及的就是公用企业的强制交易行为。

3. 滥用行政权力限制竞争的行为

滥用行政权力限制竞争是指政府及其所属部门滥用行政权力,限定他人购买其指定的经营者的商品或者限制外地商品进入本地市场、本地商品流向外地市场的行为。

4. 商业贿赂行为

商业贿赂是指经营者用财物或者其他手段进行贿赂以销售或购买产品的行为。此类行为表现为经营者在经营活动中采取秘密手段向交易相对方的负责人、代理人、采购人员或其他对交易业务有决定权的人提供个人收入或者报酬,以达到促成交易获取经营上的便利。反不正当竞争法规定:"经营者销售或购买商品,可以以明示方式给对方折扣,可以给中间人佣金。经营者给对方折扣、给中间人佣金的,必须如实入账。接受折扣、佣金的经营者必须如实入账。经营者在账外暗中给予对方单位或者个人回扣的,以行贿论处;对方单位或者个人在账外暗中收受回扣的,以受贿论处。"

5. 虚假宣传行为

虚假宣传是指经营者利用广告或其他方法,对产品的质量、制作成分、性能、用途、生产者、有效期限、产地等作出引人误解的虚假宣传,可能使宣传对象或受宣传影响的人对商品真实情况产生错误联想,从而影响其购买决策的商品宣传活动。

反不正当竞争法同时还规定:"广告的经营者不得在明知或应知的情况下,代理、设计、制作、发布虚假广告。"

6. 侵犯商业秘密行为

商业秘密,是指不为公众所知悉、能为权利人带来经济利益、具有实用性并经权利人采取保密措施的技术信息和经营信息。侵犯商业秘密的行为包括以下三种情形:

(1)以盗窃、利诱、胁迫或者其他不正当手段获取权利人的商业秘密;

(2)披露、使用或者允许他人使用以前项手段获取的权利人的商业秘密；

（3）违反约定或者违反权利人有关保守商业秘密的要求，披露、使用或者允许他人使用其所掌握的商业秘密。

7. 低价倾销行为

低价倾销行为是指经营者以排挤竞争对手为目的，以低于成本的价格销售商品。低价倾销不符合企业生存原理及价值规律，在市场竞争中极具破坏性，往往导致价格大战、中小企业的倒闭甚至导致全行业的萎缩。

但是，在下列四种情况下以低于成本价格销售商品，不应认定为是低价倾销：一是销售鲜活商品；二是处理有效期限即将到期的商品或者其他积压的商品；三是季节性降价；四是因清偿债务、转产、歇业降价销售商品。

8. 附条件交易行为

附条件交易行为表现为经营者利用其经营优势，违背购买者意愿搭售商品或者附加其他不合理条件销售商品的行为。

9. 不正当的有奖销售行为

有奖销售，是指经营者为扩大商品销路、吸引顾客，通过把售出的商品所得全部利润的一部分拿出来设立奖金或奖品，进行推销的方法。有奖销售活动具有某种利诱的性质，于是有些经营者就利用有奖销售、利用消费者的盲目性和投机心理促销，采取不正当手段来坑害消费者和其他经营者的合法权益，制造不公平竞争。

不正当的有奖销售主要表现为以下三种形式：一是采用谎称有奖或者故意让内定人员中奖的欺骗方式进行有奖销售；二是利

用有奖销售的手段推销质次价高的商品；三是抽奖式的有奖销售，最高奖的金额超过 5000 元。

【案例分析】

案例：某市一家商厦原来效益很好，近年来由于商业竞争日益激烈，其经济效益越来越差。为了走出低谷，商厦经理决定进行有奖销售活动，并出台了具体办法：凡一次性购买本公司商品 50 元以上者均可得兑奖券一张；设一等奖一名，奖品为一辆"奇瑞"轿车；二等奖两名，奖品为"联想"电脑一台；三等奖五名，奖品为"海尔"冰箱一台，等等。此举果然有效。自开奖以来，商厦的营业额急剧上升，创造了丰厚的利润。但是不久，该市工商局却对商厦作出了"停止有奖销售，并处罚款 2 万元"的处罚决定。

分析：本案为典型的抽奖式的有奖销售。抽奖式有奖销售，是相对于即付赠品式有奖销售而言的，它通过抽签、摇奖或其他偶然性方式决定顾客是否中奖，中奖概率极低。如果对其奖品金额不作限制，就会强烈地吸引相当一部分存有侥幸发财心理的顾客。这就会使资金雄厚的大企业排挤经济实力相对弱小的企业，从而出现企业之间的不公平竞争。所以，反不正当竞争法规定，抽奖式有奖销售，最高奖的金额不得超过 5000 元。

（资料来源：贾成宽、薄爱敬主编：《法律基础》，化学工业出版社，2003 年版）

10. 商业诽谤行为

商业诽谤是指经营者捏造、散布虚伪事实，损害竞争对手的商业信誉、商品声誉，以削弱其竞争能力，并为自己谋取不正当利益的行为。

11. 串通招投标行为

招标是国际贸易中一种通用的交易方式，是指商品或服务的需要者通过公告或者寄送招标单的方式，说明交易内容，邀请供货人或承包人前来投标，报出价格，然后由招标人从中选出质优价低者与之交易的一系列活动。

串通招投标，有以下两种表现：一是投标者之间串通起来抬高标价或者压低标价以排挤竞争对手的公平竞争；二是投标者和招标者相互勾结以排挤竞争对手的公平竞争。

対不正当竞争行为的监督检查

1. 监督检查部门

县级以上人民政府工商行政管理部门是不正当竞争行为的监督检查部门。法律法规规定应当由其他部门监督检查的，依照其规定。所谓的其他部门，主要是指与市场管理有关的其他行政职能部门，如质量监督部门、物价部门、卫生行政管理部门等。

2. 监督检查职权

监督检查部门在监督检查不正当竞争行为时，有权行使下列职权：

（1）按照规定程序询问被检查的经营者、利害关系人、证明人，并要求提供证明材料或者与不正当竞争行为有关的其他资料。

（2）查询、复制与不正当竞争行为有关的协议、账册、单据、文件、记录、业务函电和其他资料。

（3）检查与不正当竞争行为有关的财物，必要时可以责令被检查的经营者说明该商品的来源和数量，暂停销售，听候检查，不得转移、隐匿、销毁该财物。

1. 不正当竞争行为的民事责任

法律责任

反不正当竞争法规定，经营者从事不正当竞争行为，给被侵害的经营者造成损害的，应当承担损害赔偿责任。被侵害的经营者的损失难以计算的，赔偿额为侵权人在侵权期间因侵权行为所获得的利润，同时还应承担被侵害的经营者因调查该经营者侵害其合法权益的不正当竞争行为所支付的合理费用。

2. 不正当竞争行为的行政责任及刑事责任

（1）欺骗性交易行为。此类行为中擅自使用知名商品特有的名称、包装、装潢，或者使用与知名商品近似的名称、包装、装潢，造成和他人的知名商品相混淆，使购买者误认为是该知名商品的，监督检查部门应当责令其停止违法行为，没收违法所得，并可以根据情节处以违法所得一倍以上三倍以下的罚款；情节严重的，可以吊销营业执照；销售伪劣商品，构成犯罪的，依法追究刑事责任。其他三种，分别依据商标法和产品质量法的规定处罚。

（2）强制交易行为。对此类行为，省级或者设区的市的监督检查部门应当责令停止违法行为，可以根据情节处以5万元以上20万元以下的罚款。被指定的经营者借此销售质次价高的商品或者滥收费用的，监督检查部门应当没收违法所得，可以根据情节处以违法所得一倍以上三倍以下的罚款。

（3）滥用行政权力限制竞争的行为。政府及其所属部门滥用行政权力限制竞争的，由上级机关责令其改正；情节严重的，由同级或者上级机关对直接责任人员给予行政处分。被指定的经营者借此销售质次价高的商品或者滥收费用的，监督检查部门应当没收违法所得，可以根据情节处以违法所得一倍以上三倍以下的罚款。

（4）商业贿赂行为。对商业贿赂行为，监督检查部门可以根据情节处以 1 万元以上 20 万元以下的罚款，有违法所得的，予以没收；构成犯罪的，依法追究刑事责任。

（5）虚假宣传行为。对经营者利用广告或者其他方法，对商品作引人误解的虚假宣传的，监督检查部门应当责令停止违法行为，消除影响，可以根据情节处以 1 万元以上 20 万元以下罚款；广告的经营者，在明知或应知的情况下，代理、设计、制作、发布虚假广告的，监督检查部门应当责令停止违法行为，没收违法所得，并依法处以罚款。

（6）侵犯商业秘密的行为。对侵犯商业秘密的行为，监督检查部门应当责令停止违法行为，并可以根据情节处以 1 万元以上 20 万元以下的罚款。

（7）不正当有奖销售行为。经营者进行不正当有奖销售的，监督检查部门应当责令停止违法行为，并可以根据情节处以 1 万元以上 10 万元以下的罚款。

（8）串通招投标行为。招标者与投标者或者投标者之间串通招投标的，其中标无效，监督检查部门可以根据情节处以 1 万元以上 20 万元以下的罚款。

（9）对于低价倾销行为、附条件交易行为、商业诽谤行为，反不正当竞争法并没有规定相应的法律责任，但是可以依据其他有关法律、行政法规、规章处罚；对情节严重构成犯罪的，可以依据刑法追究行为人的刑事责任。

（10）经营者违反被责令暂停销售，不得转移、隐匿、销毁与不正当竞争行为有关的财物的行为的，监督检查部门可以根据情节处以被销售、转移、隐匿、销毁财物的价款的一倍以上三倍以下的罚款。

3. 申诉及诉讼程序

当事人对监督检查部门作出的处罚决定不服的，可以自收到处罚决定之日起 15 日内向上一级主管机关申请复议；对复议决定不服的，可以自收到复议决定书之日起 15 日内向人民法院提起诉讼；也可以直接向人民法院提起诉讼。

第四节　消费者权益保护法

消费者及
消费者权
益保护法

《中华人民共和国消费者权益保护法》是于 1994 年 1 月 1 日开始实施的、调整在保护公民消费权益的过程中所产生的社会关系的一部法律。在该法中具体规定了消费者的权利和与此相对应的经营者的义务、消费者维权的途径以及经营者在侵犯消费者权益时所应承担的法律责任。该法的颁布实施，对于保护消费者的合法权益，规范经营者的经营行为，维护社会经济秩序，促进我国社会主义市场经济的健康发展具有非常重要的意义。

这里的消费者是指为生活需要而购买或使用经营者所提供的商品或接受经营者所提供的服务的市场主体。理解这一概念应把握以下几点：首先，消费者所从事的消费活动是属于生活消费，不包括生产资料的消费；其次，消费者消费的客体既包括商品也包括服务；最后，消费者的消费活动具体表现为购买、使用商品和接受服务。此外还应注意的是，依照我国消费者权益保护法的规定，农民购买、使用直接用于农业生产的生产资料时，也适用该法。

消费者权益保护法所调整的社会关系包括以下几方面：一是国家与经营者之间的关系。主要表现为为保护消费者而在国家与经营者之间产生的监督管理与被监督管理的关系。二是国家与消费者之间的关系。主要表现为国家与消费者之间的保护与被保护、指导与被指导的关系。三是消费者与经营者之间的关系。二者之间是一种在自愿、平等、诚实信用基础上的等价有偿的商品交换关系。

1. 消费者的权利

消费者的权利和经营者的义务

消费者权益保护法规定了消费者的九项基本权利：

（1）保障安全权。保障安全权是消费者最基本的权利，是指消费者在购买、使用商品或接受服务时，享有生命健康及财产安全不受损害的权利。消费者有权要求经营者提供的商品和服务符合保障人身、财产安全的要求。

（2）知悉真情权。知悉真情权又称知情权，是指消费者有权了解其所购买和使用的商品或接受的服务的真实情况。消费者根据其购买和使用的商品及接受的服务的不同情况，有权要求经营者提供商品的价格、产地、生产者、用途、性能、规格、等级、主要成分、生产日期、有效期限、检验合格证明、使用方法说明书、售后服务，或者服务的内容、规格、费用等有关情况。

（3）自主选择权。自主选择权是指消费者享有自主选择商品或服务的权利。具体包括：消费者有权自主选择提供商品或服务的经营者；自主选择商品的品种或服务的方式；自主决定购买或者不购买任何一种商品、接受或者不接受任何一项服务；消费者在自主选择商品或服务时，有权进行比较、鉴别和挑选。

（4）公平交易权。公平交易是指经营者与消费者之间的交易应当平等、公正。公平交易权的内容包括以下几方面：消费者在购买商品或接受服务时，有权获得质量保障、价格合理、计量正确等公平交易条件，有权拒绝强制交易行为。

（5）获得赔偿权。获得赔偿权是指消费者因购买、使用商品或接受服务时受到人身、财产损害的，有权依法获得赔偿。

（6）结社权。结社权是指消费者依法成立维护自身合法权益的社会团体的权利。相对于经营者来说，消费者是弱势一方，消费者群体联合起来与经营者相抗衡，能够更好地维护其自身的权益。在我国，全国各地消费者协会的相继成立，沟通了政府与消费者之间的关系，为缓解和解决经营者与消费者之间的矛盾，更好地保护消费者的权益，起到了非常重要的作用。

（7）获得相关知识权。获得相关知识权是指消费者享有获得有关消费和消费者权益保护方面的知识的权利。此项权利是知情权的引申和延续。消费知识主要指有关商品和服务的知识；消费者权益保护方面的知识主要是指当消费者的合法权益受到侵害时，可以通过何种途径、采取何种方式有效解决问题的知识。政府部门及有关的消费者组织应通过各种宣传、教育活动，帮助消费者掌握有关的消费和消费者权益保护方面的知识，提高自我保护的意识，从而更好地保护消费者的权益。

（8）获得尊重权。获得尊重权是指消费者在购买、使用商品或接受服务时，享有人格尊严、民族风俗习惯得到尊重的权利。

（9）监督批评权。监督批评权是指消费者享有对商品和服务及保护消费者权益的工作进行监督和批评的权利。消费者有权检举、控告侵害消费者权益的行为和国家机关及其工作人员在保护消费者权益的过程中的违法失职行为，有权对消费者权益保护的工作提出批评和建议。

2. 经营者的义务

对应于消费者的权利，经营者应承担以下义务：

（1）遵守法定或约定的义务。经营者向消费者提供商品或服务，应当依照产品质量法及其他法律、行政法规的规定履行有关的义务；如果经营者和消费者有约定的，应当按照约定履行义务，但是双方的约定不得违背法律、行政法规的强制性规定。

（2）听取意见和接受监督的义务。经营者在提供商品或服务时，对消费者提出的有关产品质量、服务态度等方面的意见，应当听取，并接受来自消费者和社会各方面的监督。

（3）保障安全的义务。经营者应当保证其所提供的商品或服务符合保障人身、财产安全的要求。此项义务对经营者有以下两方面的要求：①说明和警示的义务，对可能危及人身、财产安全的商品和服务，应当向消费者作出真实的说明和明确的警示，并说明和标明正确使用商品或接受服务的方法以及防止危害发生的方法。②报告和告知的义务，即经营者发现其提供的商品或服务存在严重缺陷，即使正确使用商品或接受服务仍然可能对人身、财产安全造成危害的，应当立即向有关行政部门报告和告知消费者，并采取防止危害发生的措施。

（4）提供真实信息的义务。提供真实信息的义务对经营者有以下要求：①向消费者提供有关商品或服务的真实信息，不得作引人误解的虚假宣传；②对消费者就其提供的商品的质量、使用方法等提出的询问，应当作出真实、明确的答复；③对提供的商品应当明码标价；④经营者应当标明其真实名称和标记，尤其是租赁他人柜台或者场地的经营者，应当标明其真实名称和标记。

（5）出具凭证和单据的义务。经营者提供商品或者服务，应当按照国家有关规定或者商业惯例向消费者出具购货凭证或者服务单据；消费者索要购货凭证或者服务单据的，经营者必须出具。购货凭证或服务单据，如发票、信誉卡、保修单等，是经营者与消费者之间发生的合同关系的书面凭证，当发生消费争议时，消费者可以将其作为证据维护自己的消费权益。

（6）保证质量的义务。此项义务对经营者有以下两方面的要求：①保证在正常使用商品或者接受服务的情况下其提供的商品或者服务应当具有的质量、性能、用途和有效期限，但消费者在购买该商品或者接受该服务前已经知道其存在瑕疵的除外。②经营者以广告、产品说明、实物样品或者其他方式表明商品或者服务的质量状况的，应当保证其提供的商品或者服务的实际质量与表明的质量状况相符。

（7）履行"三包"或其他责任的义务。经营者提供商品或者服务，按照国家规定或者与消费者的约定，承担包修、包换、包退或者其他责任的，应当按照国家规定或者约定履行，不得故意拖延或者无理拒绝。

（8）不得单方面作出对消费者不利的规定的义务。经营者不得以格式合同、通知、声明、店堂告示等方式作出对消费者不公平、不合理的规定，或者减轻、免除其损害消费者合法权益应当承担的民事责任，格式合同、通知、声明、店堂告示等含有上述内容的，其内容无效。

（9）不得侵犯消费者人格权的义务。经营者不得对消费者进行侮辱、诽谤，不得搜查消费者的身体及其携带的物品，不得侵犯消费者的人身自由。

【案例分析】

案例：顾客王女士在某干洗店干洗一件白色皮衣。几天后，她取衣时发现，衣服的皮面染上很多淡黄色的色块，根本没有办法穿了。于是，王女士持两年前购买衣服的发票，向干洗店索赔4000元（发票价值为5498元）。但是干洗店只同意赔偿1000元，理由为该店开具的洗衣单背面明确规定：若在洗衣过程中造成衣物损坏，最高赔偿额为1000元。双方为此发生争议。

　　分析：本案是一起典型的因不合理的格式合同引发的争议。消费者权益保护法明确规定："经营者不得以格式合同、通知、声明、店堂告示等方式作出对消费者不公平、不合理的规定，或者减轻、免除其损害消费者合法权益应当承担的民事责任。格式合同、通知、声明、店堂告示等含有上述内容的，其内容无效。"格式合同，是指由当事人一方预先制定的，并由不特定的对方当事人所接受的，具有完整性和定型化的合同。当事人一方订立格式合同，是为了能够重复使用，与之交易的对方当事人在这样的合同关系中，往往不能参与合同的制定，所以，在格式合同中，非常容易出现不平等的条款。我们生活中的保险单、供用电、水、气合同等，一般均为格式合同。为了维护交易相对方的利益，我国合同法对格式合同的订立作出了必要的限制：合同法要求订立格式合同的一方应当遵循公平原则确定当事人之间的权利义务，如果合同中有免除或限制其责任的条款，则必须以合理的方式提醒对方当事人注意；如果格式合同（或者其部分条款）违反了法律、行政法规的强制性规定的，或者规定因故意或重大过失造成对方人身伤害、财产损失而免除或限制其责任的，该格式合同（或者其部分条款）无效。

　　上述案例中，干洗店的洗衣单背面条款，就属于格式合同中的免责条款，其规定明显不公平、不合理，因为其内容限制了干洗店的责任，因而是无效的条款。王女士可以主张该条款无效，要求干洗店赔偿自己的实际损失。

消费者争议解决的途径

　　消费争议是指在消费领域中，消费者和经营者之间因商品或服务质量造成消费者人身、财产损失而引起的争议。

　　依据消费者权益保护法的规定，当发生消费

争议时，可以通过以下途径解决：

1. 双方协商和解

发生争议的消费者和经营者可以在平等自愿的基础上，就他们之间的争议进行友好协商，并最终达成和解。争议双方以协商的方式解决争议，可以节约争议解决的成本，又不必花费太多的时间，不失为解决消费争议的首选方式。

2. 请求消费者协会调解

消费者协会，简称"消协"，是依法成立的对商品或服务进行社会监督的保护消费者权益的社会团体。其职能包括：向消费者提供信息和咨询服务；参与有关行政部门对商品和服务的监督检查；就有关消费者合法权益的问题，向有关行政部门反映、查询、提出建议；受理消费者的投诉，并对投诉事项进行调查、调解；投诉事项涉及商品和服务质量问题的，可以提请鉴定部门鉴定，就损害消费者权益的行为，支持受损害的消费者提起诉讼；对损害消费者合法权益的行为，通过大众传播媒介予以揭露、批评。

此外，消费者权益保护法还规定，消费者协会是非营业性的社会团体，不得从事商品经营和营利性服务。各级人民政府应当支持消费者协会行使其职能的工作。

发生消费争议后，消费者可以请求消协作为第三方从中斡旋，进行说服教育，并最终促成双方和解。生活中，往往是消费者首先就有关问题向消协投诉，"消协"再根据消费者的投诉事项进行调查和调解工作。但是应当注意的是，以调解方式解决争议，并无法律强制力，若经调解达成和解协议后，经营者一方又反悔的，消费者并不能以该协议为依据，请求法院强制执行。在这种情况下，消费者可以继续选择以其他方式解决争议。

3. 向有关行政部门申诉

政府有关行政部门依据其管理权限规范经营者的行为，以维护消费者的合法权益和市场经济秩序。消费争议涉及的领域，当消费者的权益受到侵害时，可以根据具体情况，向不同的行政部门（如工商部门、物价部门、技术质量监督部门等）申诉，要求行政部门就争议事项作出有法律强制力的裁决，从而解决争议。

4. 申请仲裁

仲裁，是由依法设立的仲裁机构作为第三方，对当事人之间的争议事项居中作出具有法律强制力的裁决，从而解决争议的方式。仲裁机构是依法设立的对商事争议进行裁决的民间组织，其受理消费争议的前提条件是，消费者和经营者之间在申请仲裁之前，已经以书面方式协商一致，同意以仲裁方式解决争议。此种解决争议方式在国际国内商贸活动中被广泛采用。但在消费争议中，人们不习惯、多数情况下不可能，也没必要专门为仲裁方式解决争议达成仲裁协议。所以，在消费领域，很少有以仲裁方式解决争议的。

5. 向人民法院提起诉讼

当发生消费争议后，消费者可以直接向人民法院起诉；也可以因不服行政处罚决定而向人民法院起诉，由人民法院以审判的方式，对争议事项作出具有法律强制力的判决，从而解决争议。诉讼是解决各种争议的最后手段，具有权威性、强制性。

当消费者的合法权益受到侵害时，必须确定责任主体，即应该由谁来对消费者的损失进行赔偿或承担其他的法律责任。否

责任主体
的认定 则，可能会使消费争议无法顺利地得到解决。例
如，若消费者就消费争议到法院起诉，如果没有
明确的被告，人民法院不会受理案件。在实际生
活中，由于客观情况的复杂，使权益受到侵害的消费者不知该由
谁来对自己承担责任，或者消费者虽然找到责任主体，但他们却
相互推诿，为消费者的维权带来困难。为使消费争议尽快解决，
防止销售者与生产者之间相互推诿责任，确保消费者的受损利益
及时得到赔偿，消费者权益保护法明确规定了在不同情况下，消
费争议责任主体的确定方法。

1. 销售者与生产者之间的责任归属

（1）消费者购买、使用商品时，其合法权益受到损害的，可
以向销售者要求赔偿。销售者进行赔偿后，属于生产者责任或属
于向销售者提供商品的其他销售者的责任的，销售者有权向生产
者或其他销售者追偿。

（2）消费者或者其他受害人因商品缺陷造成人身、财产损害
的，可以向销售者要求赔偿，也可以向生产者要求赔偿。属于生
产者责任的，销售者赔偿后，有权向生产者追偿；属于销售者责
任的，生产者赔偿后，有权向销售者追偿。

（3）消费者在接受服务时，其合法权益受到损害时，可以向
服务者要求赔偿。

2. 变更后的企业仍应承担赔偿责任

消费者在购买、使用商品或接受服务时，其合法权益受到损
害，而原企业已发生分立、合并的，消费者可以向变更后承受原
企业权利义务的企业要求赔偿。

3. 营业执照持有人与租借人之间的责任归属

出租、出借营业执照或者租用、借用他人营业执照是违反工商行政管理的行为。使用他人营业执照的违法经营者提供商品或服务，损害消费者合法权益的，消费者可以向其要求赔偿，也可以向营业执照的持有人要求赔偿。

4. 展销会举办者、柜台出租者的特殊责任

通过展销会、出租柜台销售商品或提供服务，不同于一般的店铺经营方式。在展销会或出租柜台期满后，为了使消费者能够得到赔偿，消费者权益保护法规定：消费者在展销会、租赁柜台购买商品或者接受服务，其合法权益受到侵害的，可以向销售者或服务者要求赔偿。展销会结束或柜台租赁期满后，也可以向展销会的举办者、柜台的出租者要求赔偿。展销会的举办者、柜台的出租者赔偿后，有权向销售者或服务者追偿。

5. 虚假广告的广告主与广告经营者的责任

当消费者因虚假广告而购买、使用或接受服务，其合法权益受到损害时，可以向利用虚假广告提供商品或服务的经营者要求赔偿。广告的经营者发布虚假广告的，消费者可以请求行政主管部门予以惩处。广告经营者不能提供经营者的真实名称、地址的，应当承担赔偿责任。

【案例分析】

案例：2002年2月22日，消费者郑某在将三节5号电池装入电子游戏机时，其中一节在其右手中爆炸，伤及其右手及面部，郑某当即被送往医院治疗。经治疗后，郑某右手小指近端指面关节以下缺失，无名指关节指间关节畸形愈合，不能伸直，中

指指端指面关节定为伤残九级。经查：爆炸的 5 号充电电池是某百货公司从一名自称是福建某无线电厂推销员孙某手中购买的，单价是 12 元，电池上无中文标识，此事发生后孙某下落不明。

分析：消费者权益保护法规定：消费者因商品缺陷造成人身、财产损害的，可以向销售者要求赔偿，也可以向生产者要求赔偿。本案中，向某百货公司提供缺陷商品的推销员孙某在事发后下落不明，而电池上又无关于生产厂家的中文标识，导致受害人郑某无法确定缺陷商品的生产者，所以可以依法要求销售者即某百货公司赔偿自己受到的损失。某百货公司应当赔偿郑某的医疗费、治疗期间的护理费、因误工减少的收入、残疾生活补助费、残疾赔偿金等费用。

（资料来源：彭爽主编：《法律基础实用教程》，北京工业大学出版社，2004 年版）

1. 经营者侵害消费者权益的民事责任

侵害消费者权益的法律责任

（1）应当承担民事责任的侵权行为种类。经营者提供商品或服务有以下情形之一的，应当依照产品质量法和有关法律、法规的规定，承担民事责任：①商品存在缺陷的。②不具备商品应当具备的使用性能而出售时未作说明的。③不符合商品或者包装上注明采用的商品标准的。④不符合商品说明、实物样品等方式表明的质量状况的。⑤生产国家明令淘汰的商品或者销售失效、变质的商品的。⑥销售的商品数量不足的。⑦服务的内容和费用违反约定的。⑧对消费者提出的修理、重作、更换、退货、补足商品数量、退还货款和服务费用或者赔偿损失的要求，故意拖延或者无理拒绝的。⑨法律、法规规定的其他损害消费者权益的情形。

（2）承担民事责任的方式及赔偿的范围。

第一，致人伤害的民事责任。经营者提供商品或者服务，造成消费者或者其他受害人人身伤害的，应当支付医疗费、治疗期间的护理费、因误工减少的收入等费用，造成残疾的，还应当支付残疾者生活自助具费、生活补助费、残疾赔偿金以及由其扶养的人所必需的生活费等费用。

第二，致人死亡的民事责任。经营者提供商品或者服务，造成消费者或者其他受害人死亡的，应当支付丧葬费、死亡赔偿金以及由死者生前扶养的人所必需的生活费等费用。

第三，侵犯其他人身权利的民事责任。经营者对消费者进行侮辱、诽谤，搜查消费者的身体及其携带的物品，从而侵犯消费者的人格尊严或者人身自由的，应当停止侵害、恢复名誉、消除影响、赔礼道歉，并赔偿损失。

第四，造成财产损害的民事责任。经营者提供商品或者服务，造成消费者财产损害的，应当按照消费者的要求，以修理、重作、更换、退货、补足商品数量、退还货款和服务费用或者赔偿损失等方式承担民事责任。消费者与经营者另有约定的，按照约定履行。依法经有关行政部门认定为不合格的商品，消费者要求退货的，经营者应当负责退货。

对国家规定或者经营者与消费者约定包修、包换、包退的商品，经营者应当负责修理、更换或者退货。在保修期内两次修理仍不能正常使用的，经营者应当负责更换或者退货。对包修、包换、包退的大件商品，消费者要求经营者修理、更换、退货的，经营者应当承担运输等合理费用。

经营者以邮购方式提供商品的，应当按照约定提供。未按照约定提供的，应当按照消费者的要求履行约定或者退回货款，并应当承担消费者必须支付的合理费用。

经营者以预收款方式提供商品或者服务的，应当按照约定提供。

未按照约定提供的，应当按照消费者的要求履行约定或者退回预付款，并应当承担预付款的利息、消费者必须支付的合理费用。

⑤对欺诈行为的加倍赔偿。经营者提供商品或者服务有欺诈行为的，应当按照消费者的要求增加赔偿其受到的损失，增加赔偿的金额为消费者购买商品的价款或者接受服务的费用的一倍。

民事赔偿一般以补偿为原则，消费者权益保护法的这一规定，是我国第一个适用惩罚性赔偿的立法体例。之所以如此，主要是出于两个目的：一是惩戒损害消费者权益的欺诈行为人，特别是制造、销售假货的经营者；二是鼓励广大消费者同欺诈行为和造假、售假的行为作斗争。

2. 经营者侵害消费者权益的行政责任

经营者侵害消费者权益，手段恶劣、情节严重的，除按上述规定对消费者承担民事责任外，还应依法承担行政责任。消费者权益保护法规定：经营者有下列情形之一的，产品质量法和其他法律、法规对处罚机关和处罚方式有规定的，按照法律、法规的规定执行；法律、法规未作规定的，由工商行政管理部门责令改正，可以根据情节单处或并处警告、没收违法所得、处以违法所得1倍以上5倍以下的罚款；没有违法所得的，处以1万元以下的罚款；情节严重的，责令停业整顿、吊销营业执照。

（1）生产、销售的商品不符合保障人身、财产安全要求的。

（2）在商品中掺杂、掺假、以假充真、以次充好，或者以不合格商品冒充合格商品的。

（3）生产国家命令淘汰的商品或者销售失效、变质的商品的。

（4）伪造商品的产地、伪造或者冒用他人的厂名、厂址，伪造或者冒用认证标志、名优标志等质量标志的。

（5）销售的商品应当检验、检疫而未检验、检疫或者伪造检验、检疫结果的。

（6）对商品或服务作引人误解的虚假宣传的。

（7）对消费者提出的修理、重作、更换、退货、补足商品数量、退还货款和服务费用或者赔偿损失的要求，故意拖延或者无礼拒绝的。

（8）侵犯消费者人格尊严或者侵犯消费者人身自由的。

（9）法律、法规规定的对损害消费者权益应当予以处罚的其他情形。

3. 经营者和国家机关工作人员的刑事责任

（1）经营者提供商品或服务，造成消费者或者其他受害人人身伤害或死亡，构成犯罪的，应当依法追究刑事责任。

以暴力、威胁等方法阻碍有关行政部门工作人员依法执行职务的，依法追究刑事责任；拒绝、阻碍有关行政机关工作人员依法执行职务，未使用暴力、威胁方法的，由公安机关依照治安管理处罚法的规定处罚。

（2）国家机关工作人员玩忽职守或者包庇经营者侵犯消费者合法权益的行为的，由其所在单位或者上级机关给予行政处分；情节严重，构成犯罪的，依法追究刑事责任。

第五节　劳动与社会保障法律制度

1. 劳动法的概念和调整对象

劳动法概述

劳动法是调整劳动关系以及与劳动关系有密切联系的其他社会关系的法律规范的总称。1994年7月5日，第八届全国人民代表大会常务委员会第八次会议通过了《中华人民共和国劳动法》，并于 1995 年 1 月 1 日开始实施。劳动法颁布实施，对于有效保护劳动者的合法权益，调整劳动关系，建立和维护适应社会主义市场经济的劳动制度，促进经济的发展和社会进步，具有重要的意义。

（1）劳动关系。劳动法所调整的劳动关系是指劳动者和用人单位之间在实现社会劳动的过程中形成的社会关系。在实现社会劳动过程中，劳动者提供生产力，用人单位提供生产资料，二者之间在诸如工资、工作时间、劳动保护等各个方面形成权利义务关系，劳动法通过对这些社会关系的调整，可以有效保护劳动者的合法权益。

（2）与劳动关系有密切联系的其他社会关系。在劳动法所调整的社会关系中，有些并非是直接发生在劳动者与用人单位之间，但是它们与劳动关系有着非常密切的联系，有的是基于劳动关系而产生，有的是为了维护劳动关系的合法性而产生，有的是为了解决因劳动关系而发生的争议而产生，等等。对这些社会关系加以规范，对于劳动关系的和谐稳定，是必不可少的。这些社会关系包括以下几方面：①管理劳动力方面的关系。劳动与社会保障行政部门是劳动与社会保障工作的主管部门，其为了劳动关系的依法建立而与劳动者或用人单位之间在就业、培训等方面发生的社会关系，由劳动法进行调整。②社会保险方面的关系。为了保障劳动者在年老、疾病、失业等情况下的基本生活，国家必须建立社会保障制度，这是劳动法不可缺少的内容。③处理劳动争议所发生的某些关系。发生劳动争议时，争议双方可以选择调解、仲裁及诉讼方式解决争议。劳动法对劳动争议调解委员会及劳动争议仲裁委员会的性质、地位、组成及其处理劳动争议的程序、效力等作出了明确的规定。④工会组织与用人单位行政之间的关系。工会是工人阶级的组织，代表广大劳动者的利益。工会在维护劳动者合法权益的过程中，与用人单位行政之间发生的关系，也是劳动法的调整对象。⑤有关国家机构对劳动法的执行进行监督检查而发生的关系。是指劳动与社会保障行政部门、企业主管部门、卫生部门等，为了维护劳动关系的合法性，保证劳动法的贯彻执行，对用人单位执行劳动法的工作进行监督检查而发生的关系。

2. 劳动法的适用范围

我国劳动法适用于基于订立劳动合同而形成劳动法律关系的用人单位和劳动者。劳动法第 2 条规定："在中华人民共和国境内的企业、个体经济组织和与之形成劳动关系的劳动者，使用本法。国家机关、事业单位、社会团体和与之建立劳动合同关系的劳动者，依照本法执行。"可见，并非所有的用人单位和劳动者之间的关系都能适用劳动法。在我国，国家机关的工作人员、现役军人、家庭保姆、农村劳动者等，分别适用其他的法律制度。

劳动合同制度　劳动合同是劳动者和用人单位为了确立劳动关系、明确双方之间的权利义务而订立的协议。我国劳动法规定，劳动者与用人单位建立劳动关系，应当订立劳动合同。可见，劳动合同是建立劳动关系的法定形式。在劳动合同中，劳动者和用人单位可以将双方协商确定的权利义务加以明确，并由此作为双方履行合同的依据，可以在一定程度上避免和减少劳动争议的发生。即使发生争议，也可以作为处理争议的证据，从而有助于劳动争议的解决。尤其是对于在劳动关系中处于弱势地位的劳动者，依法订立劳动合同，是维护其在劳动关系中的合法权益的重要措施。

1. 劳动合同的订立

劳动法规定，订立劳动合同，应当遵循平等自愿、协商一致的原则，不得违反法律、行政法规的规定。

劳动合同应当以书面形式订立，并具备以下条款：

（1）劳动合同期限。劳动者和用人单位可以根据需要，选择以下列方式约定劳动合同的期限：①固定期限。固定期限是指在劳动合同中明确规定合同效力开始和终止的日期。如"本合同自2000 年 5 月 1 日开始，至 2002 年 4 月 30 日终止"或"本合同自2000 年 5 月 1 日开始执行，为期一年"。固定期限的劳动合同也称定期劳动合同，此种劳动合同可以在保持劳动关系相对稳定的同时，又能促使劳动力的合理流动。②无固定期限。无固定期限是指在劳动合同中只规定合同效力开始的时间，而不规定终止的时间。以这种方式订立劳动合同，通常还要在合同中明确合同变更、解除、终止的条件，以便在出现某些特殊情况而给合同的履行带来障碍时，防止和避免双方为此发生争议。这样，只要不出现法定的或当事人约定的合同解除或终止的条件，劳动合同就一直有效，直到劳动者退休。无固定期限的劳动合同也称无定期劳动合同。劳动法第 20 条规定："劳动者在同一用人单位连续工作满 10 年以上，当事人双方同意续延劳动合同的，如果劳动者提出订立无固定期限的劳动合同，应当订立无固定期限的劳动合同。"③以完成一定工作为期限的劳动合同。此种劳动合同中并不明确规定合同开始和终止的时间，而是把某项工作或工程的开始和结束的时间作为合同开始和终止的时间。它其实是一种固定期限的劳动合同。

（2）工作内容。工作内容是指劳动者承担的劳动任务，通常包括劳动者从事劳动的工种、岗位、职务，以及劳动者在工作中应当达到的数量指标、质量指标和完成的工作任务等。劳动者的工作内容与劳动者应当获得的劳动报酬密切相关，因而必须明确约定，以防止发生不必要的争议。

（3）劳动保护和劳动条件。劳动保护，是为保障劳动者在劳动过程中的安全和健康所采取的各项保护措施。劳动条件，是指用人单位为劳动者提供的符合国家劳动安全卫生标准的工作环境。劳动合同中规定的劳动保护和劳动条件必须符合有关法律、法规的标准。如果法律、法规对于劳动合同有关的劳动保护和劳动条件已经做出强制性规定的，当事人双方也可以直接执行强制性标准，而不必在合同中另行规定。

（4）劳动报酬。劳动报酬是劳动者在为用人单位工作期间所应该获得的工资、保险、福利等待遇。劳动报酬由当事人双方约定，但是不得低于国家规定的标准。

（5）劳动纪律。劳动纪律是规定劳动者在用人单位工作期间所应遵守的用人单位的规章制度等内容。如果在用人单位已经制定了明确的规章制度的情况下，则除非该单位对个别劳动者有特殊要求，否则不需在劳动合同里另行约定。

（6）劳动合同终止的条件。劳动合同终止的条件是指劳动者和用人单位在合同里约定，当出现某种特殊情况时，双方可以在劳动合同期限届满之前结束合同的效力。

（7）违反劳动合同的责任。违反劳动合同的责任也称违约责任，是规定在当事人一方违反劳动合同中规定的义务时，应该向对方承担的损害赔偿责任。双方可以在合同中规定承担违约责任的条件、方式、赔偿的方法等内容。

【补充资料】

劳动合同的可备条款

劳动合同中除了应该包括上述法定条款之外，还可根据当事人的需要约定其他条款，这些通常被称为劳动合同的可备条款。通常包括以下内容：

1. 试用期条款：试用期是包含在劳动合同期限之内的，用于劳动者和用人单位进一步相互考察，并可以随时提出解除劳动合同一段时间。试用期的具体期限由当事人双方约定，但是其最长期限不得超过六个月。

2. 保密条款：保密条款是规定劳动者承担保守用人单位商业秘密的义务，以及保密的具体措施等内容的劳动合同条款。在保密条款中，通常规定劳动者不得泄露、擅自使用以及允许他人使用用人单位的商业秘密，在劳动者的劳动合同终止或双方解除劳动合同之前的六个月，劳动者应离开现在的工作岗位等。

3. 竞业禁止条款：是规定劳动者在为用人单位工作期间以及离开用人单位以后的一段时间之内，不得从事与用人单位有同业竞争关系的职业，但是用人单位要对劳动者进行一定的经济补偿。

除上述条款之外，当事人双方还可根据实际情况来约定劳动合同的具体条款，如关于劳动者的福利待遇、用人单位为劳动者提供职业培训等。

2. 劳动合同的履行和变更

劳动法规定，劳动合同依法订立即具有法律约束力，当事人必须履行劳动合同规定的义务。

当事人变更劳动合同，应当遵循平等自愿、协商一致的原则，不得违反法律、行政法规的规定。

3. 劳动合同的解除

劳动合同的解除是指当事人双方提前结束劳动合同的法律效力，从而使双方的权利义务归于消灭的行为。

劳动合同的解除，有时是基于当事人双方协商一致而发生，大多数情况下是由于当事人一方的意志而发生，所以，在解除合同的过程中极容易引起当事人双方的争议。为此，劳动法对劳动合同的解除做出了明确的规定。下面分几种情况来介绍：

（1）当事人双方协商解除劳动合同。经劳动合同当事人双方协商一致，劳动合同可以解除。但是，在协商解除劳动合同的情况下，用人单位要按劳动者在用人单位工作的期限向劳动者支付经济补偿金。

（2）劳动者单方解除劳动合同。劳动者在劳动关系中处于弱势的一方，因此，劳动法对劳动者单方提出解除劳动合同未作限制，只要劳动者提出，均可解除劳动合同。具体包括以下两种情况：

1）有下列情形之一的，劳动者可以随时通知用人单位解除劳动合同，而不必承担违约责任：①在试用期内的。②用人单位以暴力、威胁或者非法限制人身自由的手段强迫劳动者劳动的。③用人单位未按照劳动合同约定支付劳动报酬或者提供劳动条件的。

2）在其他任何情况下，劳动者均可提前 30 日书面通知用人单位解除劳动合同。但是，由于劳动者解除劳动合同可能会给用人单位造成经济损失，因此，劳动法同时规定，在这种情况下，劳动者应当对用人单位承担赔偿责任，包括退还培训费等。

（3）用人单位单方解除劳动合同。在现实中，经常会发生用人单位以解除劳动合同的手段侵害劳动者合法权益的情形，所以劳动法对用人单位解除劳动合同在条件和程序上作了严格的限制。并且规定，用人单位解除劳动合同的，要向劳动者支付经济补偿金、医疗补助费等经济补偿。

劳动法对用人单位解除劳动合同规定了以下几种情形：

1）在下列情形时，用人单位可以随时通知劳动者解除劳动合同，而不必承担违约责任（包括不必向劳动者进行经济补偿）：①劳动者在试用期内被证明不符合录用条件的。②劳动者严重违反劳动纪律和用人单位的规章制度的。③劳动者严重失职、营私舞弊，对用人单位造成重大损害的。④劳动者被依法追究刑事责任的。

2）在下列情形时，用人单位可以提前30日书面通知劳动者解除劳动合同，但是必须支付经济补偿金：①劳动者患病或非因工负伤，医疗期满后，不能从事原工作也不能从事由用人单位另行安排的工作的。②劳动者不能胜任工作，经过培训或者调整工作岗位，仍不能胜任工作的。③劳动合同订立时所依据的客观情况发生重大变化，致使原劳动合同无法履行，经当事人协商不能就变更劳动合同达成协议的。

3）用人单位濒临破产进行法定整顿期间或者生产经营状况发生严重困难，确需裁减人员的，应当提前30日向工会或者全体职工说明情况，听取工会或者职工的意见，经向劳动行政部门报告后，可以裁减人员。如果用人单位在裁减人员后6个月内重新录用人员的，应当优先录用被裁减的人员。

4）在以下情形中，用人单位不得依据以上2）、3）的规定与劳动者解除劳动合同：①劳动者患职业病或因工负伤并被确认丧失或者部分丧失劳动能力的。②劳动者患病或者负伤，在规定的医疗期内的。③女职工在孕期、产期、哺乳期内的。④法律、行政法规规定的其他情形。

【补充资料】

医疗期是指劳动者因患病或非因工负伤，可以停止工作治病休息，用人单位不得与之解除和终止劳动合同的期限。

医疗期是根据劳动者的工作年限来确定的。企业职工因患病或非因工负伤，需要停止工作进行医疗时，根据本人实际参加工作的年限和在本单位工作的年限，给予3个月到24个月的医疗期，具体见表4—1。

表 4—1

实际工作年限	本单位工作年限	医疗期	综合病休计算期间
10 年以下	5 年以下	3 个月	6 个月
	5 年以上	6 个月	12 个月
10 年以上	5 年以下	6 个月	12 个月
	5~10 年	9 个月	15 个月
	10~15 年	12 个月	18 个月
	15~20 年	18 个月	24 个月
	20 年以上	24 个月	30 个月

注：对某些患特殊疾病（癌症、精神病、瘫痪等）的职工，在 24 个月内尚不能痊愈的，经企业和当地劳动部门批准，可以适当延长医疗期。

医疗期在劳动法上的意义表现为以下两方面：首先，在医疗期内，用人单位不得与劳动者解除劳动合同，从而使劳动者在获得重新就业的能力之前可以得到生活和生存的保障；另外，在医疗期内劳动合同期限届满的，用人单位不得与劳动者终止劳动合同，而必须等到医疗期满后才能与劳动者办理终止劳动合同的手续。

劳动者患病或非因工负伤治疗期间，在规定的医疗期内，由用人单位按有关规定支付病假工资或疾病救济金。病假工资可以低于当地最低工资标准支付，但不能低于最低工资标准的80%。

劳动基准，是指为保护劳动者的合法权益，劳动法律法规对劳动关系中的某些内容所规定的强制性的或最低的标准。

劳动合同的内容可以由劳动者和用人单位协商确定，但是，由于劳动者的弱势地位，如果由双方任意约定劳动合同，极有可能会发生用人单位强迫劳动者接受一些不合理的条件，而劳动者为了得到工作却不得不接受，从而使劳动者的利益受到侵害。因此，有必要在法律上规定一些强制性的标准，用人单位在与劳动者订立劳动合同时，必须执行这些标准或者在法定的最低标准以上确定合同的内容。

1. 工作时间与休息休假

（1）工作时间。工作时间是指根据法律规定，劳动者在一昼夜或一周之内用于完成用人单位的劳动的时间。

劳动法规定，劳动者每日工作时间不得超过 8 小时，平均每周工作时间不超过 40 小时。对于特殊行业、特殊岗位的劳动者，用人单位可以根据工作需要实行不定时工作制、综合计算工时工作制、弹性工作制等灵活的工时制度。

用人单位由于生产经营需要，经与工会和劳动者协商后，可以延长工作时间，一般每日不超过 1 小时，因特殊原因需要延长工作时间的，在保障劳动者身体健康的前提下，每日延长工作时间不得超过 3 小时，但每月不得超过 36 小时。此外，用人单位安排劳动者延长工作时间的，还应当按以下标准向劳动者支付高于正常工作时间工资的工资报酬：①安排劳动者延长工作时间的，支付不低于工资的 150% 的工资报酬。②休息日安排劳动者工作又不能安排补休的，支付不低于工资的 200% 的工资报酬。③法定休假日安排劳动者工作的，支付不低于工资的 300% 的工资报酬。

（2）休息休假。休息休假是指劳动者在劳动关系存续期间，依法可以不从事劳动而自行支配的休假时间和法定节假日。这是劳动者身体健康和劳动安全的必要保障。

劳动者依法可以享有的休息及休假时间包括：①一个工作日内的休息时间。一般为1～2小时，最少不得少于半小时。②两个工作日之间的休息时间。③公休日，用人单位应保证劳动者每周至少休息一天。④法定节日，包括元旦、春节、国际劳动节、国庆节等。⑤带薪年休假。

此外，劳动者还可依法享受探亲假、婚丧假等假期。

2. 工资

工资，是指基于劳动关系，用人单位根据劳动者提供的劳动数量和质量、按照劳动合同的约定向劳动者支付的货币报酬。

（1）最低工资。最低工资，是劳动者在法定工作时间内提供了正常劳动的情况下，用人单位必须向劳动者支付的最低标准的工资。最低工资由各省、自治区、直辖市人民政府根据当地的综合经济指数来确定。用人单位与劳动者约定工资标准时，不得低于当地的最低工资标准。

用人单位在向劳动者支付工资时，不得将劳动者的以下各项收入计入到最低工资中：①加班加点工资。这是劳动者在法定工作时间之外提供劳动所得的劳动报酬，因此不应计入到最低工资中支付。②中班、夜班、高温、低温、井下、有毒有害等特殊条件下的津贴。这些是劳动者为用人单位提供非正常劳动所得的劳动报酬，也不应计入到最低工资中。③国家法律、行政法规规定的社会保险、福利待遇等。这些在劳动法上不被认为是劳动报酬，所以不应计入到最低工资中。

（2）工资支付。为保障劳动者的劳动报酬权，依据劳动法及有关法规的规定，用人单位在向劳动者支付劳动工资时，必须遵循以下规则：①工资应以法定货币支付，用人单位不得以实物或有价证券代替货币支付。②支付工资时，用人单位必须书面记录支付劳动者工资的数额、时间、领取者的名字及签字，并保存两年以上备案。③支付工资时，应当向劳动者提供一份其个人的工资清单。④工资必须在用人单位与劳动者约定的日期内支付，如遇节假日或休息日，则应提前在最近的工作日支付。⑤工资至少每月支付一次，实行周、日、小时工资制的可按周、日、小时支付工资。对完成一次性临时劳动或者某项具体工作的劳动者，用人单位应按有关协议或合同规定在其完成劳动任务后即支付工资。⑥在劳动者履行国家或社会义务期间，依法享受婚丧假、探亲假以及法定年休假期间，应视为劳动者提供了正常劳动，用人单位应当按照约定的标准向劳动者支付工资。

3. 劳动安全卫生

劳动安全卫生又称劳动保护，是指直接保护劳动者在劳动或工作中的安全健康而建立的一系列法律制度。

我国劳动法和其他有关法律、法规对劳动安全卫生规程和标准作了完备的规定，用人单位必须依法建立、健全劳动安全卫生制度，严格执行国家劳动安全卫生规程和标准，对劳动者进行劳动安全卫生教育，防止劳动过程中的事故，减少职业危害。

此外，我国劳动法律、法规还建立了对女职工和未成年工的特殊劳动保护制度。

1. 社会保险的概念与特征

社会保险是指劳动者在因年老、疾病、生育、死亡而丧失劳动能力或失业等情况下，可以

社会保险
制度

从国家或社会获得物质帮助的保障制度。

社会保险制度是针对劳动领域中的风险而设立的，目的是为保障劳动者在遇到劳动风险时的基本生活，它与社会福利制度、社会救济制度等共同构成我国的社会保障制度，并在其中居于重要的核心地位。

社会保险不同于商业人身保险。与商业保险相比，它具有以下特点：

（1）强制性。用人单位和劳动者必须依法参加社会保险并缴纳社会保险费，而且用人单位不能以为劳动者投保商业保险来取代社会保险；而商业保险则是任意的，由投保人自愿投保。

（2）保障水平较低。社会保险的保障水平要受到社会经济发展水平的限制，不易过高，只能保障劳动者在遇有劳动风险时的基本生活；而商业保险的保障水平由投保人和保险公司协商确定。

（3）保险基金的来源不同。社会保险基金来源于用人单位和劳动者缴纳的保险费及国家财政的补贴；而商业保险资金来源于投保人缴纳的保险费。

（4）适用的法律不同。社会保险关系由劳动法及有关的社会保障法调整；而商业保险关系属于民事关系，由保险法调整。

2. 社会保险的层次

我国的社会保险制度采用多层次结构，以增强其分散风险的功能，用人单位和劳动者可以在基本社会保险的基础上选择更高层次的社会保险，从而提高在遇有劳动风险时的保障水平。我国的社会保险分为以下三个层次：

（1）基本社会保险。基本社会保险是由国家强制统一实施的社会保险层次。它具有强制性，用人单位和与之形成劳动关系的劳动者必须依法参加社会保险并缴纳社会保险费。同时，基本社会保险是全社会统一实施，保险费的征缴、保险基金的管理、保障的水平都是统一的。正因如此，考虑到社会经济发展水平及用人单位的承受能力，基本社会保险的保障水平不宜过高，只能够维持劳动者在遇有劳动风险时的基本生活（本节关于社会保险的内容是从基本社会保险的角度来介绍的）。

（2）补充社会保险。补充社会保险是由用人单位在参加了基本社会保险的基础上，根据其经济效益自愿投保的。其保障的水平由用人单位与其工会协商确定，保险基金在用人单位的范围内统筹使用。

（3）个人储蓄性保险。个人储蓄性保险由劳动者根据其经济能力自愿投保，保险费全部自己承担，并全部计入劳动者的个人账户。此种社会保险不同于储蓄，只能由劳动者选定的社会保障机构承办。

3. 社会保险费的征缴

目前，我国对养老保险、医疗保险、失业保险的保险费实行集中统一征收的办法。社会保险费的征缴机构由省、自治区、直辖市人民政府规定，可以由税务机关征收，也可以由劳动保障行政部门按照国务院规定设立的社会保险经办机构征收。这三项社会保险的保险费由用人单位和劳动者双方承担，而工伤保险、生育保险的保险费完全由用人单位承担，劳动者个人不承担缴费义务。用人单位不按规定缴纳社会保险费的，应当承担相应的法律责任。

4. 社会保险的内容

我国的社会保险制度包括养老保险、医疗保险、失业保险、工伤保险、生育保险五个保险项目。

（1）养老保险。养老保险是为保障劳动者退休之后或因丧失劳动能力而不能工作后的基本生活而建立的社会保险项目，它是社会保险中最重要的一个保险项目。

我国目前的养老保险制度适用于所有城镇企业及其职工、实行企业化管理的事业单位及其职工。具备条件的省、自治区、直辖市人民政府可以根据当地实际情况，规定将城镇个体工商户纳入基本养老保险、基本医疗保险的适用范围。

基本养老保险实行社会统筹与个人账户相结合的原则。个人账户的资金来源分以下两部分：一是职工个人缴纳的基本养老保险费；二是单位缴费后划入职工个人账户的部分。单位缴费的其余部分划入基本养老保险的社会统筹基金。待劳动者符合退休条件时，可以从个人账户和社会统筹基金中领取养老金。劳动者个人账户中的基本养老保险基金可以继承。

（2）医疗保险。医疗保险是指当劳动者患病或非因工负伤后，可以在医疗方面获得物质帮助的一种社会保险制度。

与其他社会保险项目相比，医疗保险的适用范围更加广泛，包括所有的城镇企业及其职工、国家机关及其工作人员、事业单位及其职工、民办非企业单位及其职工、社会团体及其专职人员。

基本医疗保险费由用人单位和劳动者共同承担。用人单位缴纳的基本医疗保险费分为两部分，一部分用于建立统筹基金，另一部分计入劳动者个人账户；劳动者个人缴费全部计入个人账户。劳动者个人账户的本金和利息归个人所有，可以结转使用和继承。

（3）失业保险。失业保险是对在法定劳动年龄内、由于非本人原因而失去工作的劳动者，由国家和社会给予一定的物质帮助，以保障其基本生活并促进其再就业的一种社会保险制度。失业保险适用于所有城镇企业及其职工、事业单位及其职工。

劳动者享受失业保险待遇要具备两个条件：一是非本人原因中断就业；二是按照规定参加失业保险，所在单位和本人已经履行缴费义务满一年。

劳动者失业后，根据其失业前所在用人单位及本人的累计缴费年限，可以享有12～24个月的职业保险待遇。在此期间，如果劳动者有下列情形出现，则停止发放失业保险待遇：重新就业；应征服兵役；移居境外；享受基本养老保险待遇；被判刑收监执行或被劳动教养的；无正当理由拒不接受当地人民政府指定的部门或机构介绍的工作，等等。

劳动者在失业期间可以享受的失业保险待遇包括：失业保险金；领取失业保险金期间的医疗补助金；领取失业保险金期间死亡的失业人员的丧葬补助金及其供养的配偶、直系亲属的抚恤金；领取失业保险金期间接受职业培训、职业介绍的补贴。

（4）工伤保险。工伤，又称职业伤害，包括因在工作过程中的突发事故导致的伤害和因工作环境和条件等原因长时间侵害劳动者健康造成的职业病。

工伤保险，是指因工作遭受事故伤害或者患职业病的劳动者，依法获得医疗救治、经济补偿和职业康复的一种社会保险制度。

工伤保险适用于所有的企业，有雇主的个体工商户应当依法参加工伤保险。

与其他社会保险项目不同，工伤保险是基于工伤赔偿责任而设立的，而其他社会保险则是为帮助劳动者脱离生活困难。因此，工伤保险由用人单位承担全部缴费义务，而劳动者不承担缴纳工伤保险费的义务。同时，工伤保险还适用无过错责任原则，只要劳动者在劳动过程中不是出于故意造成的伤害，就构成工伤而享受工伤保险待遇。

（5）生育保险。生育保险是指国家和社会对女职工在怀孕、生育、哺乳期间给予物质帮助和保护的一种社会保险制度。

与工伤保险一样，生育保险的保险费用也是全部由用人单位承担，劳动者个人不承担生育保险的缴费义务。

1. 劳动争议的概念与特征

劳动争议的处理

劳动争议，是指劳动者和用人单位之间因劳动权利和义务而发生的纠纷。

理解劳动争议的概念，需把握两点：首先，劳动争议的主体是特定的，它只能是发生在劳动者和用人单位之间的争议。在劳动者之间或者用人单位之间发生的争议，均不属于劳动争议，应该适用其他的法律规范解决，而不应适用劳动法。其次，劳动争议是由于劳动者和用人单位之间的劳动权利和劳动义务而发生的争议。如果双方因其他法律关系中的权利和义务发生争议，也不是劳动争议。

2. 劳动争议处理的方法

劳动争议的处理是劳动工作中的重要内容，妥善而及时地处理好劳动争议，对于协调稳定劳动关系，维护劳动者的合法权益，具有极其重要的意义。

在发生劳动争议后，争议双方可以选择以下的方法来解决：

（1）和解。和解是指劳动争议的双方当事人通过协商，在法律允许的范围内自行解决争议的方法。以和解的方式解决争议，灵活方便、省时省力，又不至于激化矛盾，但在和解过程中必须遵循自愿和合法的原则。需要注意的是，如果双方通过协商达成和解协议，应当自觉履行，但和解协议没有法律强制力，不能作为请求法院强制执行的依据。

（2）调解。调解是指由企业调解委员会等机构居中调和，通过说服、劝导，促使争议双方达成和解，从而解决争议的方法。以调解的方式处理劳动争议，灵活方便、不拘泥于程序，但也应注意把握自愿、合法的原则。

劳动争议的调解分为企业调解和诉讼、仲裁程序中的调解两种，二者在性质上和效力上有很大的区别。

企业调解，是由设在企业内部的劳动争议调解委员会主持之下所进行的调解。劳动争议调解委员会是设在用人单位工会的群众自制性组织，它由工会代表、职工代表和用人单位代表三方组成，依法独立进行劳动争议的调解工作。企业劳动争议调解委员会通过调解，促使双方达成调解协议的，当事人应自觉履行，但是该调解协议没有法律强制力，不能作为请求法院强制执行的依据。

仲裁、诉讼程序中的调解，是指当事人选择以仲裁或诉讼的方式解决争议时，由仲裁机构或人民法院主持之下所进行的调解。当仲裁程序或审判程序开始后，在取得双方当事人同意的前提下，可以以调解的方式结案。如果调解成功，应当制作调解书。调解书一经当事人双方签收即产生法律效力，如果一方不自觉履行，对方当事人可以向人民法院请求强制执行。

（3）仲裁。劳动争议的仲裁是指由劳动争议仲裁委员会居中公断，对劳动争议作出公正裁决，从而解决争议的活动。

1）仲裁机构。劳动争议仲裁委员会是设在劳动保障行政部门、依法独立处理劳动争议案件的专门机构。它由劳动保障行政部门的代表、同级工会的代表和用人单位的代表组成。

2）仲裁程序。仲裁是劳动争议处理的必经程序，劳动争议发生后，当事人必须先申请仲裁，对仲裁裁决不服的，才能够向人民法院起诉。当事人应当自劳动争议发生之日起 60 日内向劳动争议仲裁委员会提出书面的仲裁申请。仲裁申请书的内容包括：争议双方的自然状况、仲裁请求、争议发生的事实及所依据的理由。仲裁委员会受理后，依法组成仲裁庭，开庭审理案件，一般会先询问当事人是否接受调解。如果双方同意调解，并调解成功的，仲裁庭应制作仲裁调解书；如果双方不接受调解或调解未达成协议或当事人一方在签收调解书前反悔的，仲裁庭应及时对案件作出裁决。仲裁庭一般应在收到仲裁申请之日起 60 日内作出仲裁裁决。

3）裁决的效力。仲裁裁决书送达当事人之日起 15 日内，如果当事人不服裁决，可以向人民法院提起诉讼。当事人未在此期限内起诉的，裁决书即发生法律效力，当事人拒不履行裁决义务的，对方当事人可以向人民法院申请强制执行。

（4）诉讼。劳动争议的诉讼是指由人民法院以审判的方式依法对劳动争议案件做出判决，从而解决争议的活动。

当事人只有在劳动争议经仲裁之后不服裁决，才能提起劳动争议的诉讼。劳动争议的诉讼依据民事诉讼程序由人民法院的民事审判庭受理。

本章小结

· 公司法：主要介绍有限责任公司与股份有限公司各自的特征、设立条件及方式、组织机构的设置、公司章程等内容。

· 合同法：合同的订立、履行，合同的效力、合同的终止、违约责任等内容。

· 反不正当竞争法：不正当竞争行为的含义及其种类，对不正当竞争行为进行监督检查的机构，以及不正当竞争行为应当承担的法律责任。

• 消费者权益保护法：消费者的权利及经营者的义务，消费争议解决途径，消费争议责任主体的确定，经营者侵害消费者权益时应当承担的法律责任。

• 劳动法：劳动合同的内容及解除劳动合同的条件、程序，工资、工作时间、劳动安全卫生等劳动基准制度，劳动争议处理的方法及我国社会保险制度的主要内容。

基本训练

■ 基本知识检测

一、解释以下概念

公司、合同、违约责任、不正当竞争行为、消费者、劳动合同、社会保险

二、简答下列问题

1. 什么是有限责任公司？设立有限责任公司需要具备哪些条件？

2. 合同的概念和特征是什么？

3. 效力待定合同有哪些情形？可撤销、可变更的合同都有哪些？

4. 消费者权益保护法中规定了消费者享有哪些权利？经营者承担哪些义务？

5. 不正当竞争行为的种类有哪些？

6. 处理劳动争议的程序有哪些？

7. 我国的社会保险有哪些内容？

三、辨析题

1. 公司是具有合资性质的企业，因此，公司法对于有限责

任公司和股份有限公司的股东人数不作任何限制。

2. 只要合同的当事人没有按照合同规定履行合同义务，就必须承担相应的违约责任。

3. 有奖销售是一种不正当竞争行为，因此必须加以制止。

4. 用人单位可以根据需要选择为劳动者投保商业保险或社会保险。

四、选择题

1. 我国公司法中所规定的公司形式包括（　　）。

A. 无限公司　　　　B. 有限责任公司

C. 股份两合公司　　D. 股份有限公司

2. 以下人员中，（　　）不得担任公司的监事。

A. 董事长　　B. 股东　　C. 经理　　D. 财务负责人

3. 上海某厂向北京某公司购买一批货物，但双方对履行地点和履行期限未作明确规定，依据合同法，以下表述正确的是（　　）。

A. 北京某公司向上海某厂交付货物，在上海履行

B. 北京某公司向上海某厂交付货物，在北京履行

C. 北京某公司可随时将货物交给上海某厂，上海某厂应无条件接受

D. 北京某公司可随时将货物交给上海某厂，但应给对方必要的准备时间

4. 甲公司与乙公司约定，由乙公司将甲公司的货物运往某地，但在运输途中，由于另一辆车的司机张某酒后驾车，与乙公司的车相撞，导致甲公司的货物全部受损，（　　）应该向甲公司赔偿货物的损失。

A. 乙公司　　　　　　B. 张某

C. 乙公司与张某共同赔偿　　D. 甲公司损失自负

5. 以下情形中，（　　）适用消费者权益保护法。

A. 农民为了生活需要购买生活用品

B. 某食品厂为了生产需要购买面粉

C. 李某为家庭装修购买装饰材料

D. 某农民为了农业生产购买农机具

6. （　　）不适用劳动法的规定。

A. 检察院的检察官　　　　B. 军人

C. 进城务工的农民　　　　D. 家庭保姆

7. （　　）社会保险项目中，由用人单位和劳动者共同承担缴费义务。

A. 养老保险　　　　　　B. 工伤保险

C. 失业保险　　　　　　D. 医疗保险

■ 基本技能训练

一、案例启示

阅读以下案例，谈谈自己的感受。

1. 赵高诉宏大房地产公司案

甲市的宏大房地产公司为开发商品房而委托张雄代为办理收购该市红星路几套民房的相关事宜。在委托代理书中写明了张雄的代理权限，其中包括与房屋所有者签订收购合同、房价的上限及张雄代理行为的佣金等内容。但是在收购过程中，宏大房地产公司发现张雄私下与一些房屋所有者进行了损害自己利益的交易，于是终止了张雄的代理权，但没有对此事进行公告。张雄不服，决定报复。于是又以宏大房地产公司的名义与赵高签订了一份收购合同。该合同的签订符合合同成立的要约承诺的过程。赵高是赵建的儿子，但红星路房屋的所有权却是赵建的。赵高是因房价诱人，才擅自与张雄签订该合同的。赵建得知后非常生气，因心脏病发作死亡。之后，赵高继承了赵建的全部财产。这时，赵高已经将该房屋中的所有家具搬出，等待宏大房地产公司支付收购费。但迟迟也不见其有所行动，于是便到宏大房地产公司处询问。该公司告知赵高，张雄在签订合同时已没有代理权，合同根本不成立。赵高不服，认为宏大房地产公司没有告知自己此事，合同是成立且有效的，应对自己的损失承担赔偿责任，于是向法院起诉。

本案涉及效力待定的合同。赵高签订合同时，尚未取得房屋的所有权，其所签订的合同是无处分权人处分他人财产而订立的合同。在赵建去世，赵高继承其全部财产后，赵高对该房屋才享有了所有权，此时，这份合同才发生效力。另外，合同法规定，"行为人没有代理权、超越代理权或者代理权已经终止后以被代理人名义订立的合同，相对人有理由相信行为人有代理权的，该代理行为有效"。该条是对表见代理的规定，表见代理制度是为保护善意相对人的利益而设立的。赵高在签订合同时并不知道张雄的代理权已经被终止了，因此张雄与赵高签订的收购房屋的合同应该对宏大房地产公司有约束力。

（资料来源：张能宝主编：《2004 年国家司法考试应试指导——案例分析专题例解》，法律出版社，2004 年版）

2. 某中外合资鞋业有限公司拟设立一家分厂，1997 年开始分厂的基建工作，1998 年 6 月，在分厂建设即将完工的时候，鞋业公司开始招收和培训新员工。秋某等 50 人与该公司签订了 5 年的劳动合同，约定合同从 1998 年 10 月开始执行。在合同签订后，公司对秋某等 50 名新员工进行了为期 20 天的培训。但是在 9 月份该公司因厂房的建设质量问题与建筑公司之间产生了争议，致使分厂的建设停工。到了 10 月份，秋某等 50 人要求到公司上班，而鞋业公司与之商议，想要解除合同，遭到秋某等人的拒绝。在这种情况下，鞋业公司单方面发出通知，宣布解除公司与秋某等人的劳动合同。秋某等人不服，遂提起劳动争议仲裁申请。

本案涉及用人单位单方面解除劳动合同的问题。劳动法规定，劳动合同订立时所依据的客观情况发生重大变化，致使原劳动合同无法履行，经当事人协商不能就变更劳动合同达成协议的，用人单位可以单方面解除劳动合同，但是，应当给劳动者以一定的经济补偿。此案经劳动争议仲裁委员会调解，秋某等人与鞋业公司达成如下协议：

（1）解除双方的劳动合同。

（2）鞋业公司补偿秋某等人每人 1000 元人民币。

（资料来源：王先林、李坤刚编著：《劳动和社会保障仲裁与诉讼》，法律出版社，2002 年版）

二、案例分析

1. 甲、乙两人互发 E-mail 协商洽谈合同。4 月 30 日甲称："我有笔记本电脑一台，配置为……九成新，8000 元欲出手"。5 月 1 日乙回电称："东西不错，7500 元可要。"甲于 5 月 2 日回复："可以，5 月 7 日到我这里来取。"乙于 5 月 4 日回电："同意。"甲、乙两人分别居住在 A 地和 B 地。5 月 7 日乙到甲处取电脑，发现甲的电脑运行速度明显比正常的慢，比约定的标准差得多，自己无法使用，便拒绝接受，甲遂降低价格，以 3000 元出手，乙同意。甲的电脑上本来染有病毒，但甲不知情。当乙问甲电脑上有没有病毒是否需要杀毒时，甲说使用多年从未感染上病毒。结果，乙在使用电脑时病毒发作，硬盘被锁死，整台电脑报废。

请回答：

（1）在甲、乙互发的电子邮件中，哪几个构成要约？哪个构成承诺？

（2）假设乙发现甲的电脑比约定的标准差得多后，拒绝购买，甲也不同意降价，双方遂解除合同。则乙往返于 A 地和 B 地的费用应由谁来承担？

（3）甲是否应当承担电脑报废给乙造成的损失？

2. 王某系职业高中毕业生，分到某合资饭店工作，并与饭店正式签订了为期 2 年的劳动合同。在劳动合同终止前一个月，王某就合同到期后不再与饭店续订一事向饭店提出了请求，饭店人事部负责人表示同意并答复王某一个月后来办手续。一个月后，王某持接收单位的商调函要求办理调离手续时，人事部负责人却突然提出："要调走可以，但必须交齐后 3 年的培养费 1200元，然后才给办理调动手续。"王某认为，与饭店签订的是 2 年的劳动合同，自己既没有经过饭店培训，也没有提前解除合同，饭店收取培养费是非法的。人事部负责人出示了《饭店员工须知》，其中第 18 条规定"凡到饭店工作的人员至少应服务 5年……"，并指出：王某与饭店签订的 2 年劳动合同虽然已经到期，但至少还应与饭店续签 3 年的劳动合同，如果王某不再续签合同，则应赔偿饭店培养费 1200 元。无奈之下，王某向劳动争议仲裁委员会提出申诉，要求给予公正处理。

请回答：

（1）《饭店员工须知》第 18 条的规定对王某是否有约束力？

（2）王某能否终止与饭店的劳动合同？

（3）王某是否负有向饭店支付培养费的义务？

3. 张某带着孩子到离家不远的一个超市去购物。因孩子吵闹，张某无心挑选货物，便空手离开超市。经过出口时，超市的一个保安叫住了她，问她是否拿了超市的商品而没有付款，张某予以否认。该保安不信，要检查她的衣兜，张某强忍怒气，自己将衣兜翻了过来。保安从她身上没有发现超市的物品还不罢休，又伸手去检查孩子的身体。张某怒不可遏，拉着该保安人员去工商行政管理部门讨还公道。

请回答：

（1）张某的什么权利受到了侵害？

（2）张某可以通过哪些途径保护自己的权利？

（3）工商行政管理部门依法可以对超市给予怎样的行政处罚？

三、举例说明

1. 举出发生在身边的一起合同纠纷，运用合同法原理，说说你对纠纷的处理意见。

2. 找出生活中一些侵犯消费者权益的例子，从中总结出消费者维护自己合法权益的方法。

3. 就当前普遍存在的拖欠农民工工资的现象，从劳动法的角度，谈谈你的看法。

■ 实践技能操作

1. 模拟买卖合同的双方当事人，经过谈判签订一份买卖合同。

2. 到劳动争议仲裁委员会旁听一次劳动争议的仲裁活动。

第五章 刑事法律制度

学习目标

通过本章学习，你应该达到以下目标：

■ 知识目标：掌握有关犯罪和刑罚的基本内容，了解常见的几种犯罪行为及其法律后果。

■ 技能目标：能够根据刑法的基本理论和有关法律规定，分析某种行为是否构成犯罪，以及应承担的刑事责任。

第一节 刑法概述

刑法的概念

刑法是规定犯罪与刑罚的法律规范的总和。"刑法"一词有广义和狭义之分。狭义的刑法是指刑法典，即国家以刑法名称颁布的系统规定犯罪及其法律后果（主要是刑罚）的法律。广义的刑法包括刑法典、单行刑法与附属刑法。单行刑法是国家以决定、规定、条例等名称颁布的规定某一类犯罪及其后果或者刑法的某一事项的法律。附属刑法是指附带规定于经济法、行政法等非刑事法律中的罪刑规范。

刑法具有与其他法律不同的特点：一是从内容上看，刑法是规定犯罪与刑罚的法律规范，而其他法律规定的都是一般违法行为及其法律后果。二是从强制性上看，一般的部门法对一般的违法行为也适用强制性方法，但其严厉程度轻于刑法所规定的刑罚。三是从与其他法律部门的关系上看，刑法具有补充和保障作用。其他法律调整的社会关系和保护的合法权益，都借助于刑法的调整和保护。

新中国第一部统一的刑法是第五届全国人民代表大会第二次会议于 1979 年 7 月 1 日通过的《中华人民共和国刑法》。此后又陆续制定了一些单行刑事法律。第八届全国人民代表大会第五次会议于 1997 年 3 月 14 日通过议案对这部刑法进行了修订，自 1997 年 10 月 1 日起施行，这是一部符合我国国情的、统一的、比较完备的刑法典。

刑法的基本原则　　　　我国刑法的基本原则包括：罪刑法定原则、平等适用刑法原则、罪刑相当原则。

1. 罪刑法定原则

罪刑法定原则的基本含义是："法律无明文规定不为罪"、"法律无明文规定不处罚"。刑法第 3 条规定："法律明文规定为犯罪行为的，依照法律定罪处刑；法律没有明文规定为犯罪行为的，不得定罪处刑。"即是说，哪些行为是犯罪，应当处以怎样的刑罚，都应当以事先有明文规定的为限；刑法未规定禁止的行为就不能认为是犯罪，刑法未规定应当使用的刑罚就不能判处。

如刑法明确规定了什么行为是犯罪，哪些行为是犯罪，承担刑事责任应当具备的构成要件，刑罚的种类、名称和具体运用的原则，各种具体犯罪的构成要件及量刑幅度，并且要求在认定犯罪、区别罪与非罪的界限及处理犯罪时，必须严格依照刑法的有关规定办理，这些都是罪刑法定原则的重要体现。

2. 平等适用刑法原则

刑法第 4 条规定："对任何人犯罪，在适用法律上一律平等。不允许任何人有超越法律的特权。"即对任何人犯罪，不论其民族、种族、性别、职业、财产状况、教育程度、居住期限、宗教信仰有何差别，也不论其家庭出身、本人成分、社会地位、政治历史有何不同，在适用法律进行定罪、量刑和行刑时都必须一律平等，决不允许任何人有超越法律的特权。

3. 罪刑相当原则

罪刑相当原则又称罪刑相适应原则，或称罪刑相称原则。刑法第 5 条规定："刑罚的轻重，应当与犯罪分子所犯罪行和承担的刑事责任相适应。"这一规定准确地揭示了罪刑相当原则的基本内涵，在确定刑罚时既要与犯罪性质相适应，又要与犯罪情节相适应，还要与犯罪人的人身危险性相适应。在行刑时，应合理地运用减刑、假释等制度。罪刑相当原则既是刑法的制定所必须遵守的基本准则，也是刑法的适用所必须遵守的基本准则。

第二节　犯　罪

1. 犯罪的概念

犯罪是指危害社会，依法应当受到刑罚惩罚的行为。

犯罪的概念
与特征

刑法第 13 条规定："一切危害国家主权、领土完整和安全，分裂国家、颠覆人民民主专政的政权和推翻社会主义制度，破坏社会秩序和经济秩序，侵犯国有财产或者劳动群众集体所有的财产，侵犯公民私人所有的财产，侵犯公民的人身权利、民主权利和其他权利，以及其他危害社会的行为，依照法律应当受到刑罚处罚的，都是犯罪，但是情节显著轻微危害不大的，不认为是犯罪。"这是刑法对犯罪所下的定义。

2. 犯罪的特征

从上述的犯罪定义可以看出，犯罪具有以下三个基本特征：

（1）具有社会危害性。犯罪是一种行为，而不是单纯的思想活动，单纯的思想活动不能构成犯罪。同时，犯罪行为必须具有社会危害性，即对国家和人民造成或者可能造成一定的危害。不具有社会危害性的行为，不能认为是犯罪。而且，这种社会危害性还必须达到一定的程度。某种行为虽然具有社会危害性，但是情节轻微危害不大，也不认为是犯罪。行为社会危害性的有无和大小，是认定犯罪，区分罪与非罪界限的根本依据。因而，这一特征是犯罪最基本的、具有决定意义的特征。

（2）具有刑事违法性。行为的社会危害性表现在法律上就是违法性，但违法行为多种多样，并非都是犯罪，只有触犯刑法的行为才是犯罪。行为的社会危害性是刑事违法性的实质根据，刑事违法性则是行为的社会危害性的法律表现，二者具有密切的联系。行为只有既具有社会危害性，又具有刑事违法性，才能被认定为犯罪。

（3）具有应受刑罚惩罚性。各种违法行为，由于其社会危害程度不同，国家对之采取的强制手段也不相同。例如，民事违法行为、违反治安管理的行为，由于其社会危害性尚未达到应受刑罚处罚的程度，因而国家只在民法中或行政法中规定给予民事处分或者行政处罚。刑罚是国家强制手段中最严厉的一种，某一行为只有当它的社会危害性比较严重，需要采用严厉手段加以制裁时，国家才在刑法中定为犯罪，处以刑罚。行为的应受刑罚惩罚性是行为的社会危害性和刑事违法性的法律后果，是前二者派生的特征。

犯罪构成　　犯罪的一般概念是从行为的社会、政治本质上说明犯罪是一种什么样的行为，它本身应该具备哪些基本属性，并且据此从原则上把犯罪与其他社会行为，如一般的违法行为等区别开来。它解决了所有犯罪的共同的基本属性问题。但犯罪的一般概念还不能提供识别某种行为是否是属于危害社会的、依照法律应当受刑罚的行为的具体标准，要掌握这些具体标准，必须掌握犯罪构成。

犯罪构成是指依照刑法的规定，确定某种行为构成犯罪所必须具备的主观要件和客观要件的总和。

每一个犯罪构成都包括四个方面的要件，即犯罪客体、犯罪的客观方面、犯罪主体、犯罪的主观方面。一个人的行为，必须同时具备这四个方面的要件，才能被确定为犯罪。如果缺少任何一个方面的要件，就不构成犯罪，从而也就不能使行为人负刑事责任。所以，犯罪构成是刑事责任的基础。

【补充资料】

犯罪构成的概念和犯罪的概念之间的关系

犯罪的概念解决的是犯罪的一般属性问题，即回答什么是犯罪和一切犯罪都具有的基本特征。犯罪构成的概念则是解决犯罪的标准问题，即回答某种行为必须具备哪些必要的条件才能构成犯罪。犯罪概念是犯罪构成的基础，犯罪构成是犯罪概念的具体

化。离开了犯罪的基本特征，就谈不到犯罪构成的问题；离开了
犯罪构成，离开了具体的犯罪标准，就无法划清罪与非罪的界
限，也无法认定某一行为所构成的犯罪的性质，以及此罪与彼罪
的区别。

1. 犯罪客体

犯罪客体是指为刑法所保护的而为犯罪行为所侵犯的社会主
义社会关系。

犯罪客体是一种社会关系。社会关系是人们在社会生产和共
同生活的过程中所形成的相互之间的关系。如政治关系、经济关
系、家庭婚姻关系、友谊关系等。但并非所有的社会主义社会关
系都是可以成为犯罪客体。可以成为犯罪客体的只是受刑法所保
护的那一部分社会主义社会关系。但受刑法保护的社会主义社会
关系的本身并不是犯罪客体，只有当它受到犯罪行为侵犯时，它
才成为犯罪客体。

按照犯罪行为所侵犯的社会主义社会关系范围的不同，犯罪
客体可分为一般客体、同类客体和直接客体。

（1）一般客体。指一切犯罪行为所共同具有的客体，它反映
一切犯罪的共同本质。在我国，犯罪的一般客体就是我国刑法所
保护的社会主义社会关系。

（2）同类客体。指某一类的犯罪行为所共同具有的客体，它
反映该类犯罪的内在本质。刑法分则把犯罪分为 10 类，就是根
据犯罪的同类客体划分的。如危害国家安全罪（如投敌叛变罪、
间谍罪、叛逃罪等）的同类客体是国家的安全。危害公共安全罪
（放火罪、决水罪、投放危险物质罪等）的同类客体是社会的公
共安全，即不特定的多数人的生命、健康、重大公私财产以及社
会、工作、生产的安全。

（3）直接客体。指各个具体的犯罪行为所特有的客体，它反映具体犯罪的特殊本质，是区分此罪与彼罪的主要根据之一。例如人身权利是同类客体，而人身权利中又包括生命权利、健康权利、名誉权利等，杀人罪侵害生命权，伤害罪侵害健康权，侮辱罪侵犯名誉权。这三种罪的直接客体不同。

【补充资料】

犯罪客体和犯罪对象的区别

甲想杀死乙，一天晚上，甲看见前面走着一个人，以为是乙，就开枪把那人打死了，但走近一看不是乙而是丙。而丙与甲互不相识，甲并不想打死丙。对丙之死，应定甲是故意杀人罪还是过失杀人罪？

此案中犯罪对象实际上是丙而不是甲预期的乙，但从刑法上看对故意杀人罪而言，被害人是乙还是丙并没有区别，二者在法律上价值是一样的，所侵害的客体都是公民的生命权利，因此应构成故意杀人罪。

犯罪对象是指犯罪所指向的具体的人或物，它与犯罪客体有什么区别？

第一，犯罪客体是一定的社会关系，而犯罪对象本身并不是社会关系。

第二，犯罪客体是任何犯罪构成的必要条件，犯罪对象则并非每一犯罪都具有。如偷越国（边）境罪行为所侵犯客体是我国的国（边）境的管理秩序，但本罪并不具有犯罪对象。

第三，任何犯罪都会使犯罪客体受到损害，而犯罪对象则不一定受到损害。如甲将乙的电脑偷走了，乙的所有权受到了侵犯，但电脑本身并未遭受破坏，只是转移了占有关系。

第四，同一犯罪客体可以由不同的犯罪对象体现出来，同一犯罪对象也可以体现不同的犯罪客体。前者如盗窃罪，体现犯罪客体的犯罪对象可以是人民币，也可以是其他具体的物品。后者如盗窃国家仓库中存放的电线和盗窃正在用于通讯的电线，犯罪对象都是电线，但是犯罪客体一为国家财产所有权，另一为公用电信设施方面的公共安全。

2. 犯罪的客观方面

犯罪的客观方面，是指犯罪活动的客观外在表现。表明犯罪活动客观外在表现的事实特征有：危害行为，危害结果，犯罪的时间、地点、方法等。危害行为是任何犯罪构成必须具备的必要要件，其他都是犯罪构成的选择要件，其中危害结果是大多数犯罪构成的必要要件。因而犯罪的客观方面主要是指危害行为和危害结果。

（1）危害行为。危害行为是指人在自己的意识和意志的支配下所实施的危害社会的，为刑法所禁止的行为。任何犯罪，必须是一种危害行为，没有危害行为，就没有犯罪可言。我国法律不承认所谓"思想犯罪"。这是因为仅仅是思想而没有行为，是不可能产生危害社会的结果的。

以危害行为的基本表现形式为标准，危害行为可分为作为和不作为。作为是指用积极的行动实施为刑法所禁止的行为，如抢劫、盗窃、侮辱、诽谤等。不作为是指负有履行特定义务的人，能够履行该种义务而不履行从而构成犯罪的行为，如遗弃罪。

（2）危害结果。危害结果是指危害行为对刑法所保护的社会主义社会关系所造成的实际损害。危害结果是否发生，对于过失犯罪而言，是区分罪与非罪的标准；对于故意犯罪而言，在一般情况下，是区分犯罪既遂和未遂的标准。但也有一些故意犯罪，只要实施了某种危害行为，就构成犯罪既遂，而不管其结果是否发生，如煽动颠覆国家政权罪、诽谤罪等。

（3）因果关系。当危害结果发生后，要使某人对这一结果负刑事责任，就必须查明某人的行为同这一结果之间是否具有因果关系。刑法中的因果关系，是指人的危害行为与其所产生的危害结果之间内在的、合乎规律的联系，它是使行为人承担刑事责任的前提条件。但还须注意，即使在客观上发生的损害结果同行为人的行为具有因果关系，如果行为人在主观上没有故意或过失，也不能要求行为人对这一结果负刑事责任，否则将导致"客观归罪"的错误。

3. 犯罪主体

犯罪主体是指实施犯罪行为，依法应对自己的行为承担刑事责任的人或单位。

（1）自然人作为犯罪主体，即达到刑事责任年龄，具有刑事责任能力，实施了犯罪行为的自然人。刑法对刑事责任能力作了规定（见表5－1）。

在某些犯罪中，犯罪主体除了必须具备一般的条件外，还必须具有某种特定的身份。只能由具有特定身份的人才能构成的犯罪主体，称为特殊主体，如伪证罪的主体只能是证人、鉴定人、记录人、翻译人。

此外，醉酒的人犯罪应当负刑事责任。

（2）单位作为犯罪主体。即为牟取本单位的非法利益，由单位负责人或经单位集体讨论决定，实施了刑法明文规定的单位犯罪的公司、企事业单位、机关团体。

刑法对单位犯罪实行两罚的原则，即对单位判处罚金，并对其直接负责的主管人员和其他直接人员判处刑罚。

表 5－1　　　　　　　　　自然人的刑事责任能力

项　目	人员范围	责任范围	处罚原则
完全刑事责任能力	除下列各类人员以外其他所有人员	所有犯罪	依刑法分则确定
完全无刑事能力	1. 未满 14 周岁的人；2. 因精神病而不能辨认或者控制自己行为的人	无刑事责任，但可责令家长加以管教	无处罚
相对刑事责任能力	已满 14 周岁不满 16 周岁的人	犯故意杀人、故意伤害致人重伤或者死亡、强奸、抢劫、贩卖毒品、放火、爆炸、投毒罪的，应当负刑事责任	1. 应当从轻或减轻处罚；2. 不适用死刑（包括死缓）
减轻刑事责任能力	已满 16 岁不满 18 周岁的未成年人	所有犯罪	可以从轻或减轻处罚
	尚未完全丧失辨认或控制自己行为能力的精神病人		可以从轻或减轻处罚
	1. 又聋又哑的人；2. 盲人		可以从轻、减轻或免除处罚

4. 犯罪的主观方面

犯罪的主观方面是指犯罪主体对其行为可能引起的危害社会的结果所持的故意或者过失（二者可以合称为罪过）的心理状态，是刑法规定成立犯罪所必须具备的要件。

（1）故意。故意是指明知自己的行为会发生危害社会的结果，却希望或者放任这种结果发生一种心理状态。故意有两种：直接故意和间接故意。

直接故意是一种行为人明知自己的行为必然或可能发生危害社会的结果，却希望这种结果发生的心理态度。例如，某甲想杀死某乙，他明知用匕首刺入某乙心脏会引起某乙死亡的结果，却在希望这种结果发生的心理状态下实施了这一行为，某甲的杀人行为就属于直接故意。故意犯罪绝大多数是直接故意。

间接故意是行为人明知自己的行为可能发生危害社会的结果，却放任这种结果的发生。例如，某甲在夜间潜入某仓库窃取财物后，纵火灭迹。他明知仓库管理员某乙在仓库内睡觉，火起后可能被烧死，但他在放任这一结果发生的心理状态下，放火把仓库烧了，结果某乙被烧死。某甲的杀人行为就属于间接故意。

不论直接故意还是间接故意，行为人都明知自己的行为会发生危害社会的结果。所不同的是，前者希望结果的发生，后者则放任结果的发生。由于二者主观心理状态上的这种差别，它们的危害程度也就可能有所不同。一般说来，直接故意犯罪比间接故意犯罪的危害性要大。

（2）过失。过失是指应当预见自己的行为可能发生危害社会的结果，因为疏忽大意而没有预见，或者已经预见而轻信能够避免，以致发生这种结果的心理状态。过失有两种：

一种是疏忽大意的过失，是行为人应当预见自己的行为可能发生危害社会的结果，因为疏忽大意而没有预见，以致发生这种结果。例如，某甲是铁路扳道工，在调车作业完毕后，一时粗心，没有把线内的道岔恢复定位，以致后一次列车驶入异线，与其他机车碰撞。某甲的犯罪行为就属于疏忽大意的过失犯罪。

另一种是过于自信的过失，是行为人已经预见到自己的行为可能会发生危害社会的结果，但是轻信能够避免，以致发生危害结果。例如，汽车司机某甲在行人众多的马路上开车，自恃驾车技术高超，违反交通规则，超速行驶，以致撞死行人。某甲的犯罪行为就属于过于自信的过失犯罪。

过失犯罪虽然也造成危害社会的结果，但是由于过失犯罪人在主观上并没有危害社会的意图，因而在追究刑事责任时应当有别于故意犯罪。过失犯罪，法律有规定的才负刑事责任。

【案例分析】

分析伪证罪的构成

刑法第 305 条规定："在刑事诉讼中，证人、鉴定人、记录人、翻译人对与案件有重要关系的情节，故意作虚假证明、鉴定、记录、翻译，意图陷害他人或者隐匿罪证的，处三年以下有期徒刑或者拘役；情节严重的，处三年以上七年以下有期徒刑。"据此分析一下伪证罪的构成。

根据刑法的上述规定，伪证罪侵害的客体是国家的正常司法秩序和公民的人身权利。客观方面表现为在时间上必须发生在刑事诉讼过程中，即发生在刑事案件的立案、侦查、起诉、审判的过程中；从行为上看，必须有虚假的证明、鉴定、记录、翻译，且其内容必须是与案件有重要关系的情节；主体是特殊主体，即只能是刑事诉讼中的证人、鉴定人、记录人、翻译人；主观方面是故意，即有意作虚假的证明、鉴定、记录、翻译。

【小思考】

过于自信的过失和间接故意的区别

二者有相同之处，即都预见到自己的行为可能发生危害社会的结果。所不同的是，在过于自信的情况下，行为人对结果所抱的心理状态是轻信其能够避免；而在间接故意的情况下，行为人所抱的心理状态则是放任其发生的心理状态。

【补充资料】

犯罪目的、犯罪动机及二者的关系

犯罪目的是指犯罪人通过实施犯罪行为所希望达到的结果。凡是直接故意的犯罪，都有其犯罪目的，但是犯罪目的不是犯罪主观方面的必要要件而是选择要件。根据刑法的规定，只有某些犯罪才须把一定的犯罪目的作为其犯罪构成必要要件（如侵犯著作权罪须具有营利的目的）。

犯罪动机是指犯罪人实施犯罪行为的内心起因。在我国刑法中，犯罪动机也不是犯罪构成要件，犯罪动机如何，不影响犯罪成立。但是查明犯罪动机，对于确定犯罪情节的轻重，进行正确量刑，具有重要意义。例如，同为故意伤害罪，对出于义愤者的量刑，一般应轻于出于报复者的量刑。

犯罪目的和犯罪动机是两个不同的概念，不应混淆。犯罪行为可能目的相同而动机不同（如盗窃罪的目的是非法占有他人的财物，但行窃的动机各有不同，有的是为了过奢侈腐化的生活，有的则是由于生活无着落），也可能动机相同而目的不同（如同样是出于报复的动机而行凶打人，有的目的在于把人打死，有的则在于把人打伤）。

排除犯罪性的行为　　排除犯罪性的行为是指某种行为在形式上似乎具有严重的社会危害性，而实质上却是为了保护国家利益、公共利益、本人或者他人的权益而实施的对社会有益的行为，或者虽然行为对社会造成了损害结果，但是不具备犯罪构成的行为。排除犯罪性的行为不能满足犯罪构成的四个要件，无社会危害性，也无犯罪性。

1. 正当防卫

正当防卫是指为了使国家、公共利益、本人或者他人的人身、财产和其他权利免受正在进行的不法侵害，所采取的为制止不法侵害，而对不法侵害人造成损害的行为。正当防卫是与违法犯罪行为作斗争的一种方式，应予鼓励和支持，因而刑法规定，正当防卫行为不负刑事责任。

根据刑法的规定，成立正当防卫必须具备以下条件：

（1）必须是对不法侵害行为才能实行防卫（起因条件）。所谓不法侵害行为，首先是指犯罪行为，同时也包括其他违法行为，如违反治安管理的行为等。不法侵害既包括对防卫人的人身、财产和其他权利的不法侵害，也包括对国家、公共利益或者第三人的人身、财产和其他权利的不法侵害。而且，这种不法侵害必须是实际存在的，而不是出于主观的想象或者推测。对于合法的行为，不允许实行防卫。例如，对于公安机关进行的合法的拘留或逮捕，被拘留或被逮捕的人不得借口人身自由受到侵害而采取"防卫"行动。如果双方的行为都是非法的（如互相殴斗），不承认任一方有正当防卫的权利。

（2）必须是对正在进行的不法侵害行为才能实行防卫（时间条件）。对于尚未开始的侵害行为，对于已经结束的侵害行为，都不能实行正当防卫。例如，某甲正在持刀行凶，某乙正在拦路抢劫，对之都可以实施正当防卫；但如某甲只在家准备凶器，尚未着手行凶，某乙在拦路抢劫时已被抓获，在这样的情况下，就不得借口实施"正当防卫"而伤害某甲或某乙。

（3）必须是对实施不法侵害的人才能实行防卫，不允许对没有参加侵害行为的第三者（包括不法侵害者的家属）造成损害（对象条件）。正当防卫的目的在于排除不法侵害，对于没有实施不法侵害的人，并不存在排除不法侵害的问题，也就没有正当防卫可言。

（4）防卫不能过当（限度条件）。所谓防卫过当是指正当防卫明显超过必要限度而造成重大损害。防卫过当的，应当负刑事责任，但是应减轻或者免除处罚。至于对正在进行行凶、杀人、抢劫、强奸、绑架以及其他严重危及人身安全的暴力犯罪，采取防卫行为，造成不法侵害人伤亡的，则属于正当防卫而非防卫过当。

【小思考】

一天晚上，农村妇女王某独自一人在家正欲躺下睡觉，忽然想起院门没有锁上，就出门去上锁。恰巧本村青年李某路过，发现王某一人在家，便拦腰抱住王某，欲行不轨。两人在院中厮打起来，王的衣服被李撕破。惊慌中王摸到一把铁锤，顺手拿起来朝李砸去，李躲闪不及被当场砸昏，但口中仍然喘着粗气。李是本村有名的"混混"，王怕被邻居发现传出对自己的名声不好，就拿起地上被撕碎的衣服用力将李的口鼻堵住，见李不再喘粗气后才急忙跑回屋内，半小时后，王回来查看李是否已经走了，但此时李已气绝身亡。

问题：王某的行为是否是正当防卫？

2. 紧急避险

紧急避险是指为了使国家、公共利益、本人或者他人的人身、财产和其他权利免受正在发生的危险，不得已而采取的损害另一合法利益的行为。

　　紧急避险是一种有益于社会的合法行为，因而刑法规定，紧急避险行为不负刑事责任。

　　根据刑法的规定，成立紧急避险必须具备以下条件：

　　（1）必须是为了避免国家、公共利益、本人或者他人的人身、财产和其他权利受到危险而采取的（目的条件）。危险的来源可能是自然界的自发力量，如海啸、山崩、水灾、地震等，可能是动物的侵袭，可能是人的生理病理原因，也可能是人的不法侵害行为。这种危险必须是实际存在的，而不是出于主观的想象或推测。避免遭受危险的利益，必须是法律所保护的权益。为了保护非法利益，不能成立紧急避险。

　　（2）必须是正在发生危险情况下采取的（时间条件）。对已经过去的或者尚未到来的危险，都不能实施紧急避险。

　　（3）必须是不得已而采取的（限制条件）。就是说，所采取的行动，在当时情况下是唯一能够避免危险的行动。如果尚有其他的方法可以避免危险，就不能采取紧急避险的行为。

　　（4）紧急避险不能过当（限度条件）。所谓紧急避险过当，是指紧急避险超过必要限度而造成不应有的损害。紧急避险过当的，应当负刑事责任，但是应当减轻或者免除处罚。

　　（5）主体必须是不属于法律上有特殊规定的人员（主体条件）。根据刑法的规定，在职务上、业务上负有特定责任的人，不得因避免本人的危险而实行紧急避险。如正在救火的消防队员，负有灭火的特定责任，不得借口避免烈火烧身而逃离火灾现场。

【小思考】

分析以下两个案例是否属于紧急避险

（1）货轮在海上航行，突然遭遇飓风，为了加快航速，尽快脱离险区，在不得已的情况下，船长下令把部分货物投到海里。

（2）外出经商的甲与乙在某宾馆住宿时，宾馆突然发生火灾，火势极其猛烈。甲、乙得知这一消息后，急忙穿衣逃命。乙因年迈体弱，行动不便，甲快速奔跑，将乙撞倒，致其头破血流，当场昏厥，不治而亡。

提示：刑法上的紧急避险行为并没有要求行为人只能以积极的行为方式实施，只要行为人为了保全合法利益而损害另一合法利益时，都能构成紧急避险行为。但由于在本案中行为人的保全利益小于所损害的利益，因此作为紧急避险过当是合理的。

故意犯罪过程中的犯罪形态　　故意犯罪过程中的犯罪形态，是指在故意犯罪过程中可能实现的、能够构成犯罪的、实现犯罪程度不同的几种状态。一个人产生犯罪意图后，往往要作一些必要的准备，然后再动手实行，最后完成预期的犯罪。例如为了抢劫银行，首先准备了手枪、头罩等工具，又查看了地形，想好了逃跑路线。然后开始抢劫银行现金，并迅速逃离现场。但并不是每个犯罪分子都必须经过这样的过程。有的可能在准备阶段被人发现，有的可能发觉银行警卫增多而放弃了。在刑法上把在故意犯罪过程中可能出现的、能够作为惩罚基础的犯罪形态归结为犯罪预备、未遂、中止和既遂几个方面。

1. 犯罪既遂

犯罪既遂是指已经着手实施犯罪，并且具备了刑法分则规定的某一犯罪的全部要件。如杀人犯把被害人杀死了，则具备了刑法规定的故意杀人罪的全部要件，是故意杀人罪既遂。

【小思考】

有人说犯罪分子达到了犯罪目的，就是既遂，也有人说造成了犯罪结果就是既遂。你同意这种说法吗？

提示：犯罪既遂是以是否具备刑法所规定的某一犯罪的构成要件为标准的。而犯罪构成中，犯罪目的和犯罪结果并不是必备的要件，因此上述说法并不正确。例如，甲将一块巨石放在铁轨上，企图使火车倾覆。幸亏火车司机发现及时，紧急刹车才避免了火车脱轨事故的发生。则甲构成破坏交通设施罪。虽然火车并未被巨石撞毁，甲的犯罪目的并未达到，犯罪结果也未出现，但甲的行为已经足以使火车有倾覆的危险。根据刑法分则的规定，符合破坏交通设施罪的构成要件，是犯罪既遂。

2. 犯罪预备

犯罪预备是指为了犯罪，准备工具，制造条件，但由于行为人意志以外的原因而未能着手实行犯罪的情形。

例如，甲为了炸毁桥梁，准备了炸药包和雷管，但被邻居发现并报警。则甲的行为是爆炸罪的预备。甲已经为犯罪准备了工具，但还未着手实行犯罪，即因意志以外的原因而被抓获。

对于预备犯可以比照既遂犯从轻、减轻或者免除处罚。

【小思考】

张某与朋友聊天说，我现在生活比较困难，想到银行去弄点钱花。但张某说完后，并未去进行具体的准备活动。张某的行为是否是犯罪预备？

3. 犯罪未遂

刑法第23条规定：已经着手实行犯罪，由于犯罪分子意志

以外的原因而未得逞，是犯罪未遂。据此犯罪未遂应具备以下
条件：

（1）已经着手实行犯罪。就是行为人已经开始实行刑法分则
条文规定的某种犯罪构成要件的行为。如杀人犯已经举起砍刀对
准了受害人，投毒者已将毒药放进了被害人的食物中，这些行为
都已经指向并危及了直接客体的安全，并可以直接造成犯罪结果，
明显反映出罪犯的犯罪意图，属于已经着手实行犯罪。若拿起刀
出门在路边守候被害人或在院子中磨刀准备杀人则属于犯罪预备。
是否已经着手实行犯罪，是犯罪未遂和犯罪预备的根本区别。

（2）由于犯罪分子意志以外的原因，犯罪未得逞。即犯罪分
子未完成犯罪，其犯罪行为没有具备刑法分则规定的某一犯罪构
成的全部要件。其原因不是犯罪分子自愿，而是犯罪分子意志以
外的原因，如受害人的反抗、第三人的阻止、对犯罪事实判断错
误、罪犯本人能力的限制、自然力的阻止等。

刑法第 23 条第 2 款规定：对于未遂犯，可以比照既遂犯从
轻或减轻处罚。

【小思考】

分析下列情况是否属于犯罪未遂

（1）甲潜入银行金库，但由于无法打开保险柜，只好空手
而归。

（2）甲正在撬住户的房门，忽然听到警车鸣叫，以为是来抓
自己，慌忙逃走。但跑到街上一看，原来是救护车。

（3）行为人为杀死被害人，将其打昏，并拖入河中，以为被
害人必定会被淹死，但恰好有人路过将其救起。

（4）甲想害死乙，在乙的饭里放了毒药，但乙发现饭有异味
而没有吃。

4. 犯罪中止

刑法第 24 条规定：在犯罪过程中，自动放弃犯罪或自动有效地防止犯罪结果发生的，是犯罪中止。

中止犯与未遂犯都是没有把犯罪完成。但未遂犯只能发生在着手实施犯罪之后，而犯罪中止可以发生在犯罪预备和着手实施的过程中；犯罪未遂是被迫的，而犯罪中止是自动地防止了犯罪结果的发生。

犯罪中止有四个特点：

（1）时间性。即中止行为必须发生在"犯罪过程中"，也就是犯罪预备或着手实施过程中，如犯罪已经既遂，犯罪结果已经产生，则一般不发生中止问题。

（2）自动性。即在犯罪分子自己认为有可能把犯罪完成的情况下，自动而不是被迫地停止下来。其原因可能是悔悟、同情被害人、害怕受到惩罚等。

（3）有效性。就是由于犯罪分子的自动中止，而有效地防止了犯罪结果的发生。

（4）彻底性。犯罪分子彻底打消了继续或再次侵犯这一客体的意图。

根据刑法第 24 条规定：对于中止犯，没有造成损害的，应当免除处罚；造成损害的，应当减轻处罚。

故意犯罪过程中的各种停止形态见图 5—1。

【小思考】

下列情况是否属于犯罪中止

（1）甲与乙有仇，便拿刀去杀乙，在半路上想来想去，若真将乙杀死，自己也可能活不成，于是决定不再杀乙。但乙当天并未在家，甲不可能杀死乙。

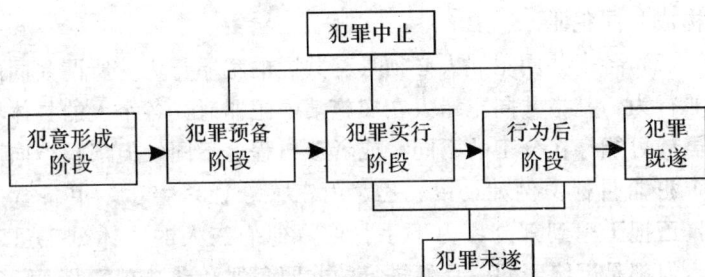

图5-1 故意犯罪过程中的各种停止形态

（2）甲见邻居家没人，就入室将其三万元现金偷走。但偷完后又后悔，感觉邻居一定会怀疑是自己所为，又偷偷将钱送回去。

（3）甲、乙是夫妻，因生活琐事经常吵架，甲觉得生活没有意思，就想自杀。于是买来两包药放在饭中，想先让乙吃下后自己再吃。乙吃完后药性发作，非常痛苦，甲后悔，立即送乙去医院抢救，乙还是不治而亡。

共同犯罪

共同犯罪是指两人以上的共同故意犯罪。

共同犯罪，较之单独一人犯罪，具有更大的社会危害性，是我国刑法打击的重点。构成共同犯罪，除了需要具备犯罪的一般特征外，还必须具有共同犯罪的主客观要件。

1. 共同犯罪的构成条件

（1）犯罪主体必须是两个或者两个以上的达到刑事责任年龄、具有刑事责任能力的人。单个人实施犯罪不可能是共同犯罪，共同实施危害社会的行为虽然是两个人或者两个人以上，如果其中只有一人是达到刑事年龄、具有刑事责任能力的人，也不能构成共同犯罪。

　　(2) 各个共同犯罪人必须具有共同的犯罪行为。所谓共同的犯罪行为，是指共同犯罪人在实施某一犯罪时，各个人的具体活动虽然可能存在分工的不同，或者参与程度不同，但都是指向同一个犯罪目标。例如，甲、乙、丙三人合谋杀害丁，甲备置凶器，乙把丁骗到郊外，丙下手行凶，他们三人的具体分工虽不同，但都是围绕着同一目标进行的共同犯罪活动。在已发生危害结果的情况下，每个犯罪人的行为都须与危害结果之间存在因果关系，都须是危害结果发生的原因的一部分。共同犯罪人的共同犯罪行为，可以表现为共同的作为或者共同的不作为。也可以表现为作为与不作为的结合。

　　(3) 各个共同犯罪人必须具有共同的犯罪故意。所谓共同的犯罪故意，是指：①每一个共同犯罪人都认识到不是一个人单独实施犯罪，而是数个人共同实施犯罪。②每一个共同犯罪人都认识到共同犯罪行为的性质以及共同犯罪行为可能引起的危害社会的结果。③每一个共同犯罪人都希望或者放任共同犯罪行为所引起的危害社会结果的发生。

　　正因为构成共同犯罪必须具有共同的犯罪故意，所以下列三种情况不属于共同犯罪：①同时犯罪。即两人或者两人以上在同一场合实施同一性质的犯罪，但是每个人是以其各自单独的犯罪故意实施犯罪。②共同过失犯罪。即两人或者两人以上共同过失地造成了同一危害社会的结果。刑法规定，两人以上共同过失犯罪，不以共同犯罪论处；应当负刑事责任的，按照他们所犯的罪分别处罚。③单方故意犯罪。即实施犯罪的人是出于故意，而给予帮助的人或者引起犯罪意思的人是出于过失；或者实施危害社会行为的人是出于过失，而给予帮助的人或者引起犯罪意思的人是出于故意。

【小思考】

如何判断共同犯罪

（1）司机甲开车不慎把一个行人撞倒在地，司机乙开车时精力不集中，未发现前方有人被撞倒，等发现时已来不及刹车，车从那个人身上轧过，造成该行人死亡。二人是否构成共同犯罪？

（2）一个仓库保管员值班时忘记锁上仓库大门，就离开了仓库。甲从此经过，见有机可乘，便进入库房盗窃。正在此时乙也经过这里，见这种情况，也进去偷东西。甲、乙二人互不帮忙，偷完后各自离去。二人是否构成共同犯罪？

（3）甲、乙、丙三人共同预谋去某仓库盗窃，甲、乙将赃物装上车先走，由丙断后。丙离开仓库时忽然一时兴起，将烟头扔到了仓库里的一堆乱纸上，引起一场大火，使仓库中的物资受到严重损失。此案中盗窃罪、放火罪是否为共同犯罪？

2. 共同犯罪的形式

共同犯罪的形式，是指共同犯罪人之间的相互关系或相互联系。在刑法理论中，可以从不同的角度，用不同的标准，将共同犯罪的形式作不同的划分。

（1）事先无通谋的共同犯罪和事先通谋的共同犯罪。这是以共同的犯罪故意形成的时间为标准所作的划分。

事先无通谋的共同犯罪是指共同犯罪人的共同犯罪故意，不是在着手实施的犯罪以前形成的，而是在实施犯罪的过程中临时形成的。例如，某甲正在屋内行窃，某乙闯入，因系熟人，甲让乙到屋外望风，许以分赃，乙表示同意，甲、乙二人便构成共同犯罪。这种共同犯罪的形式比较少见。

事先通谋的共同犯罪是指共同犯罪人的犯罪故意，在着手实施犯罪以前就已经形成。在着手实施犯罪以前，共同犯罪人对犯罪的目标、时间、地点、方法、步骤等，曾进行过策划或商议。这是一种比较常见的共同犯罪形式，它的危害性通常要大于事先无通谋的共同犯罪。

（2）一般的共同犯罪和特殊的共同犯罪。这是以共同犯罪有无特殊的组织形式为标准所作的划分。

一般的共同犯罪是指犯罪不具有特殊组织形式的共同犯罪，各个共同犯罪人为了实施某一犯罪，事先或者临时纠合在一起，实施了这种犯罪之后，共同犯罪的形式就不复存在。

特殊的共同犯罪的组织形式就是犯罪集团。犯罪集团是指三人以上为共同实施犯罪而组成的较为固定的犯罪组织。犯罪集团所具有的特征是：①人数较多，至少有三人以上。②经常纠合在一起进行一种或者数种严重的犯罪活动，不是偶尔进行犯罪活动之后就散伙。③重要的成员固定或者基本固定，有明显的首要分子。有的首要分子是在纠集的过程中形成的，有的首要分子在纠集开始的时候就是组织者或者领导者。以首要分子为核心，集团成员结合得比较紧密。④都是有预谋地实施犯罪。⑤不论作案次数多少，对社会造成的危害和所具有的危险性都是很严重。共同犯罪是刑法打击的重点，犯罪集团又是共同犯罪中的打击重点。

3. 共同犯罪人的种类及其刑事责任

刑法按照共同犯罪人在共同犯罪中所起的作用，把犯罪人分为主犯、从犯、胁从犯、教唆犯四种，并且对这四种人规定了不同的刑事责任。

（1）主犯。凡组织、领导犯罪集团进行犯罪活动的或者在共同的犯罪中起主要作用的，是主犯。主犯包括：①在犯罪集团中或者在聚众犯罪中起组织、策划、指挥作用的犯罪分子，即首要分子。②在犯罪集团中或者在一般的共同犯罪中起主要作用的犯罪分子。在共同犯罪中，主犯可能只有一人，也可能不止一人。是否为主犯，要根据犯罪分子在共同犯罪中实际所起的作用来决定。

主犯是刑法打击的重点。刑法规定，对于主犯，应当按照其所参与的或者组织、指挥的全部犯罪处罚；对于组织领导犯罪集团的首要分子，则应当按照集团所犯的全部罪处罚。

（2）从犯。凡在共同犯罪中起次要或者辅助作用的，是从犯。从犯包括：①在共同犯罪中起辅助作用的分子。辅助作用是指为共同犯罪人实施犯罪创造方便条件，帮助实施犯罪，而不是直接参加实施犯罪的行为。例如，提供犯罪工具，指示犯罪目标或者犯罪机会，排除犯罪障碍，事先同意在事后为之隐匿罪犯、罪证或者毁灭罪证等。②在共同犯罪中起次要作用的分子。次要作用是指在犯罪集团中或者在聚众犯罪中从事一般活动，或者在一般的共同犯罪中所起的作用不大，造成的危害不重。从犯的社会危害性和人身危险性都较主犯为小，因而刑法规定，对于从犯，应当从轻、减轻处罚或者免除处罚。

（3）胁从犯。被胁迫参加犯罪的，是胁从犯。被胁迫是指受到暴力威吓或者精神强制。胁从犯虽属被胁迫参加犯罪，但毕竟具有犯罪故意和犯罪行为，因而仍应负刑事责任。如果是在身体受到强制，丧失意志自由的情况下，造成危害社会的结果，那就不构成胁从犯，不应负刑事责任。

胁从犯的社会危害性和人身危险性都较从犯为小，因而刑法规定，对于胁从犯，应当按其犯罪情节，减轻或者免除处罚。

（4）教唆犯。教唆他人犯罪的，是教唆犯。构成教唆犯的，必须具备两个要件：①在客观方面必须有教唆他人犯罪的行为，即由于这种教唆行为，使本无犯意的人产生犯意，或者使犯意不坚定的人坚定犯意。教唆行为的方式是多种多样的，可以是口头方式或书面方式，也可以是打手势、使眼色的方式；可以是当面教唆，也可以是通过他人间接教唆（即教唆的教唆）；可以是一个人教唆，也可以是数人共同教唆。②在主观方面必须有教唆他人犯罪的故意，即故意唆使被教唆人实施犯罪。过失行为不能构成教唆犯。如果被教唆人实施的犯罪超过了教唆犯的故意内容，由被教唆人对教唆犯的故意内容之外的犯罪负责。具备上述两个要件的，便构成教唆犯。至于被教唆人是否接受教唆，是否实施教唆的犯罪，并不影响教唆犯的成立。因而，教唆犯还可以成立单独的犯罪。

教唆犯的罪名，应按其所教唆的犯罪确定。关于教唆犯的刑事责任，刑法规定，对于教唆犯，应当按他在共同犯罪中所起的作用处罚；教唆不满 18 周岁的人犯罪的，应当从重处罚。如果被教唆的人没有犯被教唆的罪，对于教唆犯可以从轻或者减轻处罚。

第三节　刑　罚

1. 概念

刑罚的概念

刑罚是审判机关以国家的名义对犯罪分子实行惩罚的一种强制方法。

刑罚和犯罪是密切联系在一起的。犯罪是统治阶级确认的侵犯其阶级利益和统治秩序的行为，刑罚则是统治阶级对犯罪行为的惩罚方法。犯罪与刑罚是刑法的两个最本的内容，同犯罪一样，刑罚也具有强烈的阶级性。

表 5—2　　　　　　　　　　主刑各刑种的比较

项目	管制	拘役	有期徒刑	无期徒刑	死刑（立即执行）	死缓
适用对象	罪行较轻，人身危险性较小的刑事犯罪分子，需要给予刑事处罚但又不必关押	罪行较轻，但又必须实行短期关押的犯罪分子	既可适用罪行较轻，又可适用罪行较重的犯罪分子	罪行严重需要与社会永久隔离，又不必处死刑，判处有期徒刑不足以打击的犯罪分子	罪行极其严重，危害特别严重，情节特别恶劣的犯罪分子	罪当处死，但不是必须立即执行的犯罪分子
执行机关和场所	由公安机关会同被管制人所在地的人民群众，在其单位或居住地执行	由公安机关在拘役所执行	由监狱或看守所在监狱或看守所执行	由监狱执行	由法院在特定地点执行	由监狱在监狱等场所执行
执行待遇	劳动中实行同工同酬	劳动中酌量发给报酬，每月可回家 1～2 天	强制劳动改造，完全无偿	强制劳动改造，完全无偿		缓刑期间劳动改造，完全无偿
期限	3 个月以上 2 年以下，数罪并罚不超过 3 年	1 个月以上 6 个月以下，数罪并罚不超过 1 年	6 个月以上 15 年以下，数罪并罚不超过 20 年。死缓减为有期徒刑，也不能超过 20 年	终身		2 年考验期期满后视情况而定

2. 特征

刑罚具有下列三个不同于其他强制方法的特征：

（1）刑罚是一种最严厉的强制方法。它不仅可以剥夺被判刑罚人的政治权利、财产权利和人身自由，甚至可以剥夺其生命。刑罚强制性的严厉程度，是其他任何强制方法所不及的。

（2）刑罚只能对犯罪分子适用。对于只有一般违法行为而没有构成犯罪的人，不能适用刑罚。

（3）刑罚只能由人民法院代表国家依法判处。其他任何国家机关、团体、个人，都无权适用刑罚。

我国刑罚分为主刑和附加刑两大类。

1. 主刑

刑罚的种类

主刑是指对犯罪分子适用的主要刑罚方法。主刑只能独立适用，不能附加适用。对于犯罪分子，只能适用一个主刑，不能同时适用两个主刑，也不能在独立适用附加刑时再附加适用主刑。我国的主刑有五种，即管制、拘役、有期徒刑、无期徒刑、死刑。

（1）管制。管制是对犯罪分子不实行关押，但限制其一定的自由，交由公安机关管束和群众监督的刑罚。

管制是我国在同犯罪作斗争中创立的一个独特的刑种，它适用于罪行较轻，不需要关押的犯罪分子。管制由人民法院判决，公安机关执行。管制的期限为3个月以上2年以下，数罪并罚时最高不能超过3年。管制的刑期，从判决执行之日起计算；判决执行以前先行羁押的，羁押1日折抵刑期2日。

被判处管制的犯罪分子，在执行期间，应当遵守下列规定：①遵守法律、行政法规，服从监督。②未经执行机关批准，不得行使言论、出版、集会、结社、游行、示威自由的权利。③按照执行机关规定报告自己的活动情况。④遵守执行机关关于会客的规定。⑤离开所居住的市、县或者迁居，应当报经执行机关批准。

对于被判处管制的犯罪分子，在劳动中应实行同工同酬。执行期满，执行机关应即向本人和其所在单位或者居住地的群众宣布解除管制。

（2）拘役。拘役适用于罪行较轻而又需要短期关押的犯罪分子。拘役的期限为1个月以上6个月以下，数罪并罚时最高不能超过1年。拘役的刑期，从判决执行之日起计算；判决执行以前先行羁押的，羁押1日折抵刑期1日。

被判处拘役的犯罪分子，由公安机关就近执行，在执行期间，每月可以回家1～2天，参加劳动的，可以酌量发给报酬。

（3）有期徒刑。有期徒刑是剥夺犯罪分子一定期限的人身自由，实行劳动改造的刑罚。

有期徒刑的期限为6个月以上15年以下，数罪并罚时最高不能超过20年。有期徒刑的刑期，从判决执行之日起计算；判决执行以前先行羁押的，羁押1日折抵刑期1日。

被判处有期徒刑的犯罪分子，在监狱或者其他执行场所执行，凡有劳动能力的，都应当参加劳动，接受教育和改造。

【补充资料】

有期徒刑和拘役的区别

（1）适用对象不同。有期徒刑主要适用于罪行较重的犯罪分子，拘役只能适用于罪行较轻的犯罪分子。

（2）期限不同。有期徒刑的刑期长，起点高，幅度大；拘役的刑期短，起点低，幅度小。

(3) 执行场所不同。有期徒刑在监狱或者其他执行场所执行，拘役由公安机关就近执行。

(4) 执行期间的待遇不同。被判处有期徒刑的犯罪分子，凡是有劳动能力的，一律实行无偿的劳动改造；被判处拘役的犯罪分子，每月可以回家1～2天，参加劳动的可以酌量发给报酬。

(5) 法律后果不同。被判处有期徒刑的犯罪分子，刑罚执行完毕或者赦免以后，在5年以内再犯应当判处有期徒刑以上刑罚的罪，可能构成累犯；被判处拘役的犯罪分子，刑罚执行完毕以后再犯新罪，一般不构成累犯。

(4) 无期徒刑。无期徒刑是剥夺犯罪分子终身的人身自由，实行劳动改造的刑罚。

无期徒刑是仅次于死刑的重刑，适用于罪行特别严重但还不需要判处死刑的犯罪分子。对于判处无期徒刑的犯罪分子，均应附加剥夺政治权利终身。

被判处无期徒刑的犯罪分子，在监狱或者其他执行场所执行，凡有劳动能力的，都应当参加劳动，接受教育和改造。在执行期间，犯罪分子如果认罪伏法，遵守监规，接受教育和改造，确有悔改或者立功表现，可以依法获得减刑或者假释。在社会主义条件下，仍给予判处无期徒刑的犯罪分子以自新之路。

(5) 死刑。死刑是刑罚中最严厉的惩罚方法。从我国的情况出发，保留死刑是完全必要的，但对死刑的适用必须持非常严肃、非常谨慎的态度。我国刑法为了贯彻少杀的政策，对死刑的适用作了严格的限制性规定，其主要表现如下：

第一，对适用死刑的法定情节作了严格规定。在我国，死刑只适用于罪行极其严重的犯罪分子。

第二，对适用死刑的犯罪主体作了限制。刑法规定，犯罪的时候不满 18 岁的人和审判的时候怀孕的妇女，不适用死刑。

　　第三，规定了死刑复核制度。死刑除依法由最高人民法院判决的以外，都应当报请最高人民法院核准。死刑缓期执行的，可以由高级人民法院判决或核准。

　　第四，规定了"死缓"制度。"死缓"是死刑缓期执行的简称，即对于罪行该判处死刑但非必须立即执行的犯罪分子，可以判处死刑，同时宣告缓期 2 年执行。判处死刑缓期执行的，在死刑缓期执行期间，如果没有故意犯罪，2 年期满以后，减为无期徒刑；如果确有重大立功表现，2 年期满以后，减为 15 年以上 20 年以下有期徒刑。如果故意犯罪，查证属实的，由最高人民法院核准，执行死刑。死缓不是一个独立的刑种，而是适用死刑的一种制度。这一制度鲜明地体现出了社会主义人道主义精神，是我国刑罚制度中的一个创举。

2. 附加刑

　　附加刑是指既能附加于主刑而适用也能独立适用的刑罚方法。在附加适用时，可以同时判处和执行不止一种的附加刑。我国的附加刑有三种，即罚金、剥夺政治权利、没收财产。

　　此外，刑法还规定，对于犯罪的外国人，可以独立适用或者附加适用驱逐出境。

　　（1）罚金。罚金是强制犯罪分子或者犯罪的单位向国家缴纳一定数额金钱的刑罚。

　　罚金主要适用于贪财图利或者与财产有关的犯罪，但也可以适用于某些妨害社会管理秩序的犯罪，如妨害公务罪、逃避动植物检疫罪等。对犯罪分子判处罚金，可以附加适用，也可以单独适用。单独适用只限于罪行较轻，刑法分则规定可以单独判处罚金的犯罪；刑法分则规定附加适用的，不得单独适用。

对犯罪的单位判处罚金，只能单独适用，不能附加适用。但是单位犯罪的，除了对单位判处罚金，还要对其直接负责的主管人员和其他直接责任人员判处刑罚。

判处罚金，应当根据犯罪情节决定罚金数额，在判决指定的期限内一次或者分期缴纳。期满不缴纳的，强制缴纳。对于不能全部缴纳罚金的，人民法院在任何时候发现被执行人有可以执行的财产，应当随时追缴。如果由于遭遇不能抗拒的灾祸缴纳确实有困难的，可以酌情减少或者免除。

由于其犯罪行为使被害人遭受经济损失，应当承担民事赔偿责任的犯罪分子，同时被判处罚金，应当先承担对被害人的民事赔偿责任。

（2）剥夺政治权利。剥夺政治权利是剥夺犯罪分子参加国家管理和政治活动权利的刑罚。

剥夺政治权利的内容，包括剥夺下列权利：①选举权和被选举权。②言论、出版、集会、结社、游行、示威自由的权利。③担任国家机关职务的权利。④担任国有公司、企业、事业单位和人民团体领导职务的权利。

剥夺政治权利可以附加适用，也可以单独适用。对于危害国家安全的犯罪分子以及被判处死刑或者无期徒刑的犯罪分子，应当附加剥夺政治权利；对于故意杀人、强奸、放火、爆炸、投毒、抢劫等严重破坏社会秩序的犯罪分子，可以附加剥夺政治权利。单独判处剥夺政治权利，以刑法分则规定该种犯罪可以单独判处剥夺政治权利的为限。

单独判处剥夺政治权利的，或者判处有期徒刑、拘役附加剥夺政治权利的，剥夺政治权利的期限为1年以上5年以下。判处管制附加剥夺政治权利的，剥夺政治权利的期限与管制的期限相等；同时执行。被判处死刑、无期徒刑的犯罪分子，均应剥夺政治权利终身。死刑缓期执行减为有期徒刑的或者无期徒刑减为有期徒刑的，应把附加剥夺政治权利的期限改为 3 年以上 10 年以下。判处有期徒刑、拘役附加剥夺政治权利的刑期，从有期徒刑、拘役执行完毕之日或者从假释之日起计算。剥夺政治权利的效力应当适用于主刑执行期间。

被剥夺政治权利的犯罪分子，在执行期间，应当遵守法律、行政法规和国务院公安部门有关监督管理的规定，服从监督；不得行使被剥夺的各项政治权利。

（3）没收财产。没收财产是将犯罪分子个人所有的财产的一部分或者全部强制无偿地收归国有的刑罚。

没收财产主要适用于危害国家安全罪和情节严重的贪财图利的犯罪。

没收财产只限于没收犯罪分子个人所有的财产。属于犯罪分子家属所有或应有的财产，不得没收。没收犯罪分子全部财产的，应当对犯罪分子个人及其扶养的家属保留必需的生活费用。由于其犯罪行为使被害人遭受经济损失，应当承担民事赔偿责任的犯罪分子，同时被判处没收财产的，应当先承担对被害人的民事赔偿责任。没收财产以前犯罪分子所负的正当债务，需要以没收的财产偿还的，经债权人请求，应当偿还。

【补充资料】

没收财产和罚金的区别

（1）罚金是剥夺犯罪分子一定数额的金钱，这些金钱不一定是犯罪分子现实所有；没收财产是剥夺犯罪分子个人现有的财产，如房屋、家具、存款等。

（2）罚金可以分期缴纳；没收财产是一次没收犯罪分子个人

所有财产的一部分或全部，不存在分期没收的问题；没收财产也不同于没收犯罪物品。没收财产是一种刑罚，没收犯罪物品则是强制措施而非刑罚。

此外，刑法除了对各种刑罚作了具体规定外，还规定了下列三种非刑罚的处理方法：

（1）判处刑事损害赔偿。由于犯罪行为而使被害人遭受经济损失的，对犯罪分子除了依法给予刑事处罚外，并应根据情况判处赔偿经济损失。

（2）采取刑事教育措施。对于犯罪情节轻微不需要判处刑罚的，可以免予刑事处罚，但可以根据案件的不同情况，予以训诫或者责令具结悔过，赔礼道歉，赔偿损失。

（3）提出由主管部门给予行政处罚或者行政处分的司法建议。

非刑罚的处理方法是人民法院了结案件的一种处理方法，不是刑种，不具有刑罚的性质。但它又是对刑罚的必要补充，正确使用非刑罚的处理方法，会有助于对犯罪的预防。

1. 量刑

刑罚的具体运用

量刑是指人民法院对犯罪分子依法裁量决定刑罚的一种审判活动。

根据刑法的有关规定，对犯罪分子决定刑罚时，应当根据犯罪的事实、犯罪的性质、情节和对社会的危害程度依刑法的有关规定判处。

犯罪分子有刑法规定的从重、从轻处罚情节的，应当在法定刑的限度内判处刑罚；犯罪分子有刑法规定的减轻处罚情节的，应当在法定刑以下判处刑罚；犯罪分子虽然不具有刑法规定的减轻处罚情节，但是根据案件的特殊情况，经最高人民法院核准，也可以在法定刑以下判处刑罚。

2. 累犯

累犯是指被判处一定刑罚的犯罪人，在刑罚执行完毕或者赦免以后，在法定期限内又犯一定之罪的情况。累犯是法定从重处罚情节。

（1）一般累犯。刑法第 65 条规定，被判处一年有期徒刑以上的犯罪分子，刑罚执行完毕或者赦免以后，在 5 年内再犯应当判处有期徒刑以上刑罚之罪的，是累犯。但过失犯罪除外。这是关于一般累犯的规定。据此，累犯的成立条件包括：①前罪与后罪都是故意犯罪。②前罪是被判处有期徒刑以上的刑罚的犯罪，后罪是应当判处有期徒刑以上刑罚的犯罪。③后罪发生的时间必须在前罪所判处的刑罚执行完毕或者赦免以后 5 年之内。

（2）特殊累犯。刑法第 66 条规定：危害国家安全的犯罪分子在刑罚执行完毕或者赦免以后在任何时候再犯危害国家安全罪的，都以累犯论处。这是关于特殊累犯的规定。据此，特殊累犯成立的条件是：①前罪和后罪都是危害国家安全罪。②必须是在刑罚执行完毕或者赦免以后再犯罪。

【小思考】

一般累犯与特殊累犯在成立条件上有何不同？

3. 自首

刑法规定的自首制度适用于一切犯罪，目的在于鼓励犯罪人自动投案，悔过自新，不再继续作案。也有利于案件及时侦破与审判。自首分为一般自首和特别自首。

（1）一般自首。指犯罪以后自动投案，如实供述自己罪行的行为。自动投案是指犯罪分子在犯罪后，出于本人的意志而向有关机关或人员承认自己实施了犯罪，并自愿将自己置于有关机关或人员的控制下，等待进一步交代犯罪事实，并最终接受人民法院裁判的行为。如实供述自己的罪行，是指犯罪嫌疑人如实交代自己所犯的全部罪行。

（2）特别自首。指被采取强制措施的犯罪嫌疑人、被告人和正在服刑的罪犯，如实供述司法机关尚未掌握的本人其他罪行的行为。刑法第 67 条明文规定对这种情况"以自首论"。

对于自首的犯罪分子，可以从轻或者减轻处罚；其中，犯罪较轻的，可以免除处罚。

【补充资料】

根据有关的司法解释，下列情况也属于自首：①犯罪嫌疑人向所在单位、城乡基层组织或者其他有关负责人员投案的。②犯罪嫌疑人因病、伤或者为了减轻犯罪后果，委托他人先代为投案的，或者先以信电投案的。③罪行未被司法机关发觉，仅因形迹可疑，被有关组织查询或者司法机关盘问、教育后，主动交代自己的罪行的。④犯罪后逃跑，在通缉、追捕的过程中，主动投案的。⑤经查犯罪嫌疑人确已准备投案，或者正在投案途中，被司法机关捕获的。⑥并非出于犯罪嫌疑人主动，而是经亲友规劝投案的。⑦司法机关通知犯罪嫌疑人的亲友，或者亲友主动报案后，将犯罪嫌疑人送去投案的。但犯罪嫌疑人先投案交代罪行后又潜逃的，或经不署名或化名将非法所得寄给司法机关或报社、杂志社的，不能视为自首。

4. 立功

立功分为一般立功和重大立功。一般立功是指犯罪分子到案后检举、揭发他人犯罪行为或提供侦破其他案件的重要线索，经查证属实的；阻止他人犯罪活动；协助司法机关抓捕其他犯罪嫌疑人；具有其他有利于国家和社会的突出表现。重大立功是指犯罪分子到案后检举、揭发他人重大犯罪行为或提供侦破其他重大案件的重要线索，经查证属实的；阻止他人重大犯罪活动；协助司法机关抓捕其他重大犯罪嫌疑人；对国家和社会有其他重大贡献的表现。"重大犯罪"、"重大案件"、"重大犯罪嫌疑人"的标准，一般是指犯罪嫌疑人、被告人可能被判处无期徒刑以上刑罚及案件在本省、自治区、直辖市或者全国有较大影响等情形。

刑法第 68 条规定，犯罪人有立功表现的，可以从轻或者减轻处罚；有重大立功表现的，可以减轻或者免除处罚；犯罪后自首又有重大立功表现的，应当减轻或者免除处罚。

5. 缓刑

缓刑是指有条件地不执行所判决的刑罚，但在一定的期间内保留执行的可能性的一种制度。即对于被判处拘役、3 年以下有期徒刑的犯罪分子，根据犯罪情节和悔罪表现，如果暂缓执行刑罚确实不致再危害社会，就规定一定的考验期，暂缓刑罚的执行；在考验期内如果遵守一定条件，原判刑罚就不再执行。

（1）缓刑的考验期。根据刑法第 73 条的规定，拘役的缓刑考验期限为原判刑期以上 1 年以下，但是不能少于 2 个月；有期徒刑的缓刑考验期限为原判刑期以上 5 年以下，但是不能少于 1 年。

（2）缓刑的期满与撤销。犯罪人在缓刑考验期内没有再犯新罪，没有发现判决宣告以前还有其他罪没有判决，没有情节严重的违反有关缓刑的监管规定的行为，并且经过了考验期限的，原判决刑罚不再执行，并公开予以宣告。若具有上述三种情形之一的，则撤销缓刑。

6. 减刑

减刑是指对于被判处管制、拘役、有期徒刑、无期徒刑的犯罪人，在刑罚执行期间，如果认真遵守监规，接受教育改造，确有悔改表现，或者有立功表现的，适当减轻原判刑罚的制度。

根据刑法第78条规定，减刑分为可以减刑和应当减刑两种情况：

（1）可以减刑的条件是犯罪人在刑罚执行期间，认真遵守监规，接受教育改造，确有悔改表现，或者有立功表现的，如认罪伏法，积极参加政治、文化、技术学习，积极参加劳动，完成生产任务等。

（2）应当减刑的条件是犯罪人在刑罚执行期间有下列重大立表现之一的：①阻止他人重大犯罪活动的。②有检举监狱内外重大犯罪活动，经查证属实的。③有发明创造或者重大技术革新的。④在日常生产、生活中舍己救人的。⑤在抗御自然灾害或者排除重大事故中，有突出表现的。⑥对国家和社会有其他重大贡献的。

减刑由执行机关向中级以上人民法院提出减刑建议书，人民法院应当组成合议庭进行审理，经裁定予以减刑。减刑以后实际执行的刑期，判处管制、拘役、有期徒刑的，不能少于原判刑期的 1/2；判处无期徒刑的不能少于 10 年。

7. 假释

假释是指对于被判处有期徒刑、无期徒刑的部分犯罪人，在执行了一定的刑罚之后，确有悔改表现，不致再危害社会，附条件地予以提前释放的制度。

（1）假释的条件。①假释的对象，只适用于被判处有期徒刑、无期徒刑的犯罪人。对于被判处管制及死刑立即执行的不存在假释问题；被判处拘役的，由于刑期很短，适用假释没有实际意义。②必须已经执行了一部分刑期。根据刑法第81条的规定，被判处有期徒刑的犯罪人，执行原判刑期1/2以上，被判处无期徒刑的犯罪人，实际执行10年以上，才可以假释。③犯罪分子在刑罚执行期间确有悔改表现，提前释放不致再危害社会。对于累犯和因杀人、爆炸、抢劫、强奸、绑架等暴力性犯罪被判处10年以上有期、无期徒刑的犯罪分子不得假释。

（2）假释的考验期。假释是附条件的提前释放，即犯罪人在一定期限内应当遵守一定的条件。这里的一定期限就是假释的考验期。有期徒刑的假释考验期为没有执行完毕的刑期，无期徒刑的考验期为10年，从假释之日起计算。

（3）假释的撤销。被假释的犯罪人在假释考验期内犯新罪的或发现在判决宣告以前还有其他罪没有判决的，应当撤销假释，实行数罪并罚；有违反法律、行政法规或有关假释监管规定的行为，尚未构成新的犯罪的，应当撤销假释，收监执行未完毕的刑罚。

8. 数罪并罚

数罪并罚是指人民法院对一人犯数罪分别定罪量刑，并根据法定原则与方法，决定应当执行的刑罚的一种制度。

一人犯数罪是指一人在法定期间内犯两个或两个以上的数罪，具体表现为：一是在判决宣告前一人犯数罪；二是在判决宣告后刑罚执行完毕以前发现漏罪或再犯新罪，或者在缓刑、假释考验期内再犯新罪或发现漏罪的。据此，数罪并罚有以下三种情况：

（1）判决宣告前一人犯数罪的，根据刑法第69条的规定，除死刑和无期徒刑以外，应当在总和刑期以下、数刑中最高刑期以上，酌情决定执行的刑期，但是管制最高不能超过 3 年，拘役最高不能超过 1 年，有期徒刑最高不能超过 20 年。数罪中有判处附加刑的，附加刑仍须执行。如被告人所犯的两个罪分为被判处 10 年和 8 年，则总和刑期为 18 年，最高刑为 10 年。应在 10 年以上 18 年以下决定执行刑罚。

【小思考】

若被告人犯了三个罪，分别被判处 10 年、8 年、7 年，应当在什么范围内决定执行的刑期？

(2) 刑罚执行完毕以前发现漏罪的，根据刑法第 70 条规定，应当对新发现的罪作出判决，把前后两个判决所判处的刑罚依第 69 条（前述第一种情形）的规定，决定执行的刑罚。已执行的刑期，应当计算在新判决决定的刑期内。如被告人在判决宣告以前犯有甲乙丙丁四种罪，但人民院只判决甲罪 8 年、乙罪 12 年，决定合并执行 18 年有期徒刑。执行 5 年后，发现丙罪与丁罪，人民法院判处丙罪 5 年、丁罪 7 年。则人民法院应当在 18 年以上（而不是 12 年）20 年（而不是 30 年）以下决定刑罚。若决定执行 19 年，则罪犯还应服刑 14 年（减去已执行的 5 年）（这种方法称为"先并后减"）。

(3) 刑罚执行完毕以前又犯新罪的。根据刑法第 71 条规定，应当对新罪作出判决，把前罪没有执行的刑罚和后罪所判处的刑罚依照第 69 条的规定决定执行的刑罚，已经执行的刑期不得计算在新判决所决定的刑期内（这种方法称为"先减后并"）。如被告人被判处 15 年有期徒刑，执行 10 年后又犯新罪，对新罪判处有期徒刑 8 年。则应当将没有执行的 5 年与新罪的 8 年实行并罚，即在 8 年以上 13 年以下决定执行的刑期，如果决定执行 11

年，则被告人还要服刑 11 年。加上已执行的刑期 10 年，被告人实际执行的刑期为 21 年。

【议一议】

举一例说明，如果犯罪人在刑罚执行期间又犯新罪，并且发现其在原判决宣告以前还有漏罪，应如何确定刑罚？

追诉时效

追诉时效是指刑法规定的，追究犯罪人刑事责任的有效期限；在此期限内，司法机关有权追究犯罪人的刑事责任；超过了此期限，司法机关就不能再追究刑事责任。

追诉时效的规定不是故意放纵犯罪，而是为了有效地实现刑法的目的，体现"历史从宽、现行从严"的政策，有利于司法机关集中精力惩治现行犯罪活动，有利于社会秩序的安定。

追诉时效的期限。刑法第 87 条规定，犯罪经过下列期限不再追诉：法定最高刑为不满 5 年有期徒刑的，经过 5 年；法定最高刑为 5 年以上不满 10 年有期徒刑的，经过 10 年；法定最高刑为 10 年以上有期徒刑的，经过 15 年；法定最高刑为无期徒刑、死刑的，经过 20 年；如果 20 年以后认为必须追诉的，须报请最高人民检察院核准。

此外，刑法第 88 条规定，在人民检察院、公安机关、国家安全机关立案侦查或者人民法院受理案件以后，逃避侦查或者审判的，不受追诉期限的限制；被害人在追诉期限内提出控告，人民法院、人民检察院、公安机关应当立案而不予立案的，不受追诉期限的限制。

【小思考】

1974 年 7 月，印刷厂工人康某利用工作之便，套色印刷 10 元人民币 101 张，同年 8 月 3 日晚，康某在购物时，引起售货员怀疑，康某心虚，拔腿就跑，恰好被路过的民警抓获。在看守羁押期间，康某脱逃，偷渡境外定居。1995 年 12 月 7 日，因其父病故，康某悄悄回国探望，被公安机关抓获，人民法院以伪造货币罪判处康某有期徒刑 5 年，康某不服，以追诉时效已过为由提出上诉。

康某的行为是否超过诉讼时效？

第四节　几种常见的犯罪及其刑事责任

我国刑法分则根据犯罪行为所侵害的同类客体和社会危害程度，将犯罪分为十大类：危害国家安全罪，危害公共安全罪，破坏社会主义市场经济秩序罪，侵犯公民人身权利、民主权利罪，侵犯财产罪，妨害社会管理秩序罪，危害国防利益罪，贪污贿赂罪，渎职罪，军人违反职责罪。每一大类中又对各种犯罪作了具体规定，总共有 410 多个具体罪名。

以下介绍几种常见多发的犯罪及其刑罚：

1. 分裂国家罪

是指组织、策划、实施分裂国家、破坏国家统一的行为。

本罪侵犯的客体是国家的统一；客观方面表现为组织、策划、实施分裂国家、破坏国家统一的行为；主体为一般主体，既包括中国公民，也包括外国公民和无国籍人；主观方面是直接故意。

构成本罪的，对首要分子或者罪行重大的，处无期徒刑或者
10 年以上有期徒刑；对积极参加的，处 3 年以上 10 年以下有期
徒刑；对其他参加的，处 3 年以下有期徒刑、拘役、管制或者剥
夺政治权利；对危害特别严重、情节特别恶劣的，可以判处死
刑。本罪可以并处没收财产。

2. 叛逃罪

是指国家机关工作人员在履行公务期间擅离岗位叛逃境外，
或者在境外叛逃，危害国家安全的行为。

本罪侵犯的客体是国家安全；客观方面表现为国家机关工作
人员在履行公务期间擅离岗位叛逃境外，或者在境外叛逃，危害
国家安全的行为；主体为特殊主体，即国家机关工作人员；主观
方面为故意。

根据刑法第 109 条的规定，犯本罪的，处 5 年以下有期徒
刑、拘役、管制或者剥夺政治权利；情节严重的，处 5 年以上
10 年以下有期徒刑。本罪可以并处没收财产。

3. 间谍罪

是指参加间谍组织，或者接受间谍组织及其代理人的任务，
或者为敌人指示轰击目标，危害国家安全的行为。

本罪侵犯的客体是国家安全；客观方面表现为从事间谍活
动，即参加间谍组织、接受间谍组织及其代理人的任务、为敌人
指示轰击目标。犯罪主体为一般主体，既包括中国人，也包括外
国人、无国籍人；主观方面为直接故意。

根据刑法第 110、113 条的规定，犯本罪的，处 5 年以上有
期徒刑；情节特别严重的，处 10 年以上有期徒刑或者无期徒刑；
情节较轻的，处 5 年以下有期徒刑、拘役、管制或者剥夺政治权

利；对国家和人民危害特别严重、情节特别恶劣的，可判处死
刑。本罪可以并处没收财产。

【案例分析】

案例：甲为我国政府代表团成员，在出国访问期间私自离开
代表团住地，不参加代表团的活动，并拒绝随团回国。后来又接
受该国间谍组织的培训，潜回国内执行任务。不久被我国国家安
全机关抓获。甲构成何罪？

分析：根据刑法的有关规定，甲的行为构成叛逃罪和间谍
罪，应当数罪并罚。

4. 爆炸罪

是指故意使用爆炸的方法危害公共安全的行为。

本罪侵犯的客体是公共安全，客观方面表现为使用爆炸的方
法危害公共安全的行为；犯罪主体为一般主体，已满 14 周岁的
人即应承担刑事责任；主观方面为故意，包括直接和间接故意。

根据刑法第 114 条和第 115 条的规定，犯本罪，未造成严重
后果的，处 3 年以上 10 年以下有期徒刑；致人重伤、死亡或者
使公私财产遭受重大损失的，处 10 年以上有期徒刑、无期徒刑
或者死刑。

【案例分析】

案例：甲与乙有仇，一直想寻找机会报复，并为此准备了自
制的土炸弹。一日甲发现了乙的行踪，就尾随乙上了公共汽车。
这时乙也发现了甲，急忙下车逃走。情急之中，甲拉响了自制的
炸弹，并向乙扔去。结果造成汽车附近多名乘客受伤，但并没有
炸到乙。经鉴定，甲自制的炸弹很有威力，足以炸死多人。甲构

成故意杀人罪还是爆炸罪？

分析：甲应构成爆炸罪，因为甲的行为已经足以危及不特定多数人的生命、健康。

5. 交通肇事罪

是指违反交通管理法规，发生重大交通事故，致人重伤、死亡或者使公私财产遭受重大损失，危害公共安全的行为。

本罪侵犯的客体是公共交通运输安全；客观方面表现为违反交通管理法规，以致发生重大交通事故，致人重伤、死亡或者使公私财产遭受重大损失的行为。犯罪主体为一般主体，既包括从事交通运输的人员，也包括非交通运输人员；主观方面是过失，这是指行为人对所发生的后果而言，对于违反交通管理法规则是故意。

根据刑法第133条的规定，犯本罪的，处3年以下有期徒刑或者拘役；肇事后逃逸或者有其他特别恶劣情节的，处3年以上7年以下有期徒刑；因逃逸致人死亡的，处7年以上有期徒刑。

【案例分析】

案例：甲开车在正常行驶，忽然一男童跑到路中央去追捡球，甲急忙刹车，但还是将男孩儿撞倒，经抢救无效死亡。甲是否构成交通肇事罪？

分析：甲不构成交通肇事罪。因为甲开车在正常行驶，未违反交通管理法规，不符合交通肇事罪的构成要件。若甲有酒后开车、超速开车或逆行开车等违反交通法规的情形，则构成交通肇事罪。

6. 故意杀人罪

故意杀人罪是指故意非法剥夺他人生命的行为。

本罪侵犯的客体是他人的生命权利；客观方面表现为非法剥夺他人生命的行为，作为的方式和不作为的方式都可以构成本罪。以不作为的方式实施的故意杀人罪，只有对防止他人死亡结果的发生负有特定义务的人才能构成；主体为一般主体。凡年满14周岁的人犯此罪的，都应依法追究刑事责任；主观方面必须有非法剥夺他人生命的故意，包括直接故意和间接故意。行为人的动机如何，一般不影响定罪，但在量刑时应当适当考虑，区别对待。

根据刑法第 232 条的规定，故意杀人的，处死刑、无期徒刑或者 10 年以上有期徒刑；情节较轻的，处 3 年以上 10 年以下有期徒刑。

【案例分析】

案例：甲由于自己的婚事父母一直坚决反对而情绪低落。一日在家中与好友乙喝完酒后，失声痛哭，表示活着没意思，并当场求乙帮忙想要自杀。乙不同意，甲找来纸笔写下自己的死与乙无关的字据。于是等甲睡着后，乙便打开煤气罐阀门，将门窗关好后回家。等家人发现时，甲已经死亡。乙是否构成故意杀人罪？

分析：乙构成故意杀人罪。乙接受甲的嘱托将其杀死的行为在法律上没有根据，乙也没有权利接受这种嘱托。因此乙的行为属于非法剥夺他人生命的行为，符合故意杀人罪的构成要件。

7. 故意伤害罪

故意伤害罪是指故意非法损害他人健康的行为。

本罪侵犯的客体是他人的健康权利；客观方面表现为非法伤害他人身体健康的行为。采用何种方法，不影响本罪的构成。伤害结果呈何种形式（内伤、外伤、肉体伤害、精神伤害等），对构成本罪没有影响。但是，伤害结果的严重程度，则直接反映伤害行为造成社会危害性的大小，与量刑有重要关系。主体是一般主体，即已满16周岁的人。对已满14周岁的人故意伤害致人重伤或者死亡的，应当负刑事责任；主观方面必须有非法伤害他人的故意，包括直接故意和间接故意。

依照刑法第234条的规定，故意伤害他人身体的，处3年以下有期徒刑、拘役或者管制；致人重伤的，处3年以上10年以下有期徒刑；致人死亡或者以特别残忍手段致人重伤造成严重残疾的，处10年以上有期徒刑、无期徒刑或者死刑。本法另有规定的，从其规定。

8. 强奸罪

是指违背妇女的意志，使用暴力、胁迫或者其他手段，强行与妇女发生性交的行为。

本罪侵犯的客体是妇女的性的不可侵犯的自由权利；客观方面表现为违背妇女的意志，使用暴力、胁迫或者其他手段（如用酒灌醉、用药物麻醉等），强行与妇女发生性交的行为；犯罪主体是一般主体，通常情况下是男子，但妇女可以成为强奸罪的共犯，如教唆、帮助等；主观方面是直接故意。

根据刑法第236条规定，犯本罪的，处3年以上10年以下有期徒刑。有下列情形的处10年以上有期徒刑、无期徒刑或者死刑：强奸妇女多人的；强奸妇女情节恶劣的；在公共场所当众强奸妇女的；2人以上轮奸的；致使被害人重伤、死亡或者造成其他严重后果的。

9. 非法拘禁罪

是指以拘押、禁闭或者其他强制方法，非法剥夺他人人身自由权利的行为。

根据刑法 238 条的规定，犯本罪的，处 3 年以下有期徒刑、拘役、管制及剥夺政治权利。具有殴打、侮辱情节的，从重处罚。致人重伤的，处 3 年以上 10 年以下有期徒刑；致人死亡的，处 10 年以上有期徒刑。使用暴力致人伤残、死亡的，依照故意伤害罪、故意杀人罪的规定定罪处罚。

10. 绑架罪

是指以勒索财物为目的，采取暴力、胁迫或者其他方法绑架他人，或者绑架他人作为人质的行为。

本罪侵犯的客体是他人的人身自由权利；客观方面表现为采取暴力、胁迫或者其他方法绑架他人，或者绑架他人作为人质的行为。犯罪主体为一般主体；主观方面为直接故意，并具有勒索财物或获取其他非法利益的目的。

根据刑法第 239 条的规定，犯本罪的，处 10 年以上有期徒刑或者无期徒刑，并处罚金或者没收财产；致使被绑架人死亡或者杀害被绑架人的，处死刑，并处没收财产。

【案例分析】

案例：甲欠乙工程款 50 万元，乙多次讨要，甲拒不归还，而且态度蛮横，并说乙愿意上哪儿告就去哪儿告，到哪里去告都没有用。乙实在没有办法，乙的好友丙出主意说，可以想办法将甲骗到丙所开的宾馆关起来，不拿钱就不放人。于是由丙出面，将甲邀请到宾馆，乙将其看管起来，不允许出门，除非甲的家人将 50 万元工程欠款返还，才能放人。

问题：乙和丙的行为是否构成犯罪？是非法拘禁罪还是绑架罪？

分析：乙和丙的行为侵犯了甲的人身自由权利，但其目的是索要债务，而不是为勒索财物，因此构成非法拘禁罪。

11. 抢劫罪

抢劫罪是指以非法占有为目的，以暴力、胁迫或者其他方法，强行劫取公私财物的行为。

本罪侵犯的客体既包括公私财产的所有权，又包括公民的人身权利；客观方面表现为实施对公私财物的所有者、保管者或者守护者当场使用暴力、胁迫或者其他方法，立即抢走财物或者迫使其交出财物的行为。所谓其他方法，如采取使被害人不知反抗或者丧失反抗能力的方法（如用酒灌醉等），而当场劫走财物。除了上述的抢劫行为外，携带凶器进行抢夺的，应当以抢劫罪论处；犯盗窃、诈骗、抢夺罪，为窝藏赃物、抗拒抓捕或毁灭罪证而当场使用暴力或者以暴力相威胁的，也应当以抢劫罪论处；主体为一般主体。凡年满14周岁的人犯此罪的，都应依法追究刑事责任；主观方面：必须是直接故意，并且有将公私财物非法占有的目的。如果行为人只抢回自己被骗走的财物，不具有非法占有他人财物的目的，不构成抢劫罪。

依照刑法第263条的规定，以暴力、胁迫或者其他方法抢劫公私财物的，处3年以上10年以下有期徒刑，并处罚金；有下列情形之一的，处10年以上有期徒刑、无期徒刑或者死刑，并处罚金或者没收财产：入户抢劫的；在公共交通工具上抢劫的；抢劫银行或者其他金融机构的；多次抢劫或者抢劫数额巨大的；抢劫致人重伤、死亡的；冒充军警人员抢劫的；持枪抢劫的；抢劫军用物资或者抢险、救灾、救济物资的。

12. 抢夺罪

是指以非法占有为目的，乘人不备，公开夺取数额较大的公私财物的行为。

本罪侵犯的客体是公私财物的所有权；客观方面表现为乘人不备，公开夺取数额较大的公私财物的行为；主体为一般主体；主观方面是故意，并具有非法占有公私财物的目的。

根据刑法第 267 条的规定，犯本罪，数额较大的，处 3 年以下有期徒刑、拘役或者管制，并处或者单处罚金；数额巨大的或者有其他严重情节的，处 3 年以上 10 年以下有期徒刑，并处罚金；数额特别巨大或者有其他特别严重情节的，处 10 年以上有期徒刑或者无期徒刑并处罚金或者没收财产。

【案例分析】

案例：甲由于上网借了朋友很多钱无法偿还，于是决定抢钱还债。某晚甲尾随在一名单身妇女的后面，走到暗处时突然从背后夺下该妇女的挎包就跑，被害人边追边大声呼喊抓坏人，在众人的帮助下很快便将不熟悉环境的甲抓获。经查，包内有现金 3000 多元，价值 2000 多元的手机一部，有存款 2 万元的银行信用卡一张以及各种证件，还在甲的身上发现了一把匕首。甲的行为构成抢劫罪还是抢夺罪？

分析：甲乘人不备公然夺取被害人的财物且数额较大，符合抢夺罪的构成要件；由于甲在抢夺过程中身上携带凶器，虽然没有使用，但根据刑法第 267 条的规定，应当认定为抢劫罪，而不是抢夺罪。

13. 敲诈勒索罪

是指以非法占有为目的，以对被害人实施威胁或者要挟的方法，强索公私财物，数额较大的行为。

本罪侵犯的客体是公私财物的所有权；客观方面表现为以对被害人实施威胁或者要挟的方法，强索公私财物，数额较大的行为；犯罪主体为一般主体；主观方面是故意，且具有非法占有公私财物的目的。

根据刑法第 274 条的规定，犯本罪，数额较大的，处 3 年以下有期徒刑、拘役或者管制；数额巨大或者有其他严重情节的，处 3 年以上 10 年以下有期徒刑。

14. 盗窃罪

盗窃罪是指以非法占有为目的，秘密窃取数额较大的公私财物，或者多次盗窃公私财物的行为。

本罪侵犯的客体是公私财物的所有权；客观方面表现为秘密窃取数额较大的公私财物或者多次盗窃的行为。根据最高人民法院所作的司法解释，"数额较大"是指个人盗窃公私财物价值人民币 500 元至 2000 元以上，由各地确定适当的起点数额；"多次盗窃"是指在一年内入户盗窃或者在公共场所扒窃 3 次以上的。对于连续盗窃构成犯罪，应当依法追诉的，要累计其盗窃数额。除了上述的盗窃行为外，刑法中还规定，以牟利为目的，盗接他人通信线路、复制他人电信号码或者明知是盗接、复制的电信设备、设施而使用的，以盗窃罪论处。犯罪主体为一般主体；主观方面是故意，并且具有非法占有的目的。

依照刑法第 264 条的规定，盗窃公私财物，数额较大或者多次盗窃的，处 3 年以下有期徒刑、拘役或者管制，并处或者单处罚金；数额巨大或者有其他严重情节的，处 3 年以上 10 年以下有期徒刑，并处罚金；数额特别巨大或者有其他特别严重情节的，处 10 年以上有期徒刑或者无期徒刑，并处罚金或者没收财产；有下列情形之一的，处无期徒刑或者死刑，并处没收财产：
盗窃金融机构，数额特别巨大的；盗窃珍贵文物，情节严重的。

15. 诈骗罪

是指以非法占有为目的，用虚构事实或者隐瞒真相的方法，
骗取数额较大的公私财物的行为。

本罪侵犯的客体是公私财物的所有权；客观方面表现为用虚
构事实或者隐瞒真相的方法，骗取数额较大的公私财物的行为；
犯罪主体是一般主体；主观方面是故意，并且具有非法占有公私
财物的目的。

根据刑法第 266 条的规定，犯本罪，数额较大的，处 3 年以
下有期徒刑、拘役或者管制，并处或者单处罚金；数额巨大或者
有其他严重情节的，处 3 年以上 10 年以下有期徒刑，并处罚金；
数额特别巨大或者有其他特别严重情节的，处 10 年以上有期徒
刑或者无期徒刑，并处罚金或者没收财产。

16. 侵占罪

是指以非法占有他人财物为目的，将代为保管的他人财物或
者他人的遗忘物、埋藏物非法占为己有，数额较大，拒不交还的
行为。

根据刑法第 270 条规定，犯本罪，数额较大，拒不交还的，
处 2 年以下有期徒刑、拘役或者罚金；数额巨大或者有其他严重
情节的，处 2 年以上 5 年以下有期徒刑，并处罚金。

本罪告诉才处理。

17. 故意毁坏财物罪

是指故意毁灭或者损坏公私财物，数额较大或者情节严重的

行为。

本罪侵犯的客体是公私财物的所有权；客观方面表现为故意毁灭或者损坏公私财物，数额较大或者情节严重的行为；犯罪主体为一般主体；主观方面为故意。

根据刑法第 275 条的规定，犯本罪，数额较大或者有其他严重情节的，处 3 年以下有期徒刑、拘役或者罚金；数额巨大或者有其他特别严重情节的，处 3 年以上 7 年以下有期限徒刑。

18. 招摇撞骗罪

指以谋取非法利益为目的，冒充国家机关工作人员招摇撞骗的行为。

本罪侵犯的客体是国家机关的威信及其正常活动，同时损害公共利益或公民的合法权益；客观方面表现为冒充国家机关工作人员进行招摇撞骗的行为。犯罪主体是一般主体；主观方面是故意。

根据刑法第 279 条的规定，犯本罪的，处 3 年以下有期徒刑、拘役、管制或者剥夺政治权利；情节严重的，处 3 年以上 10 年以下有期徒刑。

19. 非法侵入计算机信息系统罪

是指违反国家规定，故意侵入国家事务、国防建设、尖端科学技术领域的计算机信息系统的行为。

本罪侵犯的客体是国家事务、国防建设、尖端科学技术的计算机信息安全；客观方面表现为非法侵入国家重点保护的计算机信息系统的行为。本罪的对象限于国家重点保护的计算机信息系统，即国家事务、国防建设、尖端科学技术的计算机信息系统；犯罪主体是一般主体；主观方面是故意，即明知是国家重要的计算机信息系统而故意非法侵入。如果无意中进入计算机信息系统，但经警示仍不退出的，应视为故意非法侵入。

根据刑法第 285 条的规定，犯本罪的，处 3 年以下有期徒刑或者拘役。

20. 破坏计算机信息系统罪

是指违反国家规定，对计算机信息系统功能和信息中存储、处理、传输的数据和应用程序进行破坏，造成计算机信息系统不能正常运行，后果严重的行为。

构成本罪，在客观方面表现为三种后果严重的行为：一是违反国家规定，使用删除、修改、增加、干扰等技术操作方法，造成计算机信息系统不能正常运行的行为；二是违反国家规定，对计算机信息系统的存储、处理或者传输的数据应用程序进行删除、修改、增加的操作；三是制作、传播计算机病毒等破坏性程序，影响计算机系统正常运行。

根据刑法第 286 条的规定，犯本罪的，处 5 年以下有期徒刑或者拘役；后果特别严重的，处 5 年以上有期徒刑。

21. 聚众斗殴罪

是指故意组织、策划、指挥或者积极参加聚众斗殴的行为。

本罪在客观方面表现为组织、策划、指挥或者积极参加聚众斗殴的行为。聚众斗殴是指双方或多方人数均在 3 人以上的相互施加暴力攻击人身的行为，斗殴双方往往事先约定，因此一般纠集的人数较多。

根据刑法第 292 条的规定，犯本罪，对首要分子和其他积极参加的，处 3 年以下有期徒刑、拘役或者管制；有下列情形之一的，对首要分子和其他积极参加的，处 3 年以上 10 年以下有期徒刑：多次聚众斗殴的；聚众斗殴人数多、规模大、社会影响恶劣的；在公共场所或者交通要道聚众斗殴，造成社会秩序严重混乱的；持械聚众斗殴的。

【案例分析】

案例：张某为大三学生，听说自己大一的老乡被一大四的学生欺负了，就找了四五个老乡要为其出气。对方听到了消息也找了七个老乡做好准备。双方约定周六下午在校外电影院边上一比"高下"。周六下午双方都准时到达，见面后不搭话，动手就打。结果张某将对方一人打成重伤，经抢救无效死亡。张某构成聚众斗殴罪还是故意杀人罪？

分析：本例中双方的行为符合聚众斗殴罪的构成要件，但由于致人死亡，按刑法的规定，应定为故意杀人罪。

22. 寻衅滋事罪

是指寻衅滋事，扰乱公共秩序的行为。

本罪的客观方面表现为：随意殴打他人，情节恶劣的；追逐、拦截、辱骂他人，情节恶劣的；强拿硬要或者任意毁损、占用公私财物，情节严重的；在公共场所起哄闹事，造成公共场所秩序严重混乱的。

根据刑法第293条的规定，犯本罪的，处5年以下有期徒刑、拘役或者管制。

23. 窝藏、包庇罪

是指明知是犯罪的人而为其提供隐藏处所、财物，帮助其逃匿或者作假证明包庇的行为。

本罪侵犯的客体是司法机关的正常活动；客体方面表现为为

犯罪的人提供隐藏处所、财物，帮助其逃匿或者作假证明包庇的
行为；行为包括四种形式：一是提供隐藏处所；二是提供财物，
资助或者协助犯罪人逃匿；三是提供其他便利条件帮助逃匿；四
是作假证明包庇。本罪的行为对象是已经实施了犯罪行为、正在
受追查或者正在逃匿的人，既包括已决犯也包括未决犯。

　　根据刑法第 310 条规定，犯本罪的，处 3 年以下有期徒刑、
拘役或者管制；情节严重的，处 3 年以上 10 年以下有期徒刑。

【补充资料】

　　刑法第 362 条规定，旅馆业、文化娱乐业、出租汽车业等单
位的人员，在公安机关查处卖淫嫖娼活动时，为违法犯罪分子通
风报信，情节严重的，依包庇罪处罚。

24. 贪污罪

　　是指国家工作人员利用职务上的便利侵吞、窃取、骗取或者
以其他手段非法占有公共财物的行为。

　　本罪侵犯的客体是公共财产的所有权，犯罪对象是公共财
物。客观方面表现为利用职务上的便利，侵吞、窃取、骗取或者
以其他手段非法占有公共财物的行为。利用职务上的便利非法占
有公共财物，是贪污罪区别于盗窃、诈骗等侵犯财产罪的最重要
的特征。所谓职务上的便利，是指利用其职务范围内的权力和地
位所形成的有利条件，而不是指利用与其职务无关的熟悉作案环
境等有利条件。主体是国家工作人员，即国家机关中从事公务的
人员。国有公司、企业、事业单位、人民团体中从事公务的人员
和国家机关、国有公司、企业、事业单位委派到非国家公司、企
业、事业单位、社会团体从事公务的人员，以及其他依照法律从
事公务的人员，以国家工作人员论。主观方面必须有直接故意，

并且有非法占有公共财物的目的。

依照刑法第 383 条的规定，对贪污罪的处罚有下列四个量刑标准：

（1）个人贪污数额在 10 万元以上的，处 10 年以上有期徒刑或者无期徒刑，可以并处没收财产；情节特别严重的，处死刑，并处没收财产。

（2）个人贪污数额在 5 万元以上不满 10 万元的，处 5 年以上有期徒刑，可以并处没收财产；情节特别严重的，处无期徒刑，并处没收财产。

（3）个人贪污数额在 5000 元以上不满 5 万元的，处 1 年以上 7 年以下有期徒刑；情节严重的，处 7 年以上 10 年以下有期徒刑。个人贪污数额在 5000 元以上不满 1 万元，犯罪后有悔改表现，积极退赃的，可以减轻处罚或者免予刑事处罚，由其单位或者上级主管机关给予行政处分。

（4）个人贪污数额不满 5000 元，情节较重的，处 2 年以下有期徒刑或者拘役；情节较轻的，由其所在单位或者上级主管机关酌情给予行政处分。

刑法第 383 条还规定，对多次贪污未经处理的，按照累计贪污数额处罚。

【补充资料】

村民委员会等基层组织人员能犯贪污罪吗？

根据全国人大常委会的立法解释，村民委员会等基层组织人员协助人民政府从事救灾、抢险、防汛、优抚、移民、救济款物的管理、社会捐助公益事业款的管理、国有土地的经营和管理、土地征用补偿费用的管理、代征、代缴税款、有关计划生育、户籍、征兵工作以及其他行政管理工作时，属于"其他依照法律从事公务的人员"，如果利用职务上的便利贪污公共财物，构成贪污罪。

25. 受贿罪

受贿罪是指国家工作人员利用职务上的便利，索取他人财物，或者非法收受他人财物，为他人谋取利益的行为。

国家工作人员在经济往来中，违反国家规定，收受各种名义的回扣、手续费，归个人所有的，以受贿论处。国家工作人员利用本人职权或者地位形成的便利条件，通过其他国家工作人员职务上的行为，为请托人谋取不正当利益，索取请托人财物或者收受请托人财物的，也以受贿论处。受贿罪的主体，只能是国家工作人员。对犯受贿罪的，根据受贿所得数额及情节，按照刑法第383条对贪污罪的处罚规定进行处罚。索贿的从重处罚。

26. 行贿罪

是指为谋取不正当利益，给予国家工作人员以财物的行为。在经济往来中，违反国家规定，给予国家工作人员以各种名义的回扣、手续费的，以行贿论处。但是，因被勒索给予国家工作人员以财物，没有获得不正当利益的，不是行贿。

行贿罪的主体是年满16周岁的人。对犯行贿罪的，处5年以下有期徒刑或者拘役；因行贿谋取不正当利益，情节严重的，或者使国家利益遭受重大损失的，处5年以上10年以下有期徒刑；情节特别严重的，处10年以上有期徒刑或者无期徒刑，可以并处没收财产。行贿人在被追诉前主动交代行贿行为的，可以减轻处罚或者免除处罚。

本章小结

　　刑法是国家制定的关于什么行为是犯罪和对犯罪者适用何种刑罚的法律规范的总称。

　　犯罪是由于侵犯国家的统治秩序，按照刑事法律的规定，应当受到刑罚惩罚的行为。犯罪构成是判断一种行为是否为犯罪的标准，是承担刑事责任的基础。犯罪构成包括犯罪客体、犯罪的客观方面、犯罪主体、犯罪的主观方面四个要件，缺一不可。正当防卫和紧急避险是排除犯罪性的行为。

　　刑罚是审判机关以国家的名义对犯罪分子实行惩罚的一种强制方法。我国刑罚分为主刑和附加刑两大类：主刑有五种，即管制、拘役、有期徒刑、无期徒刑、死刑；附加刑有三种，即罚金、剥夺政治权利、没收财产。

基本训练

■ 基本知识检测

一、解释下列概念

犯罪、刑罚、抢劫罪、寻衅滋事罪、累犯、共同犯罪

二、简要回答下列问题

1. 犯罪构成包括哪几方面？

2. 我国刑罚的种类有哪些？

3. 刑法对刑事责任年龄是如何规定的？

4. 正当防卫必须具备哪些基本条件？

三、辨析题

1. 不满 16 周岁的人犯罪，不承担刑事责任。

2. 在共同犯罪中，主犯只对其直接参与的犯罪活动承担刑

事责任。

3. 制作、传播计算机病毒等破坏性程序，影响计算机系统正常运行的，即使造成了严重的后果，也不构成犯罪。

4. 携带凶器抢夺他人财产的，即使未使用，也构成抢劫罪。

四、选择题

1. 养花专业户李某为防止偷花，在花房周围私拉电网。一日晚，白某偷花不慎触电，经送医院抢救，不治身亡。李某对这种结果的主观心理态度是什么？（　　）

　　A. 直接故意　　　　　　　B. 间接故意

　　C. 过于自信的过失　　　　D. 疏忽大意的过失

2. 路某（15 岁）先后唆使张某（15 岁）盗窃他人的财物折价 1 万余元；唆使李某（19 岁）绑架他人勒索财物计 2000 余元；唆使王某（15 岁）抢劫他人财物计 5000 元。路某的行为构成何罪？（　　）

　　A. 盗窃罪　　　　　　　　B. 抢劫罪

　　C. 绑架罪　　　　　　　　D. 抢劫罪、绑架罪

3. 陈某（15 岁）因喜好计算机，于某日深夜潜入一公司盗窃价值 3 万余元的计算机原器件（事发后均被追回）。对陈某应当如何处理？（　　）

　　A. 追究刑事责任　　　　　B. 不追究刑事责任

　　C. 从轻、减轻处罚　　　　D. 责令他的家长加以管教

4. 甲、乙共同盗窃，乙在现场望风，甲窃取丙的现金 3000元。丙发现后立即追赶甲和乙，甲逃脱，乙被丙抓住后对丙使用暴力，致丙轻伤。甲和乙的行为构成何罪？（　　）

　　A. 甲与乙只构成盗窃罪

　　B. 甲与乙均构成抢劫罪

　　C. 甲构成盗窃罪、乙构成故意伤害罪

D. 甲构成盗窃罪、乙构成抢劫罪

5. 甲、乙共谋伤害丙，进而共同对丙实施伤害行为，导致丙身受一处重伤，但不能查明该重伤由谁的行为引起。对此，下列哪些说法是错误的？（　　）

A. 由于证据不足，甲、乙均无罪

B. 由于证据不足，甲、乙成立故意伤害（轻伤）罪的共犯，但都不对丙的重伤负责

C. 由于证据不足，认定甲、乙过失致人重伤罪较为合适

D. 甲、乙成立故意伤害（重伤）罪的共犯

6. 下列有关主犯、从犯、胁从犯的说法，哪些是错误的？（　　）

A. 胁从犯是指被胁迫、被诱骗参加犯罪的人

B. 首要分子不一定是主犯

C. 在共同犯罪中不可能只有从犯而没有主犯

D. 对于从犯，应当比照主犯从轻、减轻或者免除处罚

■ **基本技能训练**

一、案例启示

阅读下面真实案例，谈谈自己的想法：

1. 一日，陈某向朋友李某借款 5000 元装修房子，约定两个月后偿还。但 3 天后，李某与另外三人来到陈家索要欠款，陈某说："3 天前才刚刚借到你的钱，怎么会有钱还你。"陈某说："听说你有一张太平洋借记卡，上面有钱，把卡给我，我帮你去取。"陈见李某带来三个人来索要欠款，心理恐惧，怕对方人多势众，于是交出太平洋卡和身份证并将密码告知。李某自己去银行取完钱，将卡证交还给陈某后四人离去。陈某当即去银行查询，发现卡上的 2 万元钱全部被李某取走。经多次索要无果后，不得已陈某向公安机关报案。

关于本案有三种不同的意见：第一种意见认为，李某的行为不构成犯罪而是属于民事借款行为，不应适用刑罚进行处罚，应以民事诉讼程序解决。因为李某在本案中并没有什么犯罪行为，仅是拿着陈某的钱不还而已。第二种意见认为，构成抢劫罪。因为当时陈某是在李某等四人人多势众的压力下才不得已交出银行卡，完全符合抢劫罪的构成要件。第三种意见认为，构成侵占罪。因为李某实际上并未当场使用暴力，也未强行劫取公私财物不构成抢劫罪。陈某将银行卡交与李某，事实上暂时形成了财产保管关系。而李某将财产据为己有，拒不归还，完全符合侵占罪的构成要件。

请查一查相关刑法法条，分析哪一种看法正确。

2. 王某与同伙周某在湖南省某公路蹲上一辆长途卧铺客车，以喝饮料中大奖为名，骗取了被害人李某人民币 5600 元。后李某识破骗局，正欲抓住要逃离的王某与周某，当即遭到二人的殴打，致受害人面部、右肋受轻伤。二人逃跑不久即被公安机关抓获。

对此案有人认为构成诈骗罪，有人认为构成抢劫罪。在认为构成抢劫罪时，有人认为应当在处 3 年以上 10 年以下有期徒刑并处罚金这一量刑档次上适用刑罚；有人认为王某与周某在公共交通工具上抢劫且数额巨大，情节严重，应处 10 年以上有期徒刑、无期徒刑或者死刑，并处罚金或者没收财产这一量刑档次上适用刑罚。

请查一查相关刑法法条，分析哪一种看法正确。

二、案例分析

1. 王某（男）与周某（女）长期保持不正当关系，为达到与周某结婚的目的，王某提出由他提供毒药，由周某趁其丈夫不注意，把毒药放入饭中将其毒死。周某虽然同意，并已把王某提供的毒药准备好，但她有一个3岁的女儿，因担心会把孩子毒死，便没有按约定的办法实施毒杀行为。后双方发生矛盾，周某便揭发了王某的上述罪行。

根据刑法的有关规定，请分析一下王某和周某的行为性质，并说明理由。

2. 李某在14岁之前盗窃各类财物共计约7000余元。14岁生日当天，李某邀请几个朋友到饭店吃饭，回家途中，看一行人手拿一提包，即掏出随身携带的尖刀将持包人刺伤把包抢走，内有手机一部，现金5000元。第二天，李某出门游逛，见一吉普车停在路边未锁，便将车开走，因操作不当，将在车站候车的3人撞倒，二死一伤。

问：李某对上述行为是否承担刑事责任？

3. 张某乘坐出租车到达目的地后，故意拿出面值100元的假币给司机钱某，钱某发现是假币，便让张某给10元零钱，张某声称没有零钱，并执意让钱某找零钱。钱某便将假币退还张某，并说："算了，我也不要出租车钱了。"张某大怒，对钱某的头部猛击几拳，还吼道："你不找钱我就让你死在车里。"钱某只好收下100元假币，找给张某90元人民币。

问：张某的行为构成何罪？

4. 乙女听说甲男能将10元变成100元，便将家里的2000元现金交给甲，让甲当场将2000元变成20000元。甲用红纸包着2000元钱，随后"变"来"变"去，趁机调换了红纸包，然后将调换过的红纸包交给乙，让乙2小时后再打开看。乙2小时后打开，发现红纸包内是餐巾纸。

　　问：甲的行为构成何罪？

　　5. 甲、乙二人于某日晚将私营业主丙从工厂绑架至市郊的一空房内，将丙的双手铐在窗户铁栏杆上，强迫丙答应交付3万元的要求。约两小时后，甲、乙强行将丙带回工厂，丙从保险柜取出仅有的1.7万元交给甲、乙。

　　问：甲、乙的行为构成何罪？

　　三、举例说明
　　1. 举例说明罪与非罪的界限。
　　2. 举例说明故意伤害罪与故意杀人罪的区别。
　　3. 举例说明抢夺罪在什么情况下转化为抢劫罪。
　　■ 实践技能操作
　　1. 观看一次中央电视台《今日说法》节目，就有关的刑事案件所涉及的法律规定，查一查刑法是如何具体规定的。
　　2. 旁听一次刑事案件的庭审。
　　3. 组织一次刑法知识竞赛或者辩论。

第三部分　程序法

第六章　诉讼法律制度

学习目标

通过本章学习，你应该达到以下目标：

■　知识目标：掌握诉讼法的基本原则，了解一般的诉讼程序。

■　技能目标：对于一般的民事及行政案件，知道如何向人民法院提起诉讼；对于刑事案件知道人民法院的审理程序。

第一节　诉讼方式

随着社会主义市场经济的不断发展，人们的法律意识也不断增强。通过前面实体法的学习，我们懂得了自己有哪些实体权利。但是当这些权利遭到侵害时，例如，作为消费者购买了假冒商品，而商场却拒绝退换；自己开了一家饭店，卫生条件明明符合要求，却总被罚款；自己被坏人打成重伤，公安机关却不管。这些问题应当怎么办？通过本章的学习，了解有关诉讼法的知识，懂得非诉讼途径有哪些，如何获得法律帮助，上述问题就可以迎刃而解。

诉讼是人类社会制止和解决社会冲突的主要手段。"诉"是告的意思，即告诉、控告、告发；讼是争或争辩，争曲直于官府，即争辩曲直为讼。因此，诉讼一词就是俗称的"打官司"。从法律上说，诉讼是国家司法机关在当事人或其他诉讼参与人的参加下，按照法定程序解决各种案件争讼的专门活动。由于诉讼所解决的案件性质不同，诉讼的内容和形式也就有所不同，所以，诉讼又可分为民事诉讼、行政诉讼和刑事诉讼。

民事诉讼法　　　（一）民事诉讼法

民事诉讼是指在当事人和其他诉讼参与人的参加下，人民法院依照法定程序审理民事案件，解决民事争议的活动。国家制定的关于民事诉讼活动所应遵循的原则、制度和程序的法律，称为民事诉讼法。我国现行的民事诉讼法的主要渊源是 1991 年 4 月 9 日颁布并同时生效的《中华人民共和国民事诉讼法》。

（二）民事诉讼法的基本原则和制度

1. 基本原则

基本原则包括以下内容：

（1）当事人诉讼权利平等原则。

（2）辩论原则。

（3）调解原则。根据这一原则，人民法院审理民事案件，应当在自愿和合法的基础上进行调解。调解书发给双方当事人后，具有与判决书同等的法律效力。调解可以在民事诉讼的任何阶段中进行，但是除离婚案件外，调解并不是民事诉讼的必经程序。

（4）处分原则。根据这一原则，民事诉讼当事人在诉讼进行的各个阶段，有权在法律规定的范围内处分自己的民事权利和诉

讼权利。实行处分原则,是民事诉讼同刑事诉讼、行政诉讼的重
要区别之一,但不得损害国家和社会的公共利益,不得超过法律
允许的范围。

(5) 检察监督原则。

(6) 支持起诉原则。如妇联支持受害妇女向人民法院起诉。

2. 基本制度

基本制度包括:

(1) 合议制度。即由若干名(一般是 3 人以上单数)审判人
员组成合议庭对民事案件进行审理,实行少数服从多数的原则。

(2) 回避制度。是指为保证案件的公正审判,而要求与案件
有一定利害关系的审判人员或其他有关人员,不得参与本案的审
理活动或诉讼活动的审判制度(如审判人员或其他人员是本案当
事人的近亲属或与本案有利害关系等)。

(3) 公开审判制度。是指人民法院审理民事案件,除法律规
定的情况外,审判过程及结果应当向群众、社会公开(允许群众
旁听、允许新闻机构进行采访报道)。

(4) 两审终审制度。即一个民事案件经过两级人民法院审判
即告终结。

根据民事诉讼法的规定,民事诉讼参加人包括民事诉讼当事
人和民事诉讼代理人。

(三)民事诉讼参加人

1. 民事诉讼当事人

指因民事权益受到侵害或发生争议,以自己的名义起诉、应
诉,并受人民法院裁判约束的利害关系人。民事诉讼当事人主要
指原告和被告,同时也包括民事诉讼中的第三人。

（1）原告是指因民事权益受到侵害或者发生争议，以自己的名义请求人民法院保护其合法权益而提起诉讼的人。

（2）被告是指被原告指控为侵害其民事权益或者与其发生民事权益的争议，被人民法院传唤应诉的人。

【案例分析】

案例：（1）甲木材厂与乙家具厂签订了供应木材合同。乙家具厂所生产的家具由丙商店经销，双方也签订了供销合同。现甲厂未按合同约定向乙厂提供木材，致使乙厂无法正常生产家具，丙商店也因此销售额大幅度下降，损失严重。对丙来说，甲对乙的违约行为给自己造成了间接损失，但他只能起诉乙而不能起诉甲。

（2）李某的姐姐经常被姐夫打骂，但姐姐为了孩子总是忍气吞声，不想提出离婚。李某气愤不已，想到法院起诉，要求法院判决姐姐和姐夫离婚。

分析：作为民事诉讼的原告和被告，应该与案件有直接的利害关系，上述两个案例中，丙厂与甲厂没有合同关系，因此不能以甲厂为被告起诉。同样，李某与姐姐的婚姻也没有直接的利害关系，不能以自己的名义起诉。

（3）第三人是指为了保护自己的合法权益而参加到他人正在进行的民事诉讼中的人。民事诉讼中的第三人可分为有独立请求权的第三人和无独立请求权的第三人。①有独立请求权的第三人是指对当事人双方的诉讼标的主张有全部或部分权利，因而提起诉讼参加到已进行的诉讼中来的第三人。②无独立请求权的第三人是指对当事人双方的诉讼标的没有独立请求权，但案件的处理结果同他有法律上的利害关系，而申请参加诉讼或者由人民法院通知他参加他人之间已开始的诉讼的第三人。

【案例分析】

案例：(1) 王某在木材市场与李某相识，王欲购买木材但所带钱款不够，李便让王先拉回家存放，并表示价格好商量。一个月后，李某找到王某要钱，但王某却否认有购买木材的事实，只承认为其寄存，如果李某要将木材拉走，必须支付运输费和寄存费用。于是李某以王某购买木材未付款为由起诉，要求王某给付货款或退还木材。在诉讼过程中，法院经调查发现，双方所争议的木材是原告在转业时，从所在部队施工用的木材中偷出来的，于是通知该部队作为有独立请求权的第三人参加诉讼。在诉讼中，第三人可以原、被告双方所争讼的木材是李某私拿部队施工用材为理由，要求将木材返还部队。

(2) 甲在某饭店就餐，在开啤酒时，啤酒瓶爆炸将其左眼炸伤。甲起诉至法院，要求饭店赔偿所受的各种损失。经有关部门鉴定，啤酒瓶存在质量问题，为此人民法院依职权通知啤酒生产厂家参加诉讼，并追加其为无独立请求权的第三人。

分析：本案中，厂家对原、被告的诉讼标的即损害赔偿，没有独立的请求权，但原诉处理结果与啤酒厂有法律上的利害关系。如果被告败诉，则必然要向啤酒厂索赔，因此原诉的处理结果对其义务有预决性，啤酒生产厂家在这一诉讼中属于无独立请求权的第三人。

作为民事诉讼的当事人，其诉讼权利主要有：使用本民族语言文字进行诉讼；委托代理人进行诉讼；提出回避申请；收集、提供证据；进行辩论；请求调解或自行和解；提起上诉；申请执行；按照有关规定查阅、复制本案的有关材料和法律文书等。诉讼义务主要有：行使诉讼权利必须正确和合法；遵守诉讼秩序；
履行发生法律效力的判决书、裁定书和调解书等。

2. 民事诉讼代理人

指在民事诉讼中，依法律的规定，或人民法院的指定，或经
当事人委托授权，以当事人的名义代为进行诉讼活动，行使当事
人的诉讼权利的人。民事诉讼代理人包括法定代理人、指定代理
人、委托代理人。

诉讼代理人是以被代理人的名义进行诉讼的，自己并不承
担人民法院就实体民事权益争议作出的判决的法律后果，因而
民事诉讼代理人只是民事诉讼参加人，而不是民事诉讼当
事人。

【小知识】

民事诉讼的当事人在诉讼中因所处的诉讼地位和诉讼阶段不
同，有不同的称谓：在一审的普通程序和简易程序阶段称为原告
和被告；二审上诉审阶段称为上诉人、被上诉人；执行阶段称为
申请执行人和被申请执行人。

（四）民事诉讼主管与管辖

1. 主管

主管就是确定法院在民事诉讼中的受案范围，明确哪些纠纷
属于法院民事审判权的范围，哪些纠纷不属于法院民事审判权的
范围，从而解决法院和其他国家机关、社会组织在解决民事纠纷
上的分工和权限问题。

根据民事诉讼法第3条和其他有关规定，适用民事诉讼法审
理的案件有以下五类：

（1）因民法、婚姻法、收养法、继承法等民事实体法调整的平等主体之间的财产关系和人身关系发生的民事案件，如房地产纠纷、合同纠纷案、侵害名誉权、肖像权案等。

（2）因经济法、劳动法调整的社会关系发生的争议，如企业破产案。

（3）适用特别程序审理的选民资格案件和宣告公民失踪、死亡案。

（4）按照督促程序解决的债务案件。

（5）按照公示催告程序解决的宣告票据和有关事项无效案。

【小思考】

下列纠纷是否属于人民法院受理民事诉讼的范围？

1. 甲、乙在合同中约定，若发生纠纷，向仲裁机构申请仲裁。后乙违约，甲认为仲裁不如法院判决可靠，于是向人民法院提起诉讼。

2. 张某认为交警对自己的处罚不公平，没有任何法律根据。

3. 李某认为本单位领导以权谋私，有违反党纪政纪的行为，打算向人民法院提出控告。

2. 管辖

管辖是指在民事诉讼中各级人民法院之间以及同级人民法院之间受理第一审民事案件的权限和分工。分为级别管辖和地域管辖：

（1）级别管辖是指各级人民法院之间受理第一审民事案件的权限和分工。根据民事诉讼法的规定，第一审民事案件由基层人民法院管辖，但法律另有规定的除外。中级人民法院管辖的第一审民事案件为：①重大涉外案件。②在本辖区内有重大影响的案件。③最高人民法院确定由中级人民法院管辖的案件。高级人民法院管辖在本辖区内有重大影响的第一审民事案件。最高人民法院管辖的第一审民事案件为：①在全国有重大影响的案件。②认为应当由本院审理的案件。

（2）地域管辖是指不同地区的同级人民法院之间受理第一审民事案件的权限和分工。地域管辖可分为一般地域管辖、特殊地域管辖、专属管辖、协议管辖和选择管辖，其中主要的是一般地域管辖。我国民事案件的一般地域管辖，实行"原告就被告"的原则，即对公民提起的民事诉讼，应由被告住所地人民法院管辖；被告住所地与经常居住地不一致的，由经常居住地人民法院管辖；对法人或者其他组织提起的民事诉讼，由被告住所地人民法院管辖（法人或其他组织的住所地为单位所在地）。

【案例分析】

案例：大连市市民王大借用妻弟位于中山区的一处临街铺面，开了一家面包房，因资金紧张向家住中山区的朋友王二借款两万元。开业不久却发生了火灾，损失严重。王大无力重新装修，被迫停业。借款到期后，王二多次催促，王大仍无还款表示。于是王二向中山区法院起诉，要求王大还款。法院经审查得知，王大的户口和实际居住地均在沙河口区，便告知王二向沙河口区法院起诉。

分析：本案是一般民间借款纠纷，从级别管辖看，应由区人民法院管辖；由于被告户籍和实际居住地均在沙河口区，根据"原告就被告"原则，应由沙河口区法院受理。

（五）民事诉讼中的证据及举证责任

1. 民事证据

（1）民事证据是指在民事诉讼中能够证明案件真实情况的各种资料。作为证据的资料必须要与证明的案件事实具有关联性；并且符合法律规定的要求，具有合法性；证据还应当是客观存在的事实，即具有客观性。证据不仅是当事人证明自己主张的证据材料，也是法院认定争议案件的事实，作出裁判的依据。只有经过质证和认证的证据，才能作为认定案件事实和裁判的根据。

（2）证据材料。当事人要证明自己提出的主张，需要向法院提供相应的证据材料。依我国民事诉讼法的规定，可作为证据的材料包括：①书证。如合同或协议书、权利证书等。②物证。③视听资料。④证人证言。⑤当事人的陈述。⑥鉴定结论。⑦勘验笔录。

2. 举证责任

举证责任又称证明责任，是指谁负有提出证据以证明有关事实的义务。在民事诉讼中，一般适用"谁主张，谁举证"的原则。原告对其请求所根据的事实，有责任提供证据；被告对其答辩所根据的事实，也有责任提供证据。在特殊的情况下，实行"举证责任倒置"，即由被告负责举证。如因高度危险作业致人损害、因环境污染造成的损害赔偿、因饲养动物致人损害等。

【案例分析】

怀疑他人偷东西，没有证据遭败诉

案例：王某与张某是邻居，王某要去外地看望女儿，家中无人照料，故委托张某看管。两个月后，王某返回，对张某帮助照料家表示满意。但不久，王某提出临行前锁好的仓房门锁被撬过，丢失3袋玉米，并怀疑是张某所为，为此双方发生争议。于是王某起诉，要求张某返还上述财物。但是，在法院审理中，王某无法提供张某偷拿其粮食的证据。法院依法判决，驳回了王某的诉讼请求。

分析：本案中，作为原告，王某主张张某偷拿其粮食，要求张某返还，根据"谁主张，谁举证"的原则，王某就必须向法院举证证明张某有偷拿其粮食的行为。由于王某无法向法院提供相关的证据，仅仅根据自己的怀疑，当然应当承担败诉的法律后果。

（六）民事审判程序

人民法院审理民事案件的法定程序，称为民事审判程序。根据我国民事诉讼法的规定，民事审判程序包括：第一审普通程序；简易程序；第二审程序；特别程序；审判监督程序；督促程序；公示催告程序；企业法人破产还债程序。

1. 第一审普通程序

（1）起诉和受理。起诉是指当事人为了保护自己的民事权益，向人民法院提起诉讼，请求予以法律保护的行为。起诉必须符合以下四个条件：①原告是与本案有直接利害关系的公民、法人和其他组织。②有明确的被告。③有具体的诉讼请求和事实、理由。④属于人民法院受理民事诉讼的范围和受诉人民法院管辖。凡是符合以上四个条件的起诉，人民法院必须受理。

受理是指人民法院接受当事人的起诉，同意立案审理的诉讼活动。原告的起诉行为与人民法院的决定立案受理相结合，才能引起具体诉讼程序的开始。

起诉应向人民法院递交起诉状，并按照被告数提交副本，以便人民法院受理后发送被告准备答辩。人民法院收到诉状或者口头起诉，经审查，认为符合起诉条件的，应当在 7 日内立案，并通知当事人；认为不符合起诉条件的，应当在 7 日内裁定不予受理。原告对裁定不服的，可以提起上诉。

【案例分析】

案例：甲、乙相识不久，甲向乙透露自己将有笔大买卖，肯定能赚钱，但自己的钱不够，请乙帮忙，事成之后，将双倍返还。并答应将其在某商场摊位作抵押。乙信以为真，将 20 万元借给了甲，甲将自己的身份证、摊位证及营业执照复印件交给了乙，并亲笔写了借据。之后，甲却不知去向。乙遂向人民法院起诉，并在起诉书中附上了甲的身份证及借据。经人民法院查证，甲的身份证是假的。人民法院于是要求乙在一定时间内将甲的详细情况告知人民法院，否则将裁定不予受理。

分析：本案中，如果原告未能在指定时间内明确提供被告真实姓名及住所等详细情况，将因为没有明确的被告而不符合起诉条件，人民法院将不予受理。

(2) 审理前的准备。人民法院受理案件后，应当在立案之日起 5 日内将起诉状副本发送给被告。被告在收到之日起 15 日内提出答辩状。被告提出答辩状的，人民法院应当在收到之日起 5 日内将答辩状副本发送给原告；经合法送达而被告不提出答辩状的，不影响人民法院审理。

人民法院经过审查，认为有必须共同进行诉讼的当事人没有参加诉讼的，应当通知其参加诉讼。此外，合议庭组成人员确定后，应当在 3 日内告知当事人。

（3）开庭审理。开庭审理是第一审普通程序的中心环节。在开庭审理中，要全面审查案情。一切与争议有关的事实都要在法庭上核查，未经法庭调查的事实，不能作为判决的根据。

人民法院审理民事案件，除涉及国家机密、个人隐私或者法律另有规定的以外，应当公开进行。但是，离婚案件和涉及商业秘密的案件，当事人申请不公开审理的，可以不公开审理。

开庭审理包括开庭准备、法庭调查、法庭辩论、宣告判决等阶段。法庭辩论终结时，由审判长按照原告、被告、第三人的先后顺序，征询各方的最后意见。在法庭辩论终结之后，判决之前，能够调解的还可以进行调解，调解不成的，应当及时判决。

在开庭审理中，原告经传票传唤，无正当理由拒不到庭的，或者未经法庭许可中途退庭的，可以按撤诉处理；被告经传票传唤，无正当理由拒不到庭的，或者未经法庭许可中途退庭的，可以缺席判决。

在宣判之前的任何阶段，原告均可申请撤诉。是否准许，应由人民法院裁定。人民法院裁定不准许撤诉的，原告经传票传唤，无正当理由拒不到庭的，可以缺席判决。

人民法院对公开审理或者不公开审理的案件，应一律公开宣告判决。

人民法院适用第一审普通程序审理的案件，应当自立案之日起 6 个月内审结。有特殊情况需要延长的，由本院院长批准可以延长 6 个月；还需要延长的，报请上级人民法院批准。

（4）判决和裁定。判决是人民法院在案件审理终结后，对双方当事人争议的实体问题作出的处理决定。判决是人民法院行使国家审判权对具体案件作出的决定，在它发生法律效力后，即具有强制性，因而任何人如违抗判决就要承担一定的法律后果。

裁定是指人民法院在审理案件或者执行判决的过程中，对于程序上发生的必须及时解决的问题所作的决定。如对起诉不予受理、对管辖权争议的解决、驳回起诉等。

第一审普通程序各主要阶段见图6-1。

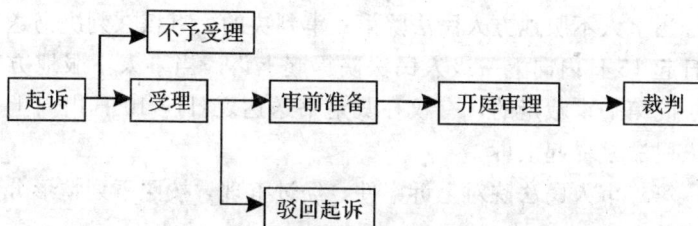

图6-1　第一审普通程序各主要阶段

【补充资料】

什么是简易程序

简易程序是简化了的第一审普通程序。它适用于基层人民法院及其派出的法庭审理事实清楚、权利义务关系明确、争议不大的简单的民事案件。

适用简易程序的案件，原告可以口头起诉，当事人双方可以同时到基层人民法院或者它的派出的法庭请求解决纠纷，并由审判员一人独任审理。审判员可用简便方式随时传唤当事人、证人。审理的进行也不受法律关于普通程序诸如开庭日期、地点通知和公告，以及法庭调查和法庭辩论程序等规定的限制，而可以根据实际情况，灵活进行。但简易程序审理作出的判决和依普通程序审理作出的判决，具有完全相同的法律效力。

人民法院适用简易程序审理案件，应当在立案之日起3个月内审结。

2. 第二审程序

第二审程序又称上诉程序，是指第二审人民法院审理上诉案件所适用的法定程序。

当事人不服地方人民法院第一审判决的，有权在判决书送达之日起 15 日内向上一级人民法院提起上诉。当事人不服地方人民法院第一审裁定的，有权在裁定书送达之日起 10 日内向上一级人民法院提起上诉。

第二审人民法院对上诉案件，经过审理，按照下列情形分别处理：

（1）原判决认定事实清楚，适用法律正确的，判决驳回上诉，维持原判决。

（2）原判决适用法律错误的，依法改判。

（3）原判决认定事实错误，或者原判决认定事实不清，证据不足，裁定撤销原判决，发回原审人民法院重审，或者查清事实后改判。

（4）原判决违反法定程序，可能影响案件正确判决的，裁定撤销原判决，发回原审人民法院重审。当事人对重审案件的判决、裁定，可以上诉。

第二审人民法院的判决、裁定，是终审的判决、裁定。

【案例分析】

案例：李某带女儿去大世界游乐场游玩，将一手提包存放在该游乐场的存包处。但在取包时发现放在包内的一架理光相机、一个商务通及一个小型摄像机不见了，同时发现手提包的拉链已被损坏。李某当即要求赔偿，但遭到拒绝，后向当地公安部门报案。几个月后，案件仍无任何结果，于是李某到法院起诉，要求大世界游乐场赔偿损失或返还上述财物。但在开庭时，李某未能提供出相关的证据，法院遂判决原告败诉。原告不服，依法提起上诉。二审期间，当地公安机关破获一起盗窃案。在清理赃物时，根据一个商务通所储存的信息，与李某取得了联系，并由李某将商务通领回。后李某将上述情况告知二审合议庭。二审法院在公安机关的配合下，收集到了李某财物被盗的相关证据，由于其他物品已无法追回，故依法改判，判决被上诉人对上诉人的实际经济损失承担民事赔偿责任（保管合同中的违约责任）。

分析：本案一审中，原告败诉原因在于未能提供相关证据支持自己的主张，即无法证明自己被盗的物品有哪些。二审中，由于盗窃案的破获，取得了自己被盗物品的证据，因而获得了赔偿。（注：民事诉讼法第 64 条规定，当事人因客观原因不能自行收集的证据，人民法院依职权调查收集。）

3. 审判监督程序

民事诉讼法规定，各级人民法院院长对本院已经发生法律效力的判决、裁定，发现确有错误，认为需要再审的，应当提交审判委员会讨论决定。最高人民法院对地方各级人法院已经发生法律效力的判决、裁定，以及上级人民法院对下级人民法院已经发生法律效力的判决、裁定，发现确有错误的，有权提审或者指令下级人民法院再审。

当事人对已经发生法律效力的判决、裁定，除解除婚姻关系的判决外，认为有错误的，可以向原审人民法院或者上一级人民法院申请再审，但不停止判决、裁定的执行。申请再审应当在判决、裁定发生法律效力后两年内提出。

此外民事诉讼法还规定了督促程序、公示催告程序、企业法人破产还债程序，这些程序主要适用于经济案件。

（七）民事执行程序

人民法院对于拒绝履行已经发生法律效力的民事判决、裁定、调解书和其他应当履行的法律文书中所确定的义务的当事人，依法强制其履行义务的程序，称为执行程序。

1. 执行的依据和执行的人民法院

作为执行依据的法律文书有两类：一类是发生法律效力的民事判决、裁定，以及刑事判决、裁定中的财产部分；另一类是其他应当由人民法院执行法律文书，如调解书、仲裁机构的生效裁决、公证机关依法赋予强制执行效力的债权文书等。前一类由第一审人民法院执行，后一类由被执行人住所地或者被执行的财产所在地人民法院执行。

2. 执行申请和期限

当事人拒绝履行发生法律效力的民事判决、裁定的，可以由对方当事人向人民法院申请执行，也可以由审判员移送执行员执行。当事人拒绝履行调解书和其他应当由人民法院执行的法律文书的，则只能由对方当事人向人民法院申请执行。

申请执行的期限，双方或者一方当事人是公民的为 1 年，双方是法人或者其他组织的为 6 个月。上述期限，从法律文书规定的履行期间的最后一日起计算；法律文书规定分期履行的，从规定的每次履行期间的最后一日起计算。

民事诉讼的程序见图 6—2。

生效后

```
┌──────────────┐                      ┌──────────────┐
│              │  ──────────────────→ │   执行程序    │
│              │                      └──────────────┘
│  第一审程序   │ ──→ ┌──────────┐ ──→ ┌──────────────┐
└──────────────┘     │ 第二审程序 │     │ 审判监督程序  │
                     └──────────┘     └──────────────┘
```

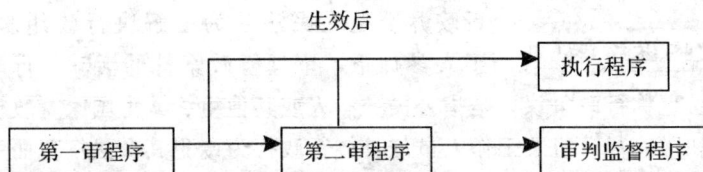

图 6—2　民事诉讼的程序

3. 民事执行措施

（1）向银行、信用合作社或者其他有储蓄业务的单位查询被执行人的存款情况，冻结、划拨被执行人应当履行义务部分的存款。

（2）扣留、提取被执行人应当履行义务部分的收入，但是应当保留被执行人及其所扶养的家属的生活必需费用。

（3）查封、扣押、冻结、拍卖、变卖被执行人应当履行义务部分的财产，但是应当保留被执行人及受其扶养的家属的生活必需品。

（4）对隐匿财产的被执行人及其住所或者财产隐匿地进行搜查。

（5）强制被执行人迁出房屋或者退出土地。

（6）强制被执行人履行法律文书所指定的行为，或者委托有关单位或其他人完成，费用由被执行人承担。

（7）被执行人未按法律文书指定的期间履行给付金钱义务的，应当加倍支付迟延履行期间的债务利息；未按法律文书指定的期间履行其他义务的，应当支付迟延履行金。

（8）在人民法院采取上述第（1）、（2）、（3）种强制执行的措施后，被执行人仍然不能偿还债务的，应当继续履行债务；债权人发现被执行人有其他财产的，可以随时请求人民法院执行。

行政诉讼法　　　　　行政诉讼是人民法院为了解决行政纠纷，在当事人参加下，审理行政案件的活动。行政纠纷也称行政争议，是指公民、法人或其他组织认为国家行政机关和国家行政机关工作人员的具体行政行为侵犯其合法权益而引起的争议。行政诉讼法是国家制定的关于行政诉讼活动所应遵循的原则、制度和程序的法律规范的总称。我国行政诉讼法的主要渊源是 1990 年 10 月 1 日起施行的《中华人民共和国行政诉讼法》。

（一）行政诉讼法的基本原则

行政诉讼法所特有的基本原则主要有下列各项：

1. 人民法院特定主管原则

人民法院特定主管原则是指人民法院受理行政案件的权限范围，由法律加以具体规定。人民法院只能主管法律规定由其主管的那一部分行政案件，法律未规定由其主管的行政案件，人民法院不能受理。这是行政诉讼与民事诉讼、刑事诉讼的一个重要的不同点。

2. 合法性审查原则

合法性审查原则是指人民法院审理行政案件，只对具体行政行为是否合法进行审查。至于行政机关在法律、法规规定的范围内所作出的具体行政行为是否恰当、合理，人民法院一般不予评判。实行这一原则，是根据我国宪法的规定，区分行政权和司法权的需要。依照宪法的规定，行政机关依法行使行政权，人民法院依法行使审判权。确定具体行政行为是否合法，是属于审判权的范围；而确定具体行政行为是否恰当和合理，是属于行政权的范围。行政机关在法律、法规规定的范围内作出的具体行政行为是否恰当，主要应由行政复议处理。在具体审理每一行政案件时，除非是行政机关作出的行政处罚显失公正，人民法院才可以判决变更；至于行政机关在法律、法规规定的范围内作出的行政处罚重一些或者轻一些的问题，人民法院不能判决变更。

3. 行政诉讼期间不停止行政执行原则

当事人因不服行政机关的具体行政行为而向人民法院起诉，在诉讼期间，不停止原具体行政行为的执行。实行这一原则，是维护行政机关依法行使职权，保持国家行政管理活动正常进行的需要。但是，根据行政诉讼法第 44 条的规定，有下列三种情况之一的，应停止具体行政行为的执行：一是被告认为需要停止执行的；二是原告申请停止执行，人民法院认为该具体行政行为的执行会造成难以弥补的损失，并且停止执行不损害社会公共利益，裁定停止执行的；三是法律、法规规定停止执行的（如《治安管理处罚条例》第 40 条规定，被裁决拘留的人或者他的家属能够找到担保人或者按照规定交纳保证金的，在申诉和诉讼期间，原裁决暂缓执行）。

4. 不适用调解原则

不适用调解原则是指人民法院审理行政案件，不应采用调解的办法，以双方当事人互相让步的方式结案。这是因为，行政机关的具体行政行为是一种执法行为。公民、法人或者其他组织对行政机关所作的行政处罚决定或者其他处理决定不服，向人民法院起诉后，人民法院只能在查明事实的基础上，辨明具体行政行为是合法还是违法，从而依法作出公正的判决或裁定，而不能在人民法院的主持下，由争议的双方互相让步，达成谅解，调解结案。但是，依据行政诉讼法第 67 条的规定，行政损害赔偿诉讼可以调解，即公民、法人或其他组织单独就行政损害赔偿问题提起诉讼的，可以对赔偿数额和方式进行调解，以有利于迅速结案。

5. 行政损害赔偿责任原则

行政诉讼法第 67 条规定：“公民、法人或者其他组织的合法权益受到行政机关或者行政机关工作人员作出的具体行政行为侵犯造成损害的，有权请求赔偿。”关于赔偿责任的问题，根据行政诉讼法第 68 条的规定，由行政机关造成损害的，由该行政机关负责赔偿；由行政机关工作人员造成损害的，由该行政机关工作人员所在的行政机关负责赔偿，在赔偿损失后，应当责令故意或者重大过失的行政机关工作人员承担部分或者全部赔偿费用。

《中华人民共和国国家赔偿法》对行政损害赔偿的范围、赔偿请求人、赔偿义务机关、赔偿程序以及赔偿方式和计算都作了具体规定。

（二）行政诉讼参加人

根据我国行政诉讼法的规定，行政诉讼参加人包括行政诉讼当事人和行政诉讼代理人。

1. 行政诉讼当事人

行政诉讼当事人是指因发生行政纠纷，以自己的名义进行诉讼，并受人民法院裁判约束的人，包括行政诉讼的原告、被告和第三人。

（1）原告，是指认为其合法权益受到行政机关或行政机关工作人员的具体行政行为的侵犯，依照行政诉讼法的规定向人民法院提起行政诉讼的公民、法人或其他组织。

（2）被告，是指原告称其具体行政行为违法，侵犯原告的合法权益，由受诉人民法院通知其应诉的行政机关。行政机关因作出某种具体行政行为而被起诉，成为行政诉讼的被告，情况比较复杂。行政诉讼法第 25 条对于在各种情况下如何确定被告，作了如下规定：①公民、法人或者其他组织对于行政机关作出的具体行政行为，未经申请行政复议而直接向人民法院提起诉讼的，作出具体行政行为的行政机关是被告。②经过复议的案件，复议机关决定维持原具体行政行为的，作出原具体行政行为的行政机关是被告；复议机关改变原具体行政行为的，复议机关是被告。③两个以上行政机关作出同一具体行政行为的，共同作出具体行政行为的行政机关是共同被告。例如工商、税务、卫生、公安等行政机关共同作出某一具体行政行为而引起行政诉讼，它们就是共同被告。④由法律、法规授权的组织所作的具体行政行为，该组织是被告。例如卫生防疫机关或者食品卫生监督检验机关依照食品卫生法的授权，对违反食品卫生法的行为进行行政处罚，在发生行政诉讼时，作出处罚决定的卫生防疫机关或者食品卫生监督检验机关就是被告。⑤由行政机关委托的组织所作的具体行政行为，委托的行政机关是被告。例如某村民委员会受乡人民政府的委托作出某一具体行政行为，如果引起行政诉讼，该乡人民政府是被告。⑥行政机关被撤销的，继续行使其职权的行政机关是被告。

（3）第三人，是指因行政案件的处理结果与其有法律上的利害关系，而申请参加或者由人民法院通知其到正在进行的行政诉讼程序中的公民、法人或其他组织。例如，专利局确认某项专利权为某甲所有，某乙不服，提起诉讼，要求撤销专利局的这项决

定。此时某甲面临着可能失去专利权的危险，即可作为第三人参
加诉讼。

2. 行政诉讼代理人

行政诉讼代理人是指在行政诉讼活动中，以被代理人的名
义，代被代理人进行诉讼活动的人。行政诉讼代理人包括法定代
理人、指定代理人和委托代理人。

【案例分析】

案例：某市为解决市容脏、乱、差的问题，成立了由公安、
工商、卫生、民政、城建等部门组成的市容联合检查组，统一行
使各相关部门的权力。王某在临街住房外私自搭建了一间棚屋，
检查组认为该建筑不仅违法且影响市容，便将其强行拆除。但在
拆除过程中，工作人员将王某放在棚屋内的电冰箱和洗衣机损
坏。王某认为，其私自搭建棚屋固然不对，但检查组在强行拆除
棚屋的过程中不应将其放在棚屋内的合法财产损坏，故向检查组
提出行政赔偿的要求，遭到拒绝。王某于是以检查组为被告提起
行政赔偿诉讼。

法院认为，某市市容联合检查组系一临时设立的机构，没有
行政行为的主体资格以及作为行政赔偿义务机关的资格，因此对
王某的起诉不予立案。

分析：根据我国国家赔偿法的有关规定，行政赔偿义务机关
都是具有独立法人地位的行政主体。本案中，检查组是一个临时
机构，本身不具有行政主体资格，不能作被告。具有行政主体地
位的行政机关应是组成该检查组的各行政机关，这些行政机关是
共同的侵权人。因此，在本案中，王某应以这些机关作为共同被
告和共同的赔偿义务机关。（参见国家赔偿法第 7 条的规定）

（三）行政诉讼受案范围和管辖

1. 受案范围

受案范围是指人民法院受理行政案件的权限范围，亦称人民法院对行政案件的主管范围。

（1）行政诉讼法规定受理的诉讼。根据行政诉讼法第11条的规定，人民法院受理公民、法人和其他组织对下列具体行政行为不服提起的诉讼：①对拘留、罚款、吊销许可证和执照、责令停产停业、没收财物等行政处罚不服的。②对限制人身自由或者对财产的查封、扣押、冻结等行政强制措施不服的。③认为行政机关侵犯法律规定的经营自主权的。④认为符合法定条件申请行政机关颁发许可证和执照，行政机关拒绝颁发或者不予答复的。⑤申请行政机关履行保护人身权、财产权的法定职责，行政机关拒绝履行或者不予答复的。⑥认为行政机关没有依法发给抚恤金的。⑦认为行政机关违法要求履行义务的。⑧认为行政机关侵犯其他人身权、财产权的。除了以上八项之外，人民法院还受理法律、法规规定可以提起诉讼的其他行政案件。

（2）行政诉讼法不受理的诉讼。行政诉讼法第12条规定，人民法院不受理公民、法人或者其他组织对下列事项提起的诉讼：①国防、外交等国家行为。②行政法规、规章或者行政机关制定、发布的具有普遍约束力的决定、命令。③行政机关对行政机关工作人员的奖惩、任免等决定。这属于行政机关的内部行为，人民法院对于行政机关的内部行为不应进行干预。④法律规定由行政机关最终裁决的具体行政行为。这里的法律是指全国人民代表大会和全国人大常委会制定的法律，不包括法规、规章和司法解释。

【案例分析】

案例：某市公安局局长李某利用星期日公休时间，驾驶单位的一辆奥迪轿车回乡下探望母亲，途中不慎将在人行道上正常行走的张某撞成重伤。后张某以肇事人系公安局的负责人，肇事车辆为公车为由，以某市公安局为被告，向人民法院提起国家行政赔偿诉讼，要求被告赔偿人民币 15 万元。

分析：本案中原告能否提起行政赔偿诉讼，主要看公安局长李某的交通肇事行为是否发生于执行公务的过程中。李某的公安局长身份表明其有执行国家行政公务的合法资格，而李某驾驶车辆属单位公车也说明该车一般用于执行公务。但在所发生的交通事故过程中，没有任何事实证明与李某行使职权有具体的关系。相反，李某当时正利用公车办私事，而且是在公休日期间，李某的行为是与其行使职权无关的个人行为。因此，原告不能以某市公安局为被告向法院提起行政赔偿诉讼，而只能针对李某个人提起民事诉讼。（我国国家赔偿法第 5 条规定，行政机关工作人员与行使职权无关的个人行为造成的损害，国家不承担赔偿责任。）

2. 管辖

管辖主要包括级别管辖和地域管辖：

（1）级别管辖，依照行政诉讼法的规定，第一审行政案件原则上由基层人民法院管辖，即除了本法规定由中级人民法院、高级人民法院、最高人民法院管辖的第一审行政案件外，均由基层人民法院管辖；中级人民法院管辖下列第一审行政案件：①确认发明专利权的案件、海关处理的案件。②对国务院各部门或者省、自治区、直辖市人民政府所作的具体行政行为提起诉讼的案件。③本辖区内重大、复杂的案件；高级人民法院管辖本辖区内重大、复杂的第一审行政案件；最高人民法院管辖全国范围内重大、复杂的第一审行政案件。

（2）地域管辖，行政诉讼法第 17 条规定：行政案件由最初作出具体行政行为的行政机关所在地人民法院管辖。经复议的案件，复议机关改变原具体行政行为的，也可以由复议机关所在地人民法院管辖。本条对行政案件的地域管辖作出了原则性的规定，这就是一般地域管辖。

我国行政诉讼法中关于移送管辖、管辖权的转移和指定管辖的规定，与民事诉讼法中关于移送管辖、管辖权的转移和指定管辖的规定大体相同。

【案例分析】

案例：中美史克制药有限公司未经天津市新闻出版管理局批准，擅自印制广告《朗世宁绘画珍品》、《古元水彩画选》各 12500 册。天津市新闻出版管理局根据国务院及天津市人民政府的有关规定，认定该批挂历属非法出版物，于 1991 年 2 月 7 日作出决定，对其罚款人民币 9 万元。中美史克制药有限公司不服，向国家新闻出版署提出复议申请。国家新闻出版署亦认定该批挂历为非法出版物，仍维持对原告人民币 9 万元的罚款决定，但在复议决定的依据中，又增加引用了国家新闻出版署《关于重申加强对挂历、年历画、年历出版管理的通知的补充说明》（1990 年）文件中的规定。

问题：中美史克制药有限公司对复议决定不服，提起行政诉讼，如何确定被告和管辖的法院？

分析：（1）被告的主体资格。由于复议机关改变了原具体行政行为所适用的法律依据，即增加了新闻出版署的有关规定，因此被告应是国家新闻出版署。（注：根据最高人民法院的有关司法解释，复议机关改变原具体行政行为的是指下列三种情形：改变所认定的事实的，改变处理结果的，改变原具体行政行为所适用的法律、法规或者规章的。本案实际审理中，仍以天津市新闻出版管理局为被告，与上述解释的规定有冲突。）

（2）案件的管辖。从级别管辖看，由于本案的被告是国家新闻出版署，因此应由中级人民法院管辖。（行政诉讼法第14条规定，对国务院各部门或者省、自治区、直辖市人民政府所作的具体行政行为提起的诉讼，由中级人民法院作为第一审法院。）从地域管辖看，天津市及北京市中级人民法院对此案都有管辖权。（行政诉讼法第17条规定，行政案件由最初作出具体行政行为的行政机关所在地人民法院管辖，经复议的案件，复议机关改变原具体行政行为的，也可以由复议机关所在地人民法院管辖。）

（四）行政诉讼证据和举证责任

1. 行政诉讼的证据

根据我国行政诉讼法第31条的规定，行政诉讼的证据有七种，即书证；物证；视听资料；证人证言；当事人的陈述；鉴定结论；勘验笔录、现场笔录。以上各种证据，只有经过法庭审查属实，才能作为定案的根据。

2. 行政诉讼的举证责任

行政诉讼法第32条规定："被告对作出的具体行政行为负有举证责任，应当提供作出该具体行政行为的证据和所依据的规范性文件。"因此，行政诉讼中主要由被告即行政机关一方负举证责任。

【补充资料】

行政诉讼之所以应由被告一方负举证责任，是由行政诉讼的性质决定的。行政诉讼是为了解决行政纠纷，而行政纠纷是由行政机关的具体行政行为引起的。行政机关在作出具体行政行为时，所根据的法律、法规和有关的事实，其相对一方往往并不完全了解。一旦发生行政诉讼，行政机关就有义务对其具体行政行为的事实根据和法律根据作出具体说明。根据这一规定，行政机关在行政诉讼中如果不能提出足以证明其具体行政行为的合法性的证据，就有败诉的可能。

（五）行政诉讼程序

行政诉讼程序包括三个基本阶段，即起诉和受理、审理和判决、执行。

1. 起诉和受理

根据行政诉讼法的规定，当事人起诉的程序，可分为两种情况：一是先向行政机关申请复议然后起诉；二是不经申请复议而直接起诉。受理是指原告起诉后，受诉人民法院经过审查，认为符合起诉条件，决定立案审查。当事人提起行政诉讼，应当符合下列四个条件：一是原告是认为具体行政行为侵犯其合法权益的公民、法人或者其他组织；二是有明确的被告；三是有具体的诉讼请求和事实根据；四是属于人民法院受案范围和受诉人民法院管辖。

2. 审理和判决

我国行政诉讼法分别就第一审程序、第二审程序和审判监督程序作了规定。其主要内容与民事诉讼法相近。

3. 执行

根据行政诉讼法第 65 条的规定，当事人必须履行人民法院发生法律效力的判决、裁定。公民、法人或者其他组织拒绝履行人民法院发生效力的判决、裁定的，行政机关可以向第一审人民法院申请强制执行，或者依法强制执行。行政机关拒绝履行人民法院发生效力的判决、裁定的，第一审人民法院可以依法行使司法执行权，采取以下的强制执行措施：对应当归还的罚款或者应当给付的赔偿金，通知银行从该行政机关的账户内划拨；在规定的期限内不履行的，从期满之日起，对该行政机关按日处 50 元至 100 元的罚款；向该行政机关的上一级行政机关或者监察、人事机关提出司法建议，接受司法建议的机关，根据有关规定进行处理，并将处理情况告知人民法院；拒不履行判决、裁定，情节严重构成犯罪的，依法追究主管人员和直接责任人员的刑事责任。

刑事诉讼法　　　（一）刑事诉讼法的概念及基本原则

1. 刑事诉讼法的概念

刑事诉讼是指人民法院、人民检察院和公安机关在当事人及其他诉讼参与人的参加下，依照法律规定的程序，解决被追诉者刑事责任问题的活动。刑事诉讼法是指国家制定的关于刑事诉讼活动所应遵循的原则、制度和程序的法律规范的总称。我国刑事诉讼法的主要渊源是 1996 年 3 月 17 日第八届全国人民代表大会第四次会议通过的修改后的《中华人民共和国刑事诉讼法》。

2. 刑事诉讼法的基本原则

我国刑事诉讼法的基本原则，是指公安机关、人民检察院和人民法院进行刑事诉讼活动必须遵循的基本准则。

（1）侦查权、检察权和审判权由专门机关行使。刑事诉讼法第 3 条第 1 款规定："对刑事案件的侦查、拘留、执行逮捕、预审，由公安机关负责。检察、批准逮捕、检察机关直接受理的案件的侦查、提起公诉，由人民检察院负责。审判由人民法院负责。除法律特别规定的以外，其他任何机关、团体和个人都无权行使这些权力。"

（2）公、检、法三机关在刑事诉讼活动中分工负责、互相配合、互相制约。

（3）犯罪嫌疑人、被告人有权获得辩护。

（4）未经人民法院依法判决不得确定有罪。刑事诉讼法第 12 条规定："未经人民法院依法判决，对任何人都不得确定有罪。"这一原则的基本含义，一是把在刑事诉讼中确定被告人有罪的权限，专属于人民法院，只有人民法院才有权在法律上将被告人确定为犯罪人。二是人民法院确定任何人有罪，必须依照法定程序，即经过开庭审理，依法作出判决，正式宣判；如果未经依法判决，不得确定任何人有罪。

（5）保证诉讼参与人的诉讼权利。

（6）对不应追究刑事责任的不予追诉。根据刑事诉讼法第 15 条的规定，有下列情形之一的，不追究刑事责任，已经追究的，应当撤销案件，或者不起诉，或者终止审理，或者宣告无罪：①情节显著轻微，危害不大，不认为是犯罪的。②犯罪已过追诉时效期限的。③经特赦令免除刑罚的。④依照刑法告诉才处理的犯罪，没有告诉或者撤回告诉的。⑤犯罪嫌疑人、被告人死亡的。⑥其他法律规定免予追究刑事责任的。

（7）外国人犯罪应当追究刑事责任的适用我国刑事诉讼法。刑事诉讼法第 16 条规定：对于外国人犯罪应当追究刑事责任的，适用本法的规定。对于享有外交特权和豁免权的外国人犯罪应当追究刑事责任的，通过外交途径解决。

【案例分析】

开村民大会判人死刑，违法

案例：某村农民李某开着刚买回来的摩托车回村，受到同村患有间歇性精神病的王某的袭击，腿被打伤，车灯被打坏。第二天李某再见到王某时又遭到了王某袭击。李某十分气愤，找来妻子和父亲将王某痛打了一顿，并捆绑起来。当晚，在李父（村长）的示意下，召集全村居民开会，商讨如何处理王某。因该村村民平时多次受到王某的侵害，会上 30 户居民的代表（只有 2 户未参加）在李某的煽动下，一致同意将王某处死，并在李某写好的"宣判书"上签字，"宣判书"上写明："全村居民一致同意处死王某，以使全村今后不再受王某的侵害，确保全村老幼平安。"李某宣读完"宣判书"后，立即同妻子和父亲一起不顾王某的呼喊和哀求，将其扔进村中的深水塘中，见王某从水中浮起来，李某又找来棍子，按住王某用力向下捅，直到王某沉入水底窒息死亡。

此案发生后，当地公安机关、检察机关经过侦查，认定李某、李父、李妻的行为已经构成故意杀人罪，并将 3 人依法逮捕。

分析：我国刑事诉讼法第 3 条规定："对刑事案件的侦查、拘留、执行逮捕、预审，由公安机关负责。检察、批准逮捕、检察机关直接受理的案件的侦查、提起公诉，由人民检察院负责。

审判由人民法院负责。除法律特别规定的以外，其他任何机关、团体和个人都无权行使这些权力。"在本案中，虽然王某袭击李某造成了其人身伤害和财产损失，但对王某的行为，应由司法机关视其情节作出处理，但李某并没有向司法机关报案，而是对王某进行痛打和捆绑，在没有经过司法机关侦查、审判的情况下，通过召集居民大会的形式，私自对王某处以死刑，既侵犯了王某的人身权利，同时也侵犯了公安司法机关的侦查权、检察权和审判权。

（二）刑事诉讼中的专门机关和诉讼参与人

1. 刑事诉讼中的专门机关

刑事诉讼中的专门机关包括公安机关、人民检察院和人民法院。

（1）公安机关。在刑事诉讼中，公安机关的职权主要有立案权、侦查权和执行权。其主要任务是负责刑事案件的侦查。除人民检察院、国家安全部门、军队保卫部门、监狱、走私犯罪侦查机关侦查的案件以外，绝大部分刑事案件都由公安机关进行侦查。

（2）人民检察院。在刑事诉讼中，人民检察院的职权主要有：①侦查权。对于法律规定由人民检察院直接受理的贪污贿赂犯罪、国家工作人员的渎职犯罪、国家机关工作人员利用职权实施的侵犯公民民主权利犯罪以及特定的侵犯公民人身权利的犯罪案件等有权立案侦查。②公诉权。检察机关是国家惟一的公诉机关，代表国家行使公诉案件的控诉权。③诉讼监督权。如对公安机关不立案的决定认为有错误的，有权要求公安机关立案；对公安机关等要求逮捕犯罪嫌疑人的申请进行审查，决定是否批准逮捕。对人民法院确有错误的裁判，有权依法提出抗诉等。

（3）人民法院。人民是刑事诉讼中惟一有权审理和判决有罪的专门机关。审判是刑事诉讼的核心和最重要的阶段，只有经过人民法院审判，才能确定被告人是否有罪，应否判处刑罚及判处何种刑罚。未经人民法院判决，对任何人不得确定有罪。

2. 刑事诉讼参与人

刑事诉讼参与人是指在刑事诉讼过程中享有一定的诉讼权利、承担一定的诉讼义务的除国家专门机关工作人员以外的人。根据刑事诉讼法第 82 条的规定，诉讼参与人可分为当事人和其他诉讼参与人两大类。

（1）当事人。是指与案件的结局有着直接利害关系，对刑事诉讼进程发挥较大影响作用的诉讼参与人。包括：①被害人。②自诉人，是指在自诉案件中，以自己的名义直接向人民法院提起诉讼的人。③犯罪嫌疑人、被告人，这是对涉嫌犯罪而受到刑事追诉的人的两种称谓。在公诉案件中，受刑事追诉者在检察机关向法院提起公诉以前称为"犯罪嫌疑人"，在检察机关正式向法院提起公诉以后则称为"被告人"。

（2）其他诉讼参与人。包括法定代理人、诉讼代理人、辩护人、证人、鉴定人和翻译人员。

刑事案件的管辖包括职能管辖和审判管辖。

（三）刑事案件的管辖

1. 职能管辖

职能管辖是人民法院、人民检察院和公安机关受理案件的权限的划分，是解决三机关的职责分工问题。

（1）公安机关侦查。刑事案件的侦查由公安机关进行，法律另有规定的除外。

（2）人民检察院立案侦查。贪污贿赂犯罪，国家工作人员的渎职犯罪，国家机关工作人员利用职权实施的非法拘禁、刑讯逼供、报复陷害、非法搜查的侵犯公民人身权利的犯罪以及侵犯公民民主权利的犯罪，由人民检察院立案侦查；对于国家机关工作人员利用职权实施的其他重大的犯罪案件，需要由人民检察院直接受理的时候，经省级以上人民检察院决定，可由人民检察院立案侦查。

（3）人民法院直接受理。主要是自诉案件，包括：告诉才处理的案件，被害人有证据证明的轻微刑事案件，被害人有证据证明对被告人侵犯自己人身、财产权利的行为应当依法追究刑事责任，而公安机关或者人民检察院不予追究被告人刑事责任的案件由人民法院直接受理。

2. 审判管辖

审判管辖是指人民法院组织系统内在审判第一审刑事案件上的分工。可分为级别管辖、地域管辖和专门管辖。

（1）级别管辖是指各级人民法院审理第一审刑事案件的权限分工。①基层人民法院管辖第一审普通刑事案件，但是依照本法由上级人民法院管辖的除外。②中级人民法院管辖危害国家安全的案件，可能判处无期徒刑、死刑的普通刑事案件和外国人犯罪的刑事案件。③高级人民法院管辖全省（自治区、直辖市）性的重大刑事案件。④最高人民法院管辖全国性的重大刑事案件。

【案例分析】

"陈希同"案应由北京市高级人民法院管辖

案例：陈希同在担任北京市市长、市委书记期间，自 1991

年 7 月至 1994 年 11 月，在对外交往中接受贵重礼物 22 件，价值人民币 55.5 万余元，没有按照规定交公，而是由个人非法占有。陈希同还指使、纵容王宝森擅自动用财政资金，在北京八大处公园和怀柔县违规建造了两座豪华别墅，供陈希同、王宝森个人享用，自 1993 年 1 月到 1995 年 2 月，陈希同经常到上述两座别墅吃住享乐。违规建造的别墅和购置设备共动用财政资金人民币 3521 万元。耗用服务管理费人民币 242 万元，吃喝挥霍公款人民币 105 万元。1998 年 6 月 5 日，北京市人民检察院提起公诉，北京市高级人民法院于 7 月 20 日不公开审理了此案，并于 7 月 31 日进行公开宣判，以贪污罪判处陈希同有期徒刑 13 年，以玩忽职守罪判处有期徒刑 4 年；两罪并罚，决定执行有期徒刑 16 年。

　　分析：刑事诉讼法第 21 条规定："高级人民法院管辖的第一审案件，是全省（自治区、直辖市）性的重大刑事案件。"陈希同身为北京市市委书记，贪污、玩忽职守，给国家造成重大损失，社会影响极其恶劣，本案案情复杂，审理难度大，为了确保案件处理的公正和准确，由北京市高级人民法院进行一审是必要的、正确的。

　　（2）地域管辖是指不同地区的同级人民法院审理第一审刑事案件的权限分工。①刑事案件由犯罪地人民法院管辖。如果被告人居住地的人民法院审判更为适宜的，可以由被告人居住地的人民法院管辖。所谓犯罪地，包括犯罪行为实施地、犯罪结果发生地、犯罪预备地、销赃地等，通常是由主要犯罪地人民法院管辖。犯罪地难以确定，或者虽已确定，但由被告人居住地人民法院审判更为适宜的，可以由被告人居住地的人民法院管辖。②几个同级人民法院都有管辖权的案件，由最初受理的人民法院审判；在必要的时候，可以移送主要犯罪地的人民法院审判。③对于管辖不明的案件，上级人民法院可以指定下级人民法院审判；上级人民法院也可以指定下级人民法院将案件移送其他人民法院审判。

【案例分析】

（1）刑事案件由犯罪地人民法院管辖。

案例：2001 年 11 月 3 日，某村村民李某被发现吊死在自家房门后，室内无任何挣扎搏斗的痕迹，门窗也完好无损，经当地公安机关侦查，是李某的丈夫孙某所杀。孙某在城里工作，结识了同事女青年张某后，二人在城内租房开始同居。期间孙某多次要求与妻子李某离婚，被李某拒绝，并要求孙某立即与女青年张某断绝来往，否则就要到孙某的单位大闹。孙某害怕，于 11 月 2 日晚偷偷回家，叫醒妻子后进屋，后趁妻子熟睡之时，用绳子将其勒死，并伪造自杀现场后连夜回到城里，第二天照常上班。

此案经犯罪地公安机关侦查终结后，犯罪地人民法院依法公开审理了此案，并判处被告人孙某死刑，剥夺政治权利终身。

分析：刑事诉讼法第 24 条规定，刑事案件由犯罪地人民法院管辖。如果由被告人居住地人民法院审判更为适宜，可以由被告人居住地人民法院管辖。本案是由被告人犯罪地人民法院管辖。

（2）刑事案件的指定管辖。

案例：家住 A 市的刘某和赵某将本市一公司的董事长劫持到 B 市，因未得到赎金，在 B 市将其杀害。后由 B 市公安机关将二人抓获。

分析：此案应由 A 市还是 B 市法院管辖存在争议。A 市法院认为，此案应由 B 市法院管辖。因为此案被告人的犯罪行为虽始于 A 市，但一直持续到 B 市，由 B 市公安机关破获，并且由 B 市检察机关审查起诉，B 市法院受理更为方便。而 B 市法院认为，此案应由 A 市法院受理，因被告人的主要犯罪行为是在

A 市实施的，并且两名被告人居住在 A 市，根据刑事诉讼法第
24 条规定，应由 A 市法院受理。后经两市共同上级法院研究，
指定由 B 市法院受理此案。

（3）专门管辖是指专门人民法院与普通人民法院审理第一审
刑事案件的权限分工。如军事法院管辖的主要是现役军人和军内
在编职工的犯罪。凡属专门人民法院管辖的第一审刑事案件，除
最高人民法院外，地方各级人民法院均无权管辖。

（四）刑事诉讼的证据和举证责任

1. 刑事诉讼的证据

根据刑事诉讼法第 31 条的规定有下列七种证据，这七种证
据必须经过查证属实，才能作为定案的根据。

（1）物证、书证。物证是指能够证明案件真实情况的物品和
痕迹；一般常见的物证有犯罪分子作案使用的工具、留有犯罪痕
迹的物品和其他能够证明案情的物品和痕迹。书证以文字、图画
或符号记载的内容来证明案件的真实情况；常见的书证有犯罪分
子进行犯罪的书面计划以及与同伙来往的电文、信件等。

（2）证人证言。证人证言是指当事人以外的知道案件真实情
况的人向公、检、法机关所作的陈述。根据刑事诉讼法第 48 条
规定，凡是知道案件情况的人，都有作证的义务；但是生理上、
精神上有缺陷或者年幼不能辨别是非、不能正确表达的人，不能
作为证人。

（3）被害人陈述。被害人陈述是指犯罪行为的受害者就案件
情况向公、检、法机关所作的陈述。

（4）犯罪嫌疑人、被告人的供述和辩解。犯罪嫌疑人、被告
人的供述和辩解又称犯罪嫌疑人和被告人的口供，是犯罪嫌疑人

和被告人向公、检、法机关供认或者否认被指控的犯罪事实所作的陈述。犯罪嫌疑人和被告人对自己是否实施了犯罪和怎样实施了犯罪，知道得最清楚，因而犯罪嫌疑人和被告人的供述和辩解对于查明案情具有重要作用。但由于犯罪嫌疑人和被告人与案件的处理结果有直接利害关系，因而对他们的口供不能轻信，而必须认真地进行审查判断，只有经过查证核实后，才能作为定案的根据。

（5）鉴定结论。鉴定结论又称鉴定意见，是指公、检、法机关所指派或聘请的具有专门知识或技术的人员就案件中有关的专门性问题进行鉴定后所作的书面结论。如犯罪现场留下的指纹、脚印与犯罪嫌疑人、被告人的指纹、脚印是否相同的鉴定结论等。

（6）勘验、检查笔录。勘验、检查笔录是指侦查、审判人员对与犯罪有关的场所、物品、人身、尸体进行勘验或者检查后所作的记载。勘验、检查笔录的内容多是反映物证的材料，如检验尸体受伤部位和伤口大小等，但其本身并不是物证。这种证据对于鉴别其他证据的真伪和证明案件的真实情况，具有其他证据所不能代替的重要作用。

（7）视听资料。视听资料是指用录像或录音磁带反映出来的图像和音响，或用电子计算机储存资料来证明案件真实情况的证据。人民法院对于这种证据，应辨别其真伪，并结合其他有关证据，确定其证据力。

2. 举证责任

在刑事诉讼中，不论公诉案件还是自诉案件，证明犯罪嫌疑人、被告人有罪的责任，均由控诉一方承担。公、检、法机关的工作人员也负有依法收集证明犯罪嫌疑人、被告人有罪、无罪等各种证据的责任。公、检、法三机关对犯罪嫌疑人、被告人的犯罪事实，只有收集到确实充分的证据，才能作出侦查终结的决定，才能提起公诉，也才能制作有罪的判决书。

在刑事诉讼中，犯罪嫌疑人、被告人对侦查人员的提问应当如实回答，但是没有证明自己有罪或无罪的责任。至于犯罪嫌疑人、被告人及其辩护人为了证明犯罪嫌疑人、被告人无罪、罪轻所进行的辩解，所提出的有利于犯罪嫌疑人、被告人的事实和理由等，乃是法律赋予他们的诉讼权利，而并不意味着他们负有举证责任。至于对犯罪嫌疑人、被告人及其辩护人行使辩护权所提出的事实、理由、证人、证物等的核查工作，仍应由办案机关负责，不能由被告人及其辩护人负责。

自诉案件的自诉人对起诉的犯罪事实负有举证责任。人民法院对起诉的事实也负有调查核实、收集证据的责任。犯罪嫌疑人、被告人对自诉人提出反诉的，应当对反诉的事实负举证责任。

【案例分析】

刑事证据的特征

案例：1999 年 10 月 20 日，某县一信用社被盗，丢失人民币 3 万余元。县公安机关接到报案后，立即组织力量进行侦查。经过现场勘查，办案人员在信用社门外发现有清晰自行车轮胎痕迹，于是分析犯罪分子是盗窃之后骑自行车逃跑，遂顺着自行车印进行追查。当查到村民章某家门口时，自行车印不见了，章某的母亲正在门口扫地。章家院内放着一辆自行车，自行车轮胎花纹与留在信用社外的痕迹一致。通过搜查，办案人员在章家发现现金 1 万余元。于是认定章某是盗窃信用社的嫌疑人，并拘留了章某。

　　在讯问期间，章某否认有盗窃行为并辩称留在信用社门外的自行车印是他一大早骑车进城买东西回来时留下的，因为章某的弟弟要结婚，20 日这天家里请客，所以她母亲早晨打扫院子和门口，1 万元钱是从亲戚那里借来准备给弟弟结婚用的，但是办案人员不听章某的辩解，也未找章某的亲戚了解，主观上认定章某态度不老实想抵赖罪行，于是对其进行刑讯，用皮带抽打，章某最后不得不承认自己偷了信用社的钱，但对另外 2 万元钱的下落始终未交代清楚。

　　某县检察院以章某的口供、查获的 1 万元现金及自行车轮胎痕迹鉴定等证据向县基层法院起诉章某犯盗窃罪，最终章某被人民法院判处有期徒刑 7 年。

　　在执行期间，章某及其家人多次提出申诉，但均被驳回。5 年后，公安机关破获了一个盗窃团伙，在交代罪行时，该团伙的组织者供出了 5 年前盗窃信用社 3 万余元现金的犯罪行为。到此，章某"盗窃信用社"一案才真相大白。

　　分析：根据刑事诉讼法的规定，作为定案的刑事证据必须具有客观性、相关性与合法性。本案认定章某犯盗窃罪的主要证据有三个：犯罪嫌疑人章某的口供，从章家中查获的 1 万元现金、章某的自行车轮胎印。其中口供属于刑讯逼供得来的证据，不具有合法性，不能作为定案的证据。章家的现金和自行车轮胎印，这两个证据虽然是客观存在的，但与案件无实质性的相关性，其联系是办案人员主观想象出来的，也不能作为定案的根据。本案将不具有合法性、相关性的证据作为定案的根据，导致了错案的发生，对章某的人身权利造成了极大的伤害。

　　（资料来源：樊崇义主编：《刑事诉讼法学教学案例教程》，知识产权出版社，2002 年版）

（五）刑事诉讼中的强制措施

刑事诉讼中的强制措施，是指人民法院、人民检察院和公安机关为了保证侦查和审判工作的顺利进行，依法对犯罪嫌疑人、被告人、现行犯或重大嫌疑分子的人身自由加以限制。它不是刑事处罚，也不是行政处罚。

根据刑事诉讼法的规定，强制措施有五种，即拘传、取保候审、监视居住、拘留、逮捕。

1. 拘传

拘传是公、检、法机关对未被羁押的犯罪嫌疑人、被告人依法强制其到案接受讯问的一种强制措施。拘传必须使用拘传票，并向被告人出示。根据刑事诉讼法第 92 条规定，拘传时间最长不得超过 12 小时，不得以连续传唤、拘传的形式变相拘禁犯罪嫌疑人。

2. 取保候审

取保候审是指公、检、法机关根据需要或有关人员的申请，责令未被羁押的犯罪嫌疑人、被告人提出保证人或交纳保证金，保证犯罪嫌疑人、被告人不逃避侦查和审判、随传随到的一种强制措施。取保候审的期限最长不得超过 12 个月。

3. 监视居住

监视居住是指公、检、法机关责令犯罪嫌疑人、被告人在诉讼过程中，未经批准不得离开住处或指定的居所，并对其行动加以监视的一种强制措施。监视居住的条件和适用范围，与取保候审相同。司法机关在采取强制措施时，两者只能取其一，不能并用。监视居住最长不得超过 6 个月，由公安机关执行。

4. 拘留

拘留是公安机关在紧急情况下对现行犯或重大嫌疑分子所采取的一种短期限制人身自由的强制措施。采取拘留强制措施的只能由公安机关执行，其他任何机关都无权适用这一强制措施。公安机关拘留人时，应当出示拘留证。拘留后，除了有碍侦查或无法通知的情况外，应当将拘留原因和羁押场所在 24 小时内通知被拘留人的家属或所在单位。公安机关对被拘留的人应在拘留后 24 小时内进行讯问，如果发现不应当拘留时，应当立即释放并发给释放证明。如果认为需要逮捕的，应当在拘留后的 3 日内，提请人民检察院审查批准。人民检察院接到公安机关提请批准逮捕书后的 7 日以内，作出批准逮捕或者不批准逮捕的决定。人民检察院不批准逮捕的，公安机关应当在接到通知后立即释放，并发给释放证明。

【案例评析】

案例：某商业街的巡防队员深夜巡视时，发现一临街店铺有微弱的灯光，立即上前检查，发现门锁已被撬开，屋内有被翻动的痕迹。经仔细搜查，发现一人藏在桌子底下，于是立即向公安机关报案，赶来的警察从该人身上搜出了香烟三条、人民币若干。公安机关认为，该人撬门入室，正在实施盗窃行为，于是将其先行拘留。

分析：拘留是公安机关在侦查过程中，遇有紧急情况时，对现行犯或者重大嫌疑分子，所采取的临时限制其人身自由的强制措施。适用拘留必须符合两个条件：一是对象是现行犯或者是重大嫌疑分子；二是符合法定的情形。

5. 逮捕

逮捕是以羁押的方式剥夺犯罪嫌疑人、被告人的人身自由的一种强制措施。逮捕只能对有证据证明有犯罪事实，可能判处有期徒刑以上的刑罚，且采取取保候审、监视居住等方法尚不足以防止发生社会危险性而有逮捕必要的犯罪嫌疑人、被告人采用。逮捕必须经人民检察院批准或决定，或经人民法院决定，并由公安机关执行。公安机关逮捕人时，必须出示逮捕证。逮捕后，除了有碍侦查工作进行或者无法通知外，应当把逮捕原因和羁押处所，在 24 小时内通知被捕人的家属或所在单位。对被捕人应在逮捕后的 24 小时内进行讯问，如果发现逮捕不当，应当立即释放并发给释放证明。

【案例评析】

案例：一日，某村民李某正在放牛，一名陌生男子走来，请李某帮忙将一包东西转交给距此十里远的县城接货人。先给 100元报酬，事成后再给 100 元。李某答应帮忙并收下了钱。当天下午，李某将东西拆成两包分别藏在身上从小路赶往县城交货。结果被公安干警当场抓获，等候接货的人逃脱。李某被刑事拘留。讯问中犯罪嫌疑人李某始终辩解说不知道这两块东西是毒品。公安机关向人民检察院提交了批准逮捕书。人民检察院认为，虽然犯罪嫌疑人不承认其携带的是毒品，但是，第一，犯罪嫌疑人接受"陌生人"丰厚的报酬，并从小路赶往县城交给指定的人，显然应认识到该物品非一般物品；第二，李某将东西拆成两包分别藏在身上，他应看到了该物品的形状、颜色及透明塑料包装纸上的商标；第三，经查，李某已经有一年的吸毒史，所吸食的正是海洛因。因此，李某应是明知毒品而携带，有犯罪的故意。于是人民检察院对李某以涉嫌走私毒品罪批准逮捕。

分析：本案中，有证据证明李某有犯罪的事实，且可能判处徒刑以上的刑罚，同时毒品犯罪社会危害性极大，采取取保候审或监视居住，尚不足以防止发生社会危险性，对李某适用逮捕符合法律规定。

（六）刑事诉讼阶段

刑事诉讼程序一般分为立案、侦查、起诉、审判和执行等五个阶段。但是自诉案件在立案后即可进入审判阶段，不需要经过侦查和提起公诉。

1. 立案

刑事诉讼的立案是指公、检、法机关对报案、控告、举报、自首的材料，经过审查后，认为确有犯罪事实，并且依法应当追究刑事责任，决定作为刑事案件予以受理的诉讼活动。立案是刑事诉讼的开始。公、检、法机关在接受报案、控告、举报、自首材料后，应当按照管辖范围，迅速进行审查。认为有犯罪事实需要追究刑事责任的，应当作出立案的决定；认为没有犯罪事实，或者犯罪事实显著轻微，不需要追究刑事责任的，不予立案，并将不立案的原因通知控告人；控告人如果不服，可以申请复议。

2. 侦查

是指公安机关（包括国家安全机关）、检察机关在办理案件的过程中依法进行专门调查工作和采取有关的强制性措施的诉讼活动。侦查是公诉案件的必经程序。侦查活动包括：讯问犯罪嫌疑人；询问证人；勘验、检查；搜查；扣押物证、书证；鉴定；通缉。公安机关侦查终结的案件，应当做到犯罪事实清楚，证据确实充分，并且写出起诉意见书，连同案卷材料、证据，一并移送同级人民检察院审查决定。公安机关在侦查中，如果发现不应该追究犯罪嫌疑人刑事责任的，应当撤销案件，犯罪嫌疑人已逮捕的，应立即释放，发释放证明，并通知原批准逮捕的人民检察院。人民检察院侦查刑事案件终结后，应当作出提起公诉、不起诉或者撤销案件的决定。犯罪嫌疑人在侦查中的羁押期限一般为两个月。

3. 起诉

是指请求人民法院对被告人进行审判的诉讼活动。人民检察院代表国家依法向人民法院提起诉讼，要求追究被告人刑事责任的诉讼活动，称为公诉。被害人本人或者他的法定代理人进行的起诉，称为自诉。在刑事诉讼过程中，被害人因被告人的犯罪行为而遭受物质损失的，有权提起附带民事诉讼。如果是国家财产、集体财产遭受损失的，人民检察院在提起公诉的时候，可以提起附带民事诉讼。

4. 审判

刑事诉讼的审判是人民法院依法对刑事案件进行审理和作出判决与裁定的诉讼活动。我国刑事诉讼法对第一审程序、第二审程序、死刑复核程序和审判监督程序分别作了规定。

（1）第一审程序。是人民法院审判第一审案件必须遵守的诉讼程序。刑事诉讼法对公诉案件和自诉案件的第一审程序分别作了规定。

公诉案件的第一审程序。人民法院收到人民检察院提起公诉案件后，进行审查，对于符合条件的，应当决定开庭审判。第一审程序的法庭审判，包括相互联系的五个阶段，即开庭、法庭调查、辩论、被告人最后陈述、评议和宣判。审判期限，即除法律另有规定外，应在受理后一个月内宣判，至迟不得超过一个半月。

自诉案件的第一审程序。人民法院对自诉案件，经过审查后，应当分别不同情况进行处理：①犯罪事实清楚、有足够证据的案件，开庭审理。②缺乏罪证的案件，如果自诉人提不出补充证据，应当说服自诉人撤诉，或者裁定驳回。人民法院对自诉案件可以进行调解。自诉人在人民法院宣告判决前，也可以同被告人自行和解，或者撤回自诉。

【补充资料】

什么是自诉案件

自诉案件是指被害人或其法定代理人，为追究被告人的刑事责任，自行向人民法院提起诉讼，由人民法院直接受理的案件。它包括告诉才处理的案件，被害人有证据能够证明的轻微的刑事案件和对被告人侵犯自己人身、财产权利的行为应当依法追究刑事责任，而公安机关或者人民检察院不予追究被告人刑事责任的案件。

（2）第二审程序。又称上诉审程序，是指上一级人民法院根据当事人的上诉或者人民检察院的抗诉，对第一审人民法院尚未发生法律效力的判决或裁定的案件，进行重新审理的程序。第二审程序并非一切刑事案件的必经程序，只有依法提出上诉或抗诉，才能发生第二审程序。

对第一审判决、裁定有上诉权的人有两种：一种是案件的当事人（自诉人、被告人、附带民事诉讼的原告人）或者他们的法定代理人；另一种是征得被告人本人同意后上诉的被告人的近亲属和辩护人。

第二审人民法院收到上诉或者抗诉书后，应当由审判员组成合议庭，对第一审判决认定的事实，适用的法律进行全面审查。对上诉或者抗诉的案件经过审理后，应按下述情况分别处理：①对原判决认为事实和适用法律正确、量刑适当的，应当裁定驳回上诉或者抗诉，维持原判。②对原判决认定事实没有错误，但是适用法律有错误或者量刑不当的，应当撤销原判进行改判。③原判决认定事实不清或者证据不足的，可以在查清事实后改判，也可以撤销原判，发回原审人民法院重新审判。④发现第一审人民法院违反法定诉讼程序，可能影响正确判决的，也应当撤销原判，发回原审人民法院重新审判。

第二审人民法院受理上诉、抗诉的案件，除法律另有规定外，应在一个月内审结，至迟不超过一个半月。第二审人民法院的判决和裁定，以及最高人民法院审理第一审案件的判决和裁定，都是终审裁决和裁定。

此外，刑事诉讼法对死刑复核程序和审判监督程序也作了规定。

【补充资料】

在刑事诉讼中，公、检、法三机关之间是如何分工配合，相互制约的？

被告人范某，女。1999 年 8 月 15 日，被告人范某因其邻居赵某在其房边修建围墙，双方发生争执。次日，双方为此事又发生争吵。8 月 20 日范某见赵某仍在修墙，就同其女儿、儿媳三人手持钢钎去撬赵家的围墙。赵某及其妻子和儿子出来制止，双方抢夺钢钎，在抢夺中范某和赵某等人先后跌倒。赵某跌倒后爬起来，并大骂范某，同时去找自己的鞋子，在穿鞋时又跌倒，但未能爬起来。后经医院抢救无效死亡。

经法医鉴定，赵某是由于本身患有心脏病，因争吵、抢夺钢钎等，精神过度紧张，诱发心脏病导致死亡，排除外来暴力打击致死。

公安机关侦查后认为，范某对被害人的死亡负有不可推卸的责任，于是以范某犯故意伤害罪向人民检察院提出了起诉意见，人民检察院经审查认为范某犯故意伤害罪的证据不足，决定将案件退回公安机关补充侦查。经补充侦查，公安机关又收集到一些证明范某推拉赵某的证据，并将案件再次移送人民检察院审查起诉，人民检察院在法定期间内向县人民法院提起公诉，指控被告人范某犯故意伤害罪。县人民法院经过审理认为被告人范某的行为虽然造成了损害的结果，但是在主观上不存在伤害的故意或者过失，赵某的死亡是由于心脏病发作而引起的，范某对此不能预见，因此不认为是犯罪，判决宣告被告人范某无罪。宣告后，人民检察院提出了抗诉，地区中级人民法院裁定，驳回抗诉，维持原判。

5. 执行

是指人民法院对已经发生法律效力的判决和裁定所确定的内容，交付有关机关加以实现的诉讼活动。它是刑事诉讼的最后阶段。

刑事诉讼法规定了对已经发生法律效力的各种判决、裁定的执行：

（1）无罪判决、免除刑罚的执行。第一审人民法院判决被告人无罪、免除刑罚的，如果被告人在押，在宣判后应当立即释放。

（2）死刑的执行。最高人民法院判处或核准的死刑立即执行的判决应当由最高人民法院院长签发执行死刑的命令。下级人民法院接到执行死刑的命令后，应当在 7 日内执行。执行死刑应当公布，但不应示众。

（3）死刑缓期两年执行刑罚的执行。被判处死刑缓期两年执行的罪犯，在监狱或者其他执行机关执行。

（4）无期徒刑、有期徒刑、拘役和未成年犯的执行。被判处无期徒刑、有期徒刑的罪犯，在监狱或者其他劳改场所执行。被判处有期徒刑的罪犯，在被交付执行刑期前，剩余刑期在一年以下的，由看守所代为执行。对被判处拘役的罪犯由公安机关执行。对未成年犯应当在未成年犯管教所执行刑罚。被判处有期徒刑、拘役的罪犯，执行期满，由执行机关释放并发给释放证明。

（5）缓刑和假释的执行。被判处徒刑缓刑的罪犯，由公安机关交所在单位或者基层组织予以考察。被假释的罪犯，在假释考验期内，由公安机关予以监督。

（6）管制、剥夺政治权利的执行。被判处管制、剥夺政治权利的罪犯，由公安机关执行。执行期满，由执行机关通知本人，并向有关群众公开宣布解除管制或者恢复政治权利。

（7）罚金、没收财产的的执行。被判处罚金的罪犯，期满不缴纳的，人民法院应当强制缴纳；如果由于遭遇不能抗拒的灾祸缴纳确实有困难的，可以裁定减少或者免除。没收财产的判决，由人民法院执行，在必要的时候可以会同公安机关执行。

公诉案件的主要诉讼阶段见图 6—3。

第二节　　非诉讼途径

非诉讼途径的含义　　非诉讼途径是指受害人或者其他有关人员未

通过诉讼程序而是请求国家有关行政机关或其他有关单位处理、解决纠纷，保护自身合法权益的方式。

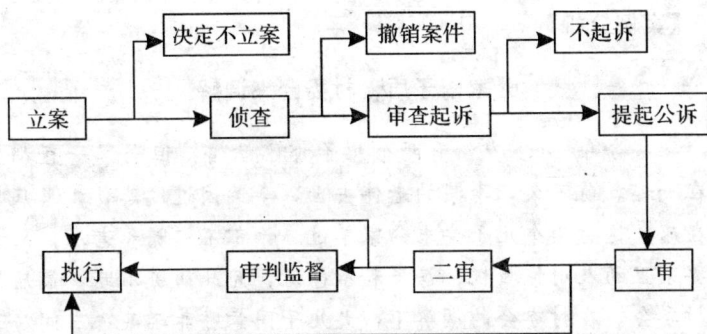

图中流程：立案 → 决定不立案；立案 → 侦查 → 撤销案件；侦查 → 审查起诉 → 不起诉；审查起诉 → 提起公诉 → 一审 → 二审 → 审判监督 → 执行

图6—3　公诉案件的主要诉讼阶段

　　非诉讼途径可以避免诉讼途径中的许多必经过程，为当事人节省了时间；在解决纠纷中，可以依据法律条文，也可以依据当事人不违反法律的意愿，在方法上更为灵活。

主要的非诉讼途径　　　　非诉讼途径有很多，主要有：投诉、调解、仲裁、行政复议、申诉、行政裁决。

1. 调解

　　调解是指人民调解委员会在一般的民事纠纷或者一般的治安违法案件发生以后，就当事人一方或者双方提出的申请，以说服或协商的方式解决纠纷所进行的活动。

　　人民调解委员会是群众性的自治组织，在基层人民政府和基层人民法院的指导下进行工作。其建立在农村是以乡、镇为单位，在城市一般以派出所所辖区或街道为单位。

　　适用调解的纠纷主要有：一般的民事纠纷，如邻居间因饲养动物影响生活产生的纠纷、家庭成员内部之间的矛盾等。一般的治安违法案件，如情节比较轻微的打架斗殴等。

【案例分析】

分家闹矛盾，村委会来调解

李某今年 70 多岁，有两个儿子都已结婚，但全家一直都生活在一起。前不久，李某的老伴去世，李某因过度悲伤，患病瘫痪在床。这时两个儿子要求分家单过，谁都不愿赡养老人，又都想要家里的农用拖拉机、房子和承包地，为此纠纷不断，最后找到村委会。在村委会的调解下，大儿子同意赡养李某，三间房子和承包地归大儿子所有。农用拖拉机归小儿子，同时小儿子每年给李某 600 元生活费用。

【补充资料】

法院调解和人民调解委员会的调解有何不同？

法院调解发生在民事诉讼过程中，属民事诉讼行为，它要在审判人员的主持下，遵循一定的法律原则和程序进行，所形成的调解书具有法律效力。而人民调解委员会所进行的调解没有严格的程序规范，所形成的调解协议没有约束力，只有一定的见证力，当事人反悔的，可以就该争议问题向人民法院起诉。

2. 仲裁

仲裁是指发生争议的双方当事人，根据其在争议发生前或争议发生后所达成的协议，自愿将该争议提交中立的第三者进行裁判的争议解决制度和方式。

　　据此，仲裁必须以双方当事人自愿协商为基础，双方自愿选择中立第三者进行裁判，所作出的裁决对双方具有约束力。与调解和诉讼一样，仲裁也是解决争议的一种方式，但仲裁却是非经司法诉讼途径即具有法律约束力的争议解决方式。

　　仲裁主要有合同纠纷仲裁，劳动争议仲裁和海事仲裁。我国仲裁法第 3 条规定，下列纠纷不能仲裁：①婚姻、收养、监护、抚养、继承纠纷。②依法应当由行政机关处理的行政争议。另外，第 77 条规定，劳动争议和农业承包合同纠纷的仲裁，另行规定。（"劳动争议仲裁"请参阅第四章有关内容。）

　　我国仲裁实行的基本制度如下：

　　（1）协议仲裁制度。即当事人必须按照合同约定的仲裁条款或事先达成的书面仲裁协议向仲裁机构申请仲裁；没有仲裁协议，仲裁机构不予受理。

　　（2）或裁或审制度。仲裁与诉讼是两种不同的争议解决方式。因此当事人之间发生的争议只能在仲裁或者诉讼中选择其一采用。有效的仲裁协议即可排除法院的管辖，只有在没有仲裁协议或仲裁协议无效的情况下，法院才可以行使管辖权。

　　（3）一裁终局制度。即仲裁庭作出的仲裁裁决即为终局裁决，裁决作出后，当事人就同一纠纷再申请仲裁或者向人民法院起诉，仲裁委员会或者人民法院不予受理。当事人应当自动履行裁决，一方当事人不履行的，另一方当事人可以向法院申请执行。

【小思考】

　　2004 年 1 月，大连市某房地产公司与北京某公司签订合同，双方约定北京公司购买商品房 5 套，总房款 250 万元，交房期限为 2005 年 3 月。若发生争议，则交由大连市仲裁委员会仲裁。合同签订后一个月，北京某公司将首期房款 100 万元按约交付。

2004 年 11 月交付第二期 100 万元房款时，大连某房地产公司提出，由于建材价格上涨，建房成本大增，很难按原合同价格交付，要求提价 10％，北京某公司拒绝了大连某房地产公司的要求，并坚持按合同交款，但大连某房地产公司拒收。至 2005 年 3 月，大连某房地产公司未按合同向北京某公司交付房屋，而是出售给了他人，双方发生争议。

请问：

（1）若北京公司向大连市仲裁委员会申请仲裁，要求大连某房地产公司赔偿其经济损失。仲裁委员会是否会受理？

（2）若北京公司认为裁决的赔偿数额过低，能否要求仲裁委员会重新仲裁？或向人民法院起诉，要求法院判决？

3. 投诉

投诉是指公民就民事、经济、行政等方面的违法、违纪问题，向主管机关、有关群众性组织或其他有关单位反映并要求处理和解决的行为。如服务质量投诉、行政管理问题投诉、产品质量投诉等。

甲在"五一"黄金周期间开自家车去旅游，在某景点停车时，平时应当收 5 元钱的停车费，工作人员却收了 30 元，并说这是旅游旺季价格。甲向当地旅游局进行投诉。经查，停车场提高停车价格的行为未经过有关价格部门的批准，属乱涨价。为此，当地旅游局要求该景点停车场向甲退回多收的 25 元钱，并对其作出了相应的行政处罚。

4. 申诉

申诉是指公民对行政处罚或党纪、政纪处分不服，向有关机关、组织、单位提出申述理由，要求复查和裁决的行为。包括以下几种：

（1）企业职工对行政处分不服的，如给职工警告、记过、记大过、降级、撤职、留用察看、开除等处分时，按企业职工奖惩条例规定，应允许受处分者本人进行申辩。如果对处分结果不服，可以在公布处分以后 10 日内，向上级领导机关提出书面申诉。

（2）国家行政机关工作人员等对其主管部门作的行政处分决定不服的，按有关行政监察法的规定，可以向同级监察机关申诉。申诉人对同级监察机关的复审决定仍不服的，可以向上一级监察机关申请复核。

（3）公民对治安行政处罚不服的，按《治安管理处罚法》规定，在接到通知 5 日内，可以向上一级公安机关提出申诉，由上一级公安机关在接到申诉后 5 日内作出裁决。不服上一级公安机关裁决的，可以在接到通知后 5 日内向当地人民法院起诉。

此外，党员对党纪处分不服的，可以按党章的规定申诉；国家公务员对涉及本人的人事处理决定不服的，可以按《国家公务员法》的有关规定进行申诉。

有关"行政复议"的内容请参阅本书第二章。

第三节 法律帮助

法律服务 法律服务是指律师等法律专职人员接受当事人的委托，利用自己的法律专业知识依法为当事人提供法律帮助的活动。

在我国提供法律服务的机构主要下：

1. 律师事务所

律师事务所是司法行政机关依法核准设立的律师执业机构。

按律师法第 15 条的规定，律师事务所应当具备以下条件：一是有自己的名称、住所和章程；二是有 10 万元以上人民币的资产；三是有符合律师法规定的律师。

目前我国的律师事务所有国资律师事务所、合作律师事务所和合伙律师事务所三种形式。

根据律师法第 25 条的规定，律师可以从事下列业务：一是接受公民、法人和其他组织的委托，担任法律顾问。二是接受民事案件、行政案件当事人的委托，担任代理人，参加诉讼。三是接受刑事案件犯罪嫌疑人的聘请，为其提供法律咨询，代理申诉、控告，申请取保候审，接受犯罪嫌疑人、被告人的委托或者人民法院的指定，担任辩护人，接受自诉案件自诉人、公诉案件被害人或者其近亲属的委托，担任代理人，参加诉讼。四是代理各类诉讼案件的申诉。五是接受当事人的委托，参加调解、仲裁活动。六是接受非诉讼法律事务当事人的委托，提供法律服务。七是解答有关法律的询问、代写诉讼文书和有关法律事务的其他文书。

李某的弟弟开一加长大货车，在乡间公路行驶时，为躲避正在路上玩耍的几个小孩，与迎面开来的农用三轮车发生刮碰。农用车上装有一车稻草，上面坐有三个人。李某当时并未在意，但刚走出不到十里路，就被后面追来的一辆出租车截住。原来，三轮车被李某的大货车刮翻，车上坐的一人死亡，另外两人受轻伤。李某当即连人带车被交警扣下。李某家人非常担心，不知李某是否会被判刑。此时李某的家人可以到律师事务所去咨询，律师会根据相关的法律，耐心地给予解答，告知李某的行为是否构成犯罪。

2. 公证处

公证处是国家专门设立的，依法行使国家公证职权、代表国家办理公证事务、进行公证证明活动的司法证明机构。

公证机关的职责主要是办理各类公证事务和相关的法律事务。包括以下几方面：一是办理公证事务，出具公证证明。如对遗嘱、收养等法律行为进行公证；对学历、出生等具有法律意义的事实或文书进行公证。二是提供法律服务。如代写法律文书，代当事人保管遗嘱、代办与公证有关的法律手续等。三是对有关社会活动进行法律监督。如对各类有奖活动、社会评比活动、社会性竞赛活动、招标、拍卖等进行公证监督，以维护公共利益和正常的经济秩序。

甲、乙打算登记结婚，为避免将来发生纠纷，双方就财产问题作了约定，房子是男方的个人财产，婚礼期间所收受的3万元礼金归女方所有。以后每月双方各拿出2000元作为家庭日常开支，其余的收入则归个人所有。为防止发生争议或反悔，双方又到公证处作了公证。

3. 法律服务所

法律服务所是基层法律工作者执业的组织。

基层法律服务所是由乡镇人民政府、街道办事处或县级司法行政机关设立的。其业务范围主要有以下几方面：担任法律顾问；代理民事、经济、行政诉讼；代理非诉讼法律事务；主持调解纠纷；进行法律咨询；代写法律文书；协助办理公证；有限制地开展见证工作。

法律援助　　　　法律援助是指政府出资，为需要进行诉讼活动的公民承担法律服务费用，从而保障这些人的合法权益的制度，它同时也包括免收或减收部分费用，为公民提供法律帮助的内容。

我国律师法第 41 条规定，公民在赡养、工伤、刑事诉讼、请求国家赔偿和请求依法发给抚恤金等方面需要获得律师帮助，但是无力支付律师费用的，可以按照国家规定获得法律援助。

李某与丈夫离婚后独自抚养 5 岁的孩子，但孩子不幸得了重病，每月医药费近千元，李某为照顾孩子不得不辞去了工作，为治病借债近 10 万元。李某多次要求前夫提高每月给付孩子的抚养费用，但前夫一直不予理睬，拒绝给付。李某实在没有其他办法，想通过法院解决，但又无力支付律师费用，则李某就可以申请法律援助。

法律援助的一般程序是：首先，申请人向法律援助管理机构提出申请，并填写法律援助申请表。其次，法律援助机构审查，对符合条件的签发法律援助通知书；对不符合条件的，作出不予援助的决定，并通知申请人。最后，法律援助机构指派在法律援助律师登记簿上登记的律师提供法律援助。

本章小结

·民事诉讼法：民事诉讼是指在当事人和其他诉讼参与人的参加下，人民法院依照法定程序审理民事案件，解决民事争议的活动。民事诉讼参加人包括民事诉讼当事人和民事诉讼代理人。民事诉讼当事人主要指原告和被告，同时也包括民事诉讼中的第三人。在民事诉讼中，一般适用"谁主张，谁举证"的原则。提起民事诉讼，应向有管辖权的人民法院提出。审判程序主要包括：第一审普通程序、第二审程序、审判监督程序等。对于已作出的判决或裁定，民事诉讼法还规定了相应的执行程序。

· 刑事诉讼法：刑事诉讼是指为了追究犯罪嫌疑人、被告人的刑事责任而进行的诉讼活动。刑事案件的管辖，分为职能管辖和审判管辖。职能管辖中对刑事案件的侦查、拘留、执行逮捕、预审，由公安机关负责；检察、批准逮捕、检察机关直接受理的案件的侦查、提起公诉，由人民检察院负责；审判由人民法院负责。级别管辖是指各级人民法院审理第一审刑事案件的权限分工。刑事诉讼程序一般分为立案、侦查、提起公诉、审判和执行等五个阶段。但是自诉案件在立案后即可进入审判阶段，不需要经过侦查和提起公诉。

· 行政诉讼法：行政诉讼是人民法院为了解决行政纠纷，在当事人参加下，审理行政案件的活动。根据我国行政诉讼法的规定，行政诉讼参加人包括行政诉讼当事人和行政诉讼代理人。行政诉讼实行人民法院特定主管原则，即人民法院受理行政案件的权限范围，由法律加以具体规定。人民法院只能主管法律规定由其主管的那一部分行政案件，法律未规定由其主管的行政案件，人民法院不能受理。管辖分为级别管辖和地域管辖。行政诉讼中主要由被告即行政机关一方负举证责任。行政诉讼程序包括三个基本阶段，即起诉和受理、审理和判决、执行。

基本训练

■ 基本知识检测

一、简要回答下列问题

1. 比较民事诉讼法、刑事诉讼法、行政诉讼法的基本原则有哪些不同？

2. 简述民事诉讼的第一审程序。

3. 简述刑事诉讼中的职能管辖。

4. 简述行政诉讼中人民法院的受案范围。

5. 简述法律援助的条件。

二、选择题

1. 下列选项中哪些属于人民法院不受理的事项？（　　　）

A. 法规规定由行政机关最终裁决的具体行政行为

B. 国家制定外交政策的行为

C. 行政机关对其工作人员的免职决定

2. 某市环保局、卫生局与水利局在联合执法过程中，发现某化工厂排污口建在行洪通道上，遂联合作出决定，对该厂罚款 2 万元并责令其限期拆除。化工厂对处罚决定不服，准备起诉，以下关于涉诉的说法哪个是正确的？（　　　）

A. 应以环保局为被告，因为处罚决定涉及环保局的职责

B. 应以环保局、卫生局和水利局为共同被告，因是共同行为

C. 应以市环保局为被告，以卫生局和水利局为第三人

D. 应以三机关共同的上级机关为被告

3. 张兰起诉陈钢，要求解除双方之间的婚姻关系，并平均分割双方的共有财产（共有房屋四间，共有存款 10000 元）。本案中的诉讼标的是什么？（　　　）

A. 张兰提出的离婚请求

B. 张兰要求分得的两间房屋

C. 张兰要求分得的 5000 元钱

D. 张兰请求法院解除的其与陈钢之间的婚姻关系

4. 个体工商户崔某从 1994 年起在某市经营一饭店，领有营业执照，1997 年因妻子生病急需用钱因而将饭店转让给赵某经营，但双方并未到工商局办理营业执照的更名手续。赵某经营过程中，致使多名顾客食物中毒，这些顾客决定向法院起诉要求赔偿损失。此案中当事人的诉讼地位应如何确定？（　　）

A. 顾客是原告，赵某是被告，崔某与本案无关

B. 顾客是原告，崔某是被告，赵某与本案无关

C. 顾客是原告，崔某与赵某是共同被告

D. 顾客是原告，赵某是被告，崔某是无独立请求权的第三人

5. 陈辉因其存于中国工商银行 A 县支行曲塘储蓄所的 5 万元存款被人冒领，欲诉诸法院。请帮他确定本案以谁为被告？（　　）

A. 曲塘储蓄所　　B. 县支行　　C. 中国工商银行总行

6. 患者甲与某医院发生医疗纠纷。甲认为由于该医院误诊，导致其疾病没有及时得到治疗，造成了财产和精神上的损害，故向法院提起诉讼，要求医院承担相应的民事责任，甲提出病历和 X 光片保存在医院，只要医院出示，就可以证明其对此负有责任。

请回答：

(1) 原告对以下何种争议负有举证责任？（　　）

A. 损害数额　　　　　　　B. 甲在该医院就诊的事实

C. 医疗行为与损害事实之间是否存在因果关系的事实

D. 医生诊断时是否存在过错的事实

(2) 本案件中 X 光片作为证据，则属于（　　）。

A. 物证　　B. 书证　　C. 视听资料　　D. 鉴定结论

(3) 本案件中，假设医院提出甲的病历等有关资料因保管不

善而丢失，无法提供，则下列说法正确的是（　　）。

A. 原告不以其他证据证明医院有责任时，原告应当承担败诉的后果

B. 法院不考虑病历等有关资料的证据意义，根据其他有关证据认定事实

C. 在医院拒不提供该资料时，法院可以推定原告的相关主张成立

D. 由于资料的丢失，导致案件的主要事实不清，法院就当裁定驳回起诉

7. 王红亲眼目睹了三个盗窃犯实施盗窃及当场被公安机关抓获的过程。事后，侦查人员找到王红取证。对此，下列说法哪些是正确的？（　　）

A. 王红有义务作证

B. 王红有权要求对自己的姓名在整个刑事诉讼过程中保密

C. 王红有权要求公安司法机关保障自己的人身安全

D. 王红有权要求公安司法机关保障自己近亲属的安全

8. 在我国刑事诉讼中，哪些机关有权行使侦查权？（　　）

A. 公安机关　B. 国家安全机关　C. 人民检察院　D. 人民法院

三、辨析题

1. 犯罪嫌疑人某甲认为，自己有沉默的权利，只要在审问中始终拒绝回答问题，保持沉默，且自己的犯罪事实其他人并不知道，法院就无法给自己定罪。

2. 所有的民事诉讼案都适用"谁主张，谁举证"的原则。

3. 对于民事案件的地域管辖一般实行"原告就被告"的原则。

4. 行政案件的举证责任由被告承担。

四、举例说明

1. 举例说明哪些民事纠纷可以由双方当事人申请仲裁，哪些不能。

2. 举一件属于告诉才受理的刑事案件。

3. 举例说明适用举证责任倒置的民事侵权案件。

■ **基本技能训练**

一、案例启示

阅读下面真实案例，说说你的想法。

1. 李某是一个 16 岁的山里孩子，在赶集的路上丢了 100 元钱。后来他听说同村的赵某在他经过的地方捡到了 100 元钱，便怀疑是自己所丢，于是到赵某家去要，但赵某家说啥也不给。为此，李某将赵某告到了法院，要求赵某立即返还所拾到的 100 元钱，并承担诉讼费用。

庭审中，对原告的诉讼请求，被告赵某辩称，自己根本没有捡过钱，这钱是在地里干活时，姑姑还借父亲的钱时，自己趁父亲不注意，从其手中抢下来的，但回家途中不慎掉在地上，于是就大声说是捡了 100 元钱。这些都是开玩笑，但别人却当真了，还告上了法庭，影响了自己的名誉。

法院经过大量的调查、核实，了解到原告确实在 5 月 25 日丢了钱，被告也确实在那天拾到了钱，但由于原告在庭审中不能提供所丢失的现金的印刷年度、排号，所以法院不能认定赵某所捡的人民币就是李某所失。同时，被告赵某在庭审中因不能证明所持人民币就是从父亲手中"抢"到的，因此法院也不能认定她所说的就是事实。据此，法院认为，被告拾到遗失物后应寻找失主，如找不到，则应把所拾物品上缴有关部门处理，否则属不当得利。依据《中华人民共和国民法通则》第 5 条、第 92 条规定和有关的司法解释，依法作出如下判决：一、驳回原告李某的诉讼请求；二、被告赵某所拾遗失物（100 元）交人民法院上缴国库。

2. 王某等 4 人是某技工学校的学生，1996 年 4 月 30 日上午原告王某、张某在数学考试中抄纸条作弊；5 月 2 日上午原告刘某、马某在电子技术、机械基础考试中抄纸条作弊。该学校于 1996 年 5 月 2 日公告开除四人学籍。又于 5 月 3 日以"某技工学校 18 号"文件对王某等四人作出责令退学、注销学籍的处分决定。该校作出的处分未报主管部门批准。四名学生不服该处分，向某区法院提起行政诉讼。

原告认为，王、张等人虽然在考试中作弊，但已向学校写出书面检查、承认错误，而被告仍作出开除学籍的处罚属处分过重，侵犯了未成年人受教育的合法权益，而且处分程序违法，请求法院判决撤销该处分，恢复学籍。

被告认为，作出该处分是学校内部的管理行为，技工学校不属于国家行政机关，原告无权提起行政诉讼。

法院认为：第一，根据《中华人民共和国教育法》第 28 条第 4 项规定："学校及其他教育机构有权对受教育者进行学籍管理，实行奖励和处分。"因此，该学校虽不是行政机关，但属于法律授权的组织，依法能够对学生进行学籍管理，对学生行使奖励、处分权。该学校对四原告作出责令退学，注销学籍的处理决定，是根据国家劳动部颁发的《技工学校学籍管理规定》，在行政管理中行使职权，是具体行政行为，并不是学校内部管理行为，属于行政诉讼法规定的受案范围。原告可以提起行政诉讼。第二，根据劳动部颁发的《技工学校学籍管理规定》第 27 条的规定："对违犯纪律和犯错误的学生，学校应进行批评教育，情节严重或者屡教不改者，可给予警告、严重警告、记过、留校察看、责令退学或者开除学籍等纪律处分。"四原告均系未成年人，考场作弊尚属首次，能写出检查，认识错误，改正错误，具有从轻处理情节，且并未达到情节严重和屡教不改的程度。《未成年人保护法》第14条规定："学校应当尊重未成年学生受教育权，学校不得随意开除未成年学生。"该学校作出责令原告退学、注销学籍，违背了法律的目的，属于显失公正；同时，该校作出处分程序上也是违法的。根据《技工学校学籍管理规定》第28条的规定："处分学生必须经校务会讨论，校长批准执行；其中责令退学和开除学籍处分的，需报学校主管部门批准并报劳动部门备案。"而该学校于5月2日未经校务会讨论即对王某等四名同学公告开除，又于同年5月3日未报主管部门批准即作出责令退学、注销学籍的处分，在程序上违法。

据此，某区法院认定该校是法律法规授权的组织，起诉符合行政诉讼的受案范围，该校的处分程序违法，显失公正，而且超越职权，判决撤销该处分决定，限判决生效后3日内恢复王某等4人学籍。

后该技校上诉，二审法院驳回上诉，维持原判。

二、案例分析

1. 刘某是经营食品的个体工商户，一次因所进饼干太多，致使很多饼干发霉变质，为减少损失刘某继续出卖变质的饼干。经人举报，当地卫生行政机关决定给予刘某警告并罚款300元。刘某不服，向法院提起诉讼。法院送达起诉书给卫生行政机关后，卫生行政机关迅速调查，收集证据，虽然所收集的证据确凿，凭此证据完全可以给予刘某以上行政处罚，但法院却判决撤销卫生行政机关的处罚决定。

试分析法院的判决是否正确。

2. 被告人孙某因犯盗窃罪被某县人民法院判处有期徒刑，判决生效后，人民法院将孙某交付县监狱执行刑罚。在服刑期间，孙某遵守纪律，对所犯罪行确有悔改表现，而且能够积极劳动，每月都超额完成生产任务。还检举出一个盗窃国家财产的犯罪集团，经查属实。鉴于上述表现，县监狱向市中级人民法院提出了减刑建议书，经人民法院审核，孙某在服刑期间确有悔改表现和立功表现，遂裁定对孙某减刑2年。

分析本案是否符合减刑条件和程序。

3. 1996年10月15日，丹阳市中兴公司向法院递交一份诉状，诉称该公司分别于8月24日、26日送加佳洗衣粉5500箱给天生超市，总价值24万元，双方约定于9月1日前付清货款，如逾期付款要承担月息3‰的违约金。但经多次催要，对方至今分文不给，要求判令天生超市归还所欠货款及逾期利息。同时，中兴公司向法院提供了一张在天生超市便笺上书写的盖有天生超市印章的欠条："欠中兴公司加佳款贰拾肆万元整，9月1日前还清，逾期按3‰月息支付。"10月22日，丹阳市法院经审查决定立案审理。

收到应诉通知后，天生超市经理姜某十分吃惊，超市从未欠过中兴公司货款，也从未与该公司有过业务往来。

11月8日，法院开庭审理此案。庭审中，天生超市法定代表人辩称，与中兴公司的所谓货款纠纷纯是子虚乌有。而中兴公司认为："欠条可以说明一切，既然不欠我们款，为什么会在欠条上盖章呢！"法庭调查证实，上述欠条是中兴职工江某所写。由于还有一些证据要核实，经法庭调查和辩论后，审判长宣布休庭。在法官的要求下，中兴公司又提供了运送洗衣粉的司机张某的证言，张某作证："我8月下旬往丹阳市送过货，大约40吨洗衣粉，送货地点是东门桥边的一个仓库（天生超市仓库所在地）。"

根据上述"事实"和"证据"，法院于1996年12月30日作出一审判决："被告天生超市偿付原告中兴公司货款24万元、违约金2970元，诉讼费6600元由被告承担。"

收到判决后，天生超市立即向镇江市中级人民法院提起了上诉。

镇江中院立案后，找到了重要证人张某，经过法制教育，张某终于承认是中兴公司找他，要他作伪证，这样可以要回中兴公司以前欠他的运费。鉴于本案只有唯一的证据"欠条"是中兴公司江某所写，不能排除是趁天生超市管理疏漏，偷盖印章并加写内容讹诈天生超市的可能，因此，于1997年8月15日将此案发回丹阳市法院重审。

重审期间，中兴公司以"纠纷经双方协商达成一致，已得完满解决"为由提出撤诉。法院经审查后裁定准许撤回起诉，案件受理费3330元由中兴公司承担。

但天生超市却不肯罢休，1998年1月4日，天生超市向丹阳市法院提交了请求再审的申请书。法院裁定此案由另行组成的合议庭进行再审。

1998年9月15日，丹阳市法院公开审理了此案，中兴公司未到庭参加诉讼。经审理查明了事实真相：1996年8月至10月间，中兴公司业务员朱某与天生超市发生业务过程中，趁天生超市工作人员不注意时，将天生超市的空白信笺加盖天生超市公章后取走。后由江某在其上书写了内容。凭此欠条打起了这场官司，在审理中为使假案成真，又唆使司机张某作了伪证。

根据查明的事实，丹阳市法院于11月2日作出缺席判决，撤销关于准许中兴公司撤回起诉的裁定书，驳回中兴公司的诉讼请求，由中兴公司赔偿天生超市为诉讼支出的代理费、交通费共计 6969 元。一、二审案件的受理费 13120 元由中兴公司承担。

同时，鉴于中兴公司持伪造的证据向法院提出诉讼，妨碍诉讼活动，江某在诉讼期间作伪证，法院决定，对中兴公司罚款 3 万元，对江某罚款 1000 元。

根据本案提供的材料，说一说一般民事案件的主要诉讼过程。

■ 实践技能操作

1. 到法院见习，熟悉第一审程序，了解第二审、再审程序。

2. 查一查民事诉讼法，根据有关的规定，写一份简单的民事起诉状，要求基本格式正确。

3. 一位台胞向律师咨询："我孙子今年年初因涉嫌犯罪被捕，案卷交由某市法院一审后，至今已有 4 个多月，仍未审结，我从台湾飞回想见孙子一面，但未获准许。请问，法律对法院审案期限是如何规定？在此期间，我能否与被押的孙子见面？"

请你查一查有关法律，帮助解答一下。

参 考 书 目

1. 最高人民法院中国应用法学研究所编：《人民法院案例选刑事卷·民事卷·行政卷》（1992～1996 年合订本），人民法院出版社，1997 年版。

2. 司法部国家司法考试中心编审：《国家司法考试辅导用书》，法律出版社，2003 年版。

3. 张佩霖主编：《中国民事法律理论与实务》（中国高级律师高级公证员培训试用教材），法律出版社，1992 年版。

4. 胡锦光主编：《行政法案例分析》，中国人民大学出版社，2000 年版。

5. 裴广川主编：《刑法学教学案例教程》，知识产权出版社，2002 年版。

6. 樊崇义主编：《刑事诉讼法学教学案例教程》，知识产权出版社，2002 年版。

7. 韩象乾主编：《民事诉讼法学教学案例教程》，知识产权出版社，2002 年版。

8. 陈桂明主编：《法律基础知识》（中等职业教育国家规划教材），北京师范大学出版社，2001 年版。

9. 周友苏主编：《中国公司法原理与实务》，四川人民出版社。

10. 王全兴著：《劳动法》，法律出版社，1997 年版。

11. 张能宝主编：《2004 年国家司法考试应试指导——案例分析专题例解》，法律出版社，2004 年版。

12. 《人民法院报》，2005 年 1～5 月份。

13. 彭爽主编：《法律基础实用教程》，北京工业大学出版社，2004 年版。

14. 王先林、李坤刚编著：《劳动和社会保障仲裁与诉讼》，法律出版社，2002 年版。

15. 贾成宽、薄爱敬主编：《法律基础》，化学工业出版社，2003 年版。